BENEDIKT MOCKENHAUPT

DIE FRÖMMIGKEIT IM PARZIVAL
WOLFRAMS VON ESCHENBACH

BENEDIKT MOCKENHAUPT

DIE FRÖMMIGKEIT IM PARZIVAL
WOLFRAMS VON ESCHENBACH

EIN BEITRAG ZUR GESCHICHTE
DES RELIGIÖSEN GEISTES IN DER LAIENWELT
DES DEUTSCHEN MITTELALTERS

1968

WISSENSCHAFTLICHE BUCHGESELLSCHAFT
DARMSTADT

Reprografischer Nachdruck der 1. Auflage, Bonn 1942
(= Grenzfragen zwischen Theologie und Philosophie, Heft XX),
mit Genehmigung des Peter Hanstein Verlags, Bonn

Bestell-Nr. 4428

2., unveränderte Auflage
© 1968 by Peter Hanstein Verlag, Bonn
Druck und Einband: Wissenschaftliche Buchgesellschaft, Darmstadt
Printed in Germany

In piam memoriam!

Vorliegende Arbeit war als Dissertation zur Erlangung der Doktorwürde in der Katholisch-theologischen Fakultät der Universität Bonn gedacht. Leider hat der Verfasser, P. Benedikt (Engelbert) Mockenhaupt O. S. B., Mönch der Abtei des hl. Eucharius zu St. Matthias in Trier, ihre Drucklegung nicht mehr erlebt: am 25. Februar 1941 wurde er nach langem schweren Leiden vom Herrn über Leben und Tod aus dieser Zeitlichkeit abberufen. So möge denn ein Überblick über sein Leben das Erstlingswerk seines wissenschaftlichen Strebens einleiten — als dankbare Erinnerung an den so hoch geschätzten geistlichen Sohn und Mitbruder, dessen Verlust für uns alle ein schweres Opfer bedeutet.

Engelbert Mockenhaupt wurde am 3. Juni 1905 zu Boppard a. Rh. als Sohn des Architekten Joseph Mockenhaupt geboren. Er besuchte die Volksschule zu Büdingen in Oberhessen und von Ostern 1913 ab das dortige Wolfgang-Ernst-Gymnasium. Er kam 1915 auf das Kaiser-Wilhelm-Gymnasium zu Trier, kehrte nach dem unglücklichen Ausgang des Weltkrieges infolge der Besetzung Triers durch die Franzosen mit der Reife für Obersekunda nach Büdingen zurück und verbrachte die beiden Primajahre auf dem Gymnasium zu Hadamar, wo er 1922, noch nicht 17 Jahre alt, als Erster der Klasse die Reifeprüfung ablegte.

Er trat nunmehr in das Bischöfliche Priesterseminar zu Trier ein, um Theologie zu studieren. Seine überragenden Fähigkeiten veranlaßten seine Vorgesetzten, ihn 1924 an die päpstliche Hochschule der Gregoriana zu Rom zu schicken. Von dort aus bat er nach glänzendem Abschluß seiner philosophischen Studien als Dr. phil. im Herbst 1927 um Aufnahme in die Abtei des hl. Eucharius zu St. Matthias in Trier. Nach Vollendung des Noviziates legte er am 10. März 1929 seine Ordensgelübde ab, um dann seine theologischen Studien im Priesterseminar fortzusetzen. Am 3. April 1932 empfing er im Hohen Dom zu

Trier die hl. Priesterweihe. 1936 bezog er zur Erlangung der theologischen Doktorwürde die Universität Bonn, wo er neben den Vorlesungen der theologischen Fakultät u. a. auch jene des Germanisten Prof. Dr. Hans Naumann besuchte. Es schwebte ihm als Ziel vor, auch als Philologe seinen Mann zu stellen und in seinen Arbeiten eine Brücke zwischen beiden Wissensgebieten zu schlagen. Diesem Wunsche entsprach das Thema seiner Doktordissertation, das aus Besprechungen mit Herrn Prof. Dr. Wilhelm Neuß hervorgegangen ist: „Die Frömmigkeit im Parzival Wolframs von Eschenbach." Ein schweres Magenleiden, das ihm schon seit Jahren zu schaffen machte, verursachte zeitweilige heftige Magenblutungen und verlangte mehrfach Krankenhausbehandlung. Dadurch wurde der Abschluß seiner Studien hinausgeschoben. So konnte er erst im Dezember 1939 vor der katholisch-theologischen Fakultät zu Bonn seine Doktorprüfung ablegen, die seine Arbeit als „ausgezeichnet" angenommen hatte. Die fortschreitende Krankheit verzögerte leider die Drucklegung. Sie hatte soeben begonnen, als der Tod ihm die Feder aus der Hand nahm.

Auf den Wunsch seiner Lehrer soll die Arbeit als „Vermächtnis seines Geistes an die Wissenschaft" der Öffentlichkeit übergeben werden. Herr Professor Neuß bezeichnete sie als eine „überaus wertvolle Untersuchung, gleich rühmenswert wegen der Problemstellung und der Methode. Das Ziel, das sie sich gesteckt hat, aus einem großen Kunstwerk eine tiefere Erkenntnis der religiösen Welt seines Meisters zu gewinnen, ist ebenso inhaltreich wie schwierig. Ganz recht hat P. Benedikt Mockenhaupt darin, daß ein Kunstwerk eigentlich der lauterste Zeuge des Geistes seiner Zeit ist, weil es nicht lügt, ja nicht lügen kann. Das gilt von den Werken der bildenden Kunst, der Musik und der Dichtung in gleicher Weise. Wir müßten sie viel mehr befragen, als es gewöhnlich geschieht. Freilich, um ihre Antworten richtig zu verstehen, dazu gehört ein Verständnis des Künstlerischen selbst und der Welt, in der das Werk entstanden ist, sowie unbestechlicher Wahrheitssinn. Der so früh uns entrissene gelehrte junge Mönch verfügte über eine ausgezeichnete germanistische Schulung und über jenen feinen inneren Sinn für das Künstlerische, der seinem Wesen ein unverkennbares Gepräge gab, dazu über eine vortreffliche theologische und kirchengeschichtliche Bildung. Endlich stand er durch und durch in der Zucht der strengsten wissenschaftlichen Gewissenhaftigkeit. Daher brachte er für diese Arbeit, in der er zum erstenmal die Schwingen seines Geistes weit entfalten konnte, Voraussetzungen mit, wie sie nicht glücklicher zusammentreffen konnten. Was er uns geschenkt, wir müssen mit Trauer sagen, hinterlassen hat, ist daher zwar eine Erstlingsarbeit, aber eine solche, die eines erprobten Gelehrten würdig wäre, eine wirkliche Bereicherung der Wissenschaft". In diesem Sinne konnte auch Herr Prof. Söhngen, der gern bereit war, sie in der von ihm herausgegebenen Sammlung zu veröffentlichen, sie als eine „reife Arbeit" bezeichnen, in der „P. Benedikt s e i n, das seiner religiösen und wissenschaftlichen Persönlichkeit entsprechende Thema gefunden und es auf s e i n e Weise bearbeitet" hat.

Ein besonderes Wort des Dankes sei all denen ausgesprochen, die den teuren Toten bei dieser Arbeit mit Rat und Tat unterstützten. So möge denn, dem Wunsche des H. H. Dekans der kath.-theol. Fakultät Prof. Dr. Barion entsprechend, dieses Buch „die Erinnerung lebendig halten an einen hochbegabten und rastlosen Arbeiter auf dem Felde der scientia sacra".

B a s i l i u s E b e l,
Abt von St. Eucharius (St. Matthias).

Übersicht

Literaturangaben

A. Bibliographie

Die Wolframliteratur ist in mehrfachen Bibliographien zusammengestellt worden:

B ö t t i c h e r, G., Die Wolframliteratur seit Lachmann, 1880;
P a n z e r, Fr., Bibliographie zu Wolfram von Eschenbach, 1897;
B ö t t i c h e r, G., Bericht in „Ergebnisse und Fortschritte der germanistischen Wissenschaft", 1902, S. 273—80.
E h r i s m a n n, G., Wolframprobleme, in *GRM 1 (1909) S. 657—61;*
— Geschichte der deutschen Literatur bis zum Ausgang des Mittelalters, 2. Teil, Zweiter Abschnitt, erste Hälfte, 1927 (in den Wolfram v. Eschenbach gewidmeten Paragraphen, ab S. 212).

Ferner haben die meisten Ausgaben, Übertragungen, Untersuchungen mehr oder weniger umfangreiche bibliogr. Angaben.

Bes. M a r t i n, Ernst, Wolframs v. Eschenbach Parzival und Titurel, Zweiter Teil, Kommentar, 1903, hat fast die ganze bis dahin erschienene Literatur aufgearbeitet (zwar nicht eigens zusammengestellt, auch nicht überall gleichmäßig), sodaß man frühere Werke nur noch in besonderen Fällen zu zitieren braucht.

B. Ausgaben und Übersetzungen

Wolframs von Eschenbach (von jetzt ab: WvE bzw. nur W) Parzival ist stets nach der 6. durch Ed. H a r t l besorgten Ausgabe von K. L a c h m a n n, Unveränd. Neudruck 1930, zitiert.

Weitere Ausgaben besitzen wir von M a r t i n (s. o. unter A.), Erster Teil, 1900, in „Germanistische Handbibliothek";

B a r t s c h, K., Parzival u. Titurel, in „Deutsche Klassiker des Mittelalters", 4. Aufl. bearb. von Marta Marti, 1927;

sowie besonders L e i t z m a n n, A., in „Altdeutsche Textbibliothek" (umfaßt alle Werke W's, die einzelnen Bändchen versch. Auflagen).

An Übersetzungen seien genannt die von
S i m r o c k, Parzival und Titurel, neu hsg. von K l e e, 1907;
B ö t t i c h e r, Parzival von WvE³, 1906;

P a n n i e r in „Reclams Universalbibliothek";

H e r t z, W., Parzival von WvE, neu bearbeitet, seit der 5. Aufl. von R o s e n h a g e n, mit Nachtrag, [7]1927; wohlfeile Ausgabe mit einem Nachwort von v. d. L e y e n, zuletzt 1930;

M a t t h i a s, Th., WvE's Werke im Geiste des Dichters erneuert 1925; besonders jetzt die Prosaübertragung von W. S t a p e l, WvE Parzival, 1937.

C. Darstellungen und Untersuchungen

1. Im Rahmen von Literaturgeschichten (allg. Abkürzung LG) genannt seien die Werke von:

E h r i s m a n n (s. o. unter A.).

G o l t h e r, W., Die deutsche Literatur im Mittelalter 800—1500, Bd. 1 von „Epochen der deutschen Literatur", [2]1922.

H a n k a m e r, P., Deutsche Literaturgeschichte, 1930.

N a d l e r, J., Literaturgeschichte der deutschen Stämme und Landschaften, Bd. 1, [2]1923.

S a l z e r, A., Illustrierte Geschichte der deutschen Literatur, Bd. 1, [2]1926.

S c h n e i d e r, Herm., Heldendichtung, Geistlichendichtung, Ritterdichtung, 1925.

S c h w i e t e r i n g, J., Deutsche Dichtung des Mittelalters, im „Handbuch der Literaturwissenschaft".

V o g t, Fr., Geschichte der mittelhochdeutschen Literatur, im „Grundriß der deutschen Literaturgeschichte" 2, 1. Teil, [3]1922.

V o g t, Fr., und K o c h, M., Geschichte der deutschen Literatur, Bd. 1, 5. Aufl. von W. K o c h, 1934.

S c h e r e r, W. und W a l z e l, O., Geschichte der deutschen Literatur, [4]1928.

2. Studien zum Parzival WvE's (nur die für vorliegende Untersuchung benützten Arbeiten über W's Parzival sind hier zusammengestellt, mit Angabe der gebrauchten Abkürzungen; die ü b r i g e von uns benützte Literatur ist nicht besonders zusammengestellt).

Adolf, hant=A d o l f, Helene, Die W'sche Wendung „diu hoehste hant", in Neophilologus 19, S. 260—64.

Amoretti, Pz=A m o r e t t i, Giov. Vitt., Parzival. WvE. KLImmermann. RWagner. Pisa 1931.

Baier, Eingang=B a i e r, A., Der Eingang des Parzival und Gottfrieds Tristan, in Germ. 25 (1880) S. 403—07.

Bäumer, W=B ä u m e r, Gertrud, WvE (in der Sammlung „Die Dichter der Deutschen), 1938.

Becher, Ew. Pz=B e c h e r, Hubert, SL., Der ewige Parzival, in *StZt 133* *(1937/38) S. 368—79.*

Bloete (üb. Schröder)=B l o e t e, J. F. D., Rezension zu S c h r ö d e r, Parzivalfr. in *AfdA 48 (1929) S. 118—24.*

Boestfleisch, Minneged.=B o e s t f l e i s c h, Kurt, Studien zum Minnegedanken bei WvE (=Königsberger deutsche Forschungen, H. 8) 1930.

Bötticher, Hl.=B ö t t i c h e r, Gotthold, Das Hohelied vom Rittertum. Eine Beleuchtung des Parzival nach W's eigenen Andeutungen, 1886.

— Trevr.,=Ders., Die Trevrizentszene, in *ZfdA 45, S. 149—52.*

Burdach, Vorsp.=B u r d a c h, Konrad, Vorspiel, Gesammelte Schriften zur Geschichte des deutschen Geistes, Bd. 1, erster Teil, Mittelalter (=DVS BR 1. Bd.) 1925.

— Gral=Ders., Der Gral. Forschungen über seinen Ursprung u. seinen Zusammenhang mit der Longinuslegende (=Forschungen zur Kirchen- und Geistesgeschichte, 14. Bd.), 1938.

Dennecke (üb. Schwarz)=D e n n e c k e, Ludw., Rezension zu S c h w a r z, Gottesb. in *AfdA 54 (1935), S. 47—49.*

Dilthey, Dichtung=D i l t h e y, Wilh., Von deutscher Dichtung und Musik (hsg. von N o h l und M i s c h), 1933 (über W bes. S. 107—30).

Domanig, Pcst.=D o m a n i g, Karl, Parcivalstudien. H. 2, Der Gral des Parcival, 1880.

Ehrismann, Ethik=E h r i s m a n n, Gustav, Über Wolframs Ethik in *ZfdA 49 (1908) S. 405—65.*

— Wpr.=Ders., Wolframprobleme, in *GRM 1 (1909) S. 657—74, bes. 664 ff und 667 ff.*

— Tugends.=Ders., Die Grundlagen des ritterlichen Tugendsystems, in *ZfdA 56 (1919) S. 137—216.*

— LG=(s. o. unter 1.).

— laps. ex.=Ders., *er heizet lapsit exillis* Parz. 469,7, in *ZfdA 65* (1928) S. 62 f.

Emmel, *êre*=E m m e l, Hildegard, Das Verhältnis von *êre* und *triuwe* im Nibelungenlied und bei Hartmann und W (= Frankfurter Quellen und Forschungen, H. 14) 1936.

Englert, Lebenspr.=E n g l e r t, Jos., Das Problem des Lebens und W's Parzival, in *DkS 12 (1900) S. 14 ff, 61 ff, 108 ff.*

Eschen, Pz=v. E s c h e n, M., Parcival und Faust (=Beiträge zur Literaturgeschichte, H. 17) 1906.

Fritzsch, Rel.=F r i t z s c h, Robert, Über WvE's Religiosität. Lpzger Diss. 1892.

Frohnmeyer, Theos.=F r o h n m e y e r, Die theosophische Bewegung, 1920.

Gerhard, Entwicklungsroman=G e r h a r d, Melitta, Der deutsche Entwicklungsroman bis zu Goethes Wilhelm Meister (=DVS BR 9. Bd.) 1926.

Gietmann, Pz=G i e t m a n n, Gerhard, SI., Parzival, Faust, Job und einige verwandte Dichtungen (=Klassische Dichter und Dichtungen. Erster Teil, zweite Hälfte) 1887.

Golther, Pz/Gr=G o l t h e r, Wolfgang, Parzival und der Gral in der Dichtung des Mittelalters und der Neuzeit 1925 (für WvE S. 134— 215 u. Register).

— Pz=Ders., Parzival in der deutschen Literatur (=Stoff- und Motivgeschichte der deutschen Literatur, H. 4) 1929 (für W bes. S. 23—36).

— LG=Ders. (s. o. unter 1.).

Halbach, Dt. Mensch=H a l b a c h, H. K., Der deutsche Mensch in der staufischen Dichtung, in ZfDk 49 (1935) S.

Jolles, Lanze=J o l l e s, A., Die heilige Lanze, in PBB, 53, S. 63 f.

Kampers, Lichtland=K a m p e r s, F., Das Lichtland der Seelen und der hl. Gral (=Vereinsgaben der Görresgesellschaft, 2) 1916.

— Gnost.=Ders., Gnostisches im Parzival, in Mitteilungen d. schles. Ges. f. Volksk. 21 (1919) S. 1 ff.

— üb. Schröder)=Ders., Rezension zu S c h r ö d e r, Parzivalfr., in HJb 48 (1928) S. 549—51.

Lachmann, Eingang=L a c h m a n n, Karl, Über den Eingang des Parzival, in Kleinere Schriften, hsg. von Karl Müllenhoff, Bd. 1, 1876, S. 480 bis 518.

— Inhalt=L a c h m a n n über den Inhalt des Parzivals, hsg. von Gust. H i n r i c h s, in AfdA 5 (1879) S. 289—305.

Keferstein, Eth. Weg=K e f e r s t e i n, Georg, Parzivals ethischer Weg (=Literatur u. Leben, Bd. 10) 1937.

— Gawanhdlg=Ders., Die Gawanhandlung in W's Parzival, in GRM 25 (1937) S. 256—74.

Kinzel, kiusche=K i n z e l, Karl, Der Begriff der kiusche bei WvE, in ZfdPh 18 (1886) S. 447—59.

— Frauen=Ders., Die Frauen im Parzival, in ZfdPh 21 (1889) S. 48 bis 73.

Knorr, Dicht.=K n o r r, Friedr., Über die Auffassung des Dichters und des Dichterischen bei WvE, in NJbb 10 (1934) S. 509—29.

— Welt=Ders., Welt und Mensch in W's Parzival, in ZfThK NF 15 (1934) S. u. 16 (1935) S. 77 ff.

— Pz=Ders., Parzival und das Reich, in DtVt 1935 S. 583 ff.

— Gottfr.=Ders., Gottfried von Straßburg, in *ZfDk 50 (1936) S. 1—17 (über W S. 13 ff)*.

— Reichsidee=Ders., Wolframs Parzival und die deutsche Reichsidee, in *ZfDk 50 (1936) S. 160 ff*.

Korn, Freude=K o r n, Karl, Studien über *Freude und Trûren* bei mittelhochdeutschen Dichtern, Ffter Diss. 1932 (über Wolfram S. 115—24).

Krappe, laps. ex=K r a p p e - H a g g e r t y, Al., Zu W's lapsit exillis, in *ZfdPh 4, S. 270—72*.

Laserstein, Sendung=L a s e r s t e i n, Käthe, WvE's germanische Sendung. Ein Beitrag zur Stellung des Dichters in seiner Zeit. 1928.

Matz, Ausdrücke=M a t z, Elsa-Lina, Formelhafte Ausdrücke im Parzival, Kieler Diss. 1907.

Meier, Zeitgen.=M e i e r, John, WvE und einige seiner Zeitgenossen, in *Festschrift zur 49. Versammlung deutscher Philologen und Schulmänner in Basel im Jahre 1907, S. 507—20. 1907*.

Michael, Gralleg.=M i c h a e l, Emil, SI., Zur Theologie der Grallegende, in *ZfkTh 27 (1903) S. 780—89*.

Michels (üb. Sattler)=M i c h e l s, Viktor, Rezension zu S a t t l e r, Rel. Ansch., in *GöttgA Bd. 159, 1897, S. 738 ff*.

Minor (üb. Sattler)=M i n o r, Jakob, Rezension zu S a t t l e r, Rel. Ansch., in *LCbl 1896, Nr. 19, Sp. 707*.

Misch, Pz=M i s c h, Georg, W's Parzival. Eine Studie zur Geschichte der Autobiographie, in *DVS 5 (1927) S. 213—315*.

Naumann, Heide=N a u m a n n, Hans, Der wilde und der edle Heide, in *Vom Werden des deutschen Geistes, Festgabe G. Ehrismann 1925, S. 80—101*.

— Höf. Kult.=Ders., Ritterliche Standeskultur um 1200, in *Höfische Kultur von Hans Naumann und Günther Müller* (=DVS BR 17. Bd.) 1929 S. 1—77.

— St. Ritter=Ders., Der staufische Ritter (=Meyers Kleine Handbücher 3) 1936.

Neumann, Ritterideal=N e u m a n n, Friedr., WvE's Ritterideal, in *DVS 5 (1927) S. 9—24*.

Nolte, Eingang=N o l t e, Albert, Der Eingang des Parzival, Mrbger Diss. 1899.

— Komposition=Ders., Die Komposition der Trevrizent-Scenen, in *ZfdA 44 (1903) S. 241—48*.

Paetzel, W. u. Chrestien=P a e t z e l, W., WvE und Chrestien von Troyes (Parzival, Buch 7—13 u. seine Quelle) Diss. Bln 1931.

Palgen, Stein=P a l g e n, Rud., Der Stein der Weisen. Quellenstudien zum Parzival, 1922.

Paul, Auftakt=P a u l, Otto, Der dreisilbige Auftakt in den Reimpaarepen WvE's, Mner Diss. 1928.

Pestalozzi, Probl.=P e s t a l o z z i, Rud., Seelische Probleme des Hochmittelalters, in *NJbb 41 (1918) S. 192 ff* (über W S. 196—202).

Rahn, Kreuzzug=R a h n, Otto, Kreuzzug gegen den Gral, 1933.

Ranke (üb. Weber)=R a n k e, Friedr., Rezension zu W e b e r, Gottesbegr., in *AfdA 56 (1937) S. 130 f.*

Rieger, Vorrede=R i e g e r, M., Die Vorrede des Parzival, in *ZfdA 46 (1902) S. 175—81.*

Roediger (üb. Sattler)=R o e d i g e r, Max, Rezension zu S a t t l e r, Rel. Ansch., in *AStnSp Bd. 97 (1896) S. 154 f.*

Roethe, W=R o e t h e, Gustav, Deutsche Reden (1927) (über W S. 94—107: Der Dichter des Parzival).

Rohr, Pz/Gr=R o h r, Parzival und der heilige Gral. Eine neue Deutung der Graldichtungen.

San Marte, Pcst I (bezw. II)=S a n M a r t e (Alw. S c h u l z), Parcivalstudien. Zweites Heft: Über das Religiöse in den Werken WvE's und die Bedeutung des hl. Grals in dessen Parcival, 1861; bezw. Drittes Heft: Die Gegensätze des hl. Grales und von Ritters Orden, 1862.

Sattler, Rel. Ansch.=S a t t l e r, Anton, Die religiösen Anschauungen WvE's (=Grazer Studien zur deutschen Philologie, H. 1) 1895.

Scharmann, Saelde=S c h a r m a n n, Theo, Studien über die *Saelde* in der ritterlichen Dichtung des 12. und 13. Jahrhunderts. Ffter Diss. 1932 (üb. W bes. S. 65—76).

Scherer, Vorsehung=S c h e r e r, W., Das Problem der Vorsehung in WvE's Parzival, in *HpBl 165 (1919) S. 722—40.*

Schneider, Erziehergest.=S c h n e i d e r, Nora, Erziehergestalten im höfischen Epos. Ffter Diss. 1932 (üb. W bes. S. 45—76).

Schrader, Höfisch=S c h r a d e r, Werner, Studien über das Wort „höfisch" in der mittelhochdeutschen Dichtung. Ffter Diss. 1932 (üb. W S. 38 bis 41).

Schreiber, Bausteine=S c h r e i b e r, Albert, Neue Bausteine zu einer Lebensgeschichte WvE's (=Deutsche Forschungen Bd. 7) 1924.

Schröder, Parzivalfr.=S c h r ö d e r, Franz Rolf, Die Parzivalfrage, 1928.

Schwarz, Gottesb.=S c h w a r z, Bertha, Das Gottesbild in höfischer Dichtung, 1933 (üb. W. S. 63—76).

Schwietering, Sigune=S c h w i e t e r i n g, Julius, Sigune auf der Linde, in *ZfdA 57 (1920) S. 140—43.*

— Dichtung u. Kunst=Ders., Mittelalterliche Dichtung und bildende Kunst, in *ZfdA 60 (1923) S. 113—27.*

— Fischer=Ders., Der Fischer am See Brumbane, in *ZfdA 60 (1933) S. 259—64.*

— Heldenideal=Ders., Der Wandel des Heldenideals in der epischen Dichtung des 12. Jahrhunderts, in ZfdA 64 (1927) S. 135—47.

— (üb. Schneider)=Ders., Rezension zu Schneider, LG, in AfdA 46 S. 24—41.

— LG=(s. o. unter 1.).

Seeber, Laienbeicht=S e e b e r, Josef, Die Laienbeichte bei W, in ZfdPh 12 (1880) S. 77—80.

— Ideen=Die leitenden Ideen im Parzival, in HJb 2 (1881) S. 56—75 u. 178—200.

Semper, Pers. Anteil=S e m p e r, Max, Der persische Anteil an W's Parzival, in DVS 12 (1934) S.

Singer, Stil=S i n g e r, Samuel, W's Stil und der Stoff des Parzival (=WSB Bd. 180, 4. Abhdlg.) 1916.

Spiess, Ideen=S p i e s s, B., Die christlichen Ideen der Parzivaldichtung. Gymnasialprogr. Wiesbaden 1879.

Stapel, Dt. Christent.=S t a p e l, Wilh., WvE's deutsches Christentum, in DtVt 1935 S. 829 ff.

— Übtr.=(s. o. unter B).

Stein, Weltgesch.=S t e i n, Walter Josef, Weltgeschichte im Lichte des heiligen Gral, 1. Bd., 1928.

Stockmann (üb. Schröder)=S t o c k m a n n, Al., SI., Die Parzivalfrage in neuer Beleuchtung (Rezension zu S c h r ö d e r, Parzivalfr.), in StZt 116 (1928/29) S. 231—35.

Strohmeyer, Kathol.=S t r o h m e y e r, Frz. Jos., WvE's Stellung zum Katholizismus, in ThprMs 4 (1894) S. 667—81.

Suhtscheck, Parsiw.=S u h t s c h e c k, Friedr. von, WvE's Reimbearbeitung des Parsiwalnâmä, in Klio 25.

Teske, W=T e s k e, Hans, WvE, in DtVt (1931) S. 345—53.

— (üb. Rapp)=Ders., Rezension zu Sr. Cath. T. Rapp, Burgand Peasant etc., in AfdA 56 (1937) S. 70 f.

Tschirch (üb. Keferstein)=T s c h i r c h, Fritz, Rezension zu K e f e r s t e i n, Eth. Weg, in AfdA 56 (1937) S. 160—63.

Uehli, Gralsuche=U e h l i, Ernst, Eine neue Gralsuche (Goetheanum-Bücherei) 1921.

Weber, Wolfram=W e b e r, Gottfried, WvE. Seine dichterische u. geistesgeschichtliche Bedeutung. 1. Bd.: Stoff und Form (=Deutsche Forschungen Bd. 18) 1928.

— Gottesbegr.=Der Gottesbegriff des Parzival. Studie zum 2. Bd. des „WvE" 1935.

Wilmotte, Gral=W i l m o t t e, Maurice, Le poème du Gral de W d'Eschenbach et ses sources françaises, Paris 1933.

Zwierzwina (üb. Sattler)=Z w i e r z w i n a, Karl, Rezension zu S a t t l e r, Rel. Ansch., in ZfdöG 48 (1897) S. 50.

Einleitung

Bei der Bedeutung, die die Dichtung im geistigen Leben einer Nation hat als Ausdruck ihres Wesens wie als geliebter Besitz wie auch als Quelle machtvoller Anregungen und Auftriebe[1], kann sie für eine theologische Betrachtung nicht ganz belanglos sein. Sie ist vielmehr eine Erkenntnisquelle, die viel Einblick gewährt in die Fragen, wie und wie weit die christliche Heilsverkündigung von den Völkern aufgenommen und verstanden, wie sie mit deren naturhaftem Eigen- und Erdbesitz in Einklang gebracht, wie sie von ihnen in die Tat umgesetzt wurde; sie ist mit andern Worten eine Erkenntnisquelle, die manchen wertvollen Blick tun läßt in die innere Geschichte des Christentums unter den Völkern, in die Frömmigkeitsgeschichte der Nationen.

Es gibt natürlich viele Probleme der Frömmigkeitsgeschichte, zu denen die Literatur wenig oder nichts beizutragen hat. Für die reale Verwirklichung des Heiligkeitsideales, die von den Heiligen dargestellt und in ihren Biographien wiederzugeben versucht wird, für die Entfaltung und Vertiefung des Heiligkeitsbegriffes, welche die Theologie leistet, für die Erziehung zu einem frommen und heiligen Leben, die in dem erbaulichen Schrifttum aszetisch-mystischen Charakters Niederschlag gefunden hat, wird man auf die Dichtung höchstens dann einmal zurückgreifen, wenn sie die eigentlichen Quellen unter einem besondern Licht sehen läßt.

Es gibt und gab immer auch Volksschichten, die an der Literatur ihrer Nation nur in geringem Maße beteiligt sind, sei es

---

[1] Diese Grundvoraussetzung braucht hier nicht eingehender entwickelt zu werden; es genüge eine Äußerung von Anton L. M a y e r über die Poesie: „Auch sie ist — mit der Frömmigkeit — eine der tiefsten Trägerinnen der Empfindungen eines Volkes und einer Epoche" (Die Liturgie und der Geist der Gotik in JbLgw VI, 1926, S. 78). Im übrigen ist das Selbstzeugnis der Dichter wie die zustimmende Antwort der Nation niemandem unbekannt.

schöpferisch hervorbringend, sei es als empfangendes Publikum, sei es als in der Dichtung dargestellter Gegenstand. Religiöse Volkskunde ist genau von der theologischen Literaturbetrachtung zu unterscheiden und zu scheiden. Aber hinsichtlich den mit der Literatur verbundenen Schichten einer Nation — sie sind breit und vor allen Dingen einflußreich genug, um in einem guten und vertretbaren Sinn als Volk angesprochen zu werden und wirkliches Interesse zu wecken — ist es von nicht zu unterschätzender Beachtlichkeit, ob die dichterische Produktion von tiefer und echter oder von flacher und firnishafter Religiosität, von ausgesprochener Irreligiosität oder einer der zahllosen Zwischen-, Zerr-, Irrformen erfüllt oder wieder nur überhaucht ist; und es ist wichtig, wie das Bild sich ändert, periodisch im Gesamtablauf, landschaftlich im großen Volksraum, soziologisch in den verschiedenen Gesellschaftsschichten usw., welche Klarheit es gewinnt in den großen Einzelleistungen persönlichen oder repräsentativen Charakters und welche in der breiten Gesamtproduktion.

Nicht allein die Frömmigkeitsgeschichte, auch die Pastoraltheologie vermag aus einer geeigneten Berücksichtigung der Literatur Nutzen zu ziehen. Denn da alle Dichtung immer den Menschen als Gegenstand hat, ihn zeigt im Reichtum und in der Begrenzung seiner Möglichkeiten, so deckt sie vieles auf, was dem seelsorgerischen Interesse zu wissen wertvoll ist, Ansatzpunkte, um den Menschen die religiöse Wahrheit nahezubringen, Hindernisse, die sich deren Annahme entgegenstellen: sie spricht auch von unerfüllten religiösen Bedürfnissen, für die vielleicht schon ein anderer Trost gesucht wird, sie offenbart Unterlassungen und Fehlgriffe in der Verkündigung des Heils und deren Folgen, aber auch Maß und Umfang bereits eingetretener Verhärtung in Unglaube und Sünde, und dies alles mit einer Wahrhaftigkeit, in der sie von kaum einer andern menschlichen Sprache erreicht wird. Sie gehört mit zu den biblischen „Zeichen der Zeit".

Die Gründe, weshalb der Dichtung seitens der Theologie, im besondern der Frömmigkeitsgeschichte, verhältnismäßig nicht allzuviel Aufmerksamkeit geschenkt wurde, sind hier nicht zu untersuchen. Einerseits war ihr Wesen gerade für die ernste

Theologie lange Zeit suspekt[2]; sie galt vielfach als lügenhaft[3] und als gefährlich für das höhere geistige Leben, und gewiß mag auch vieles an ihr für nichts weiter erschienen sein als bestenfalls anmutige, unverpflichtete Spielerei, bloße Unterhaltung: es war vielleicht verzeihlich, sich ihr in Stunden der Ermüdung hinzugeben, aber es war erläßlich, ihr eine wissenschaftliche, gar theologische Bemühung zukommen zu lassen. Platons Verdikt über die Dichtung[4] ist bekannt; es hat große Wirkungen gehabt. Die Vätertheologie im besonderen hatte Grund, trotz vieler Verbundenheit nachdrücklich von den Ideologien und Mythologien der heidnischen Dichter hinweg auf die christliche Wahrheit hinzuweisen[5], und für die Scholastik, die zweite große

---

[2] T h o m a s v. A q u i n empfindet es als eine der Lösung bedürftige Frage, warum die Theologie „quae est verissima" mit der „Poetica, quae minimum continet veritatis" den metaphorischen Sprachgebrauch gemeinsam hat, und er löst sie sich folgendermaßen: „poetica scientia est de his, quae propter defectum veritatis non possunt a ratione capi; unde oportet, quod quasi quibusdam similitudinibus ratio seducatur; theologia autem est de his quae sunt supra rationem; et ideo modus symbolicus utrique communis est, cum neutra rationi proportionetur." (Prolog zum Sentenzenkommentar, Qu. I, art. 5 ad 3m. Gesamtausg. Parma, Tom. VI, 1856, S. 8 u. 9. Vgl. auch Ia IIae, Qu. 101, art. 2 ad 2m: „Poetica non capiuntur a ratione humana propter defectum veritatis, qui est in eis . . . et ideo opus est repraesentatione per sensibiles formas.")

[3] Für die Auseinandersetzung der mittelhochdeutschen Dichter mit dem Vorwurf der Lügenhaftigkeit s. Br. B o e s c h, Die Kunstanschauung i. d. mhd. Dichtung v. d. Blütezeit bis z. Meistergesang, 1936, §§ 13—17, S. 75 ff. Auch S c h w i e t e r i n g (üb. Schneider) S. 28.

[4] U. v. W i l a m o w i t z - M o e l l e n d o r f, Platon Bd. I, 1919, S. 472 ff.; P. F r i e d l ä n d e r, Platon Bd. II, 1930, S. 356 ff. Wie tief dieser „Feind der Dichter", für den nach A u g u s t i n u s (Gottesstaat II, Kap. 14) die Dichter „Feinde der Wahrheit" waren, von der Macht der Dichtung berührt war, s. S. B e h n, Schönheit und Magie, 1932, S. 7 f., auch H. B r e m o n d, Mystik und Poesie, Deutsch v. N e u f f o r g e, 1929, S. 33 f.

[5] Für A u g u s t i n u s, der mit Ambrosius und Hieronymus die Ablehnung der antiken Kultur im Abendländischen Christentum brach (s. G ö t t l e r, Gesch. d. Pädagogik[3] 1935, S. 55), gibt es noch gute Belege: „Omissis igitur et repudiatis nugis theatricis et poeticis, divinarum Scripturarum consideratione et tractatione pascamus animum . . ." (De vera Religione 100 [LI], Mauriner Ausgabe[2], Paris 1836, Bd. I. Sp. 1261A). Für die Spannung, in die Augustins feines musisches Verständnis geriet, sind folgende Formu-

Periode der Theologie, war obendrein die gesellschaftliche Trennung zwischen Theologen und Dichtern zu stark, als daß gemeinsame Probleme hätten entstehen können[6]; in der neueren Zeit beobachtet man umgekehrt aufseiten der Dichtung eine wachsende Zurückhaltung gegenüber aller an der Theologie, ja am geoffenbarten Glauben orientierten, sogar überhaupt auf „Gott" gerichteten Frömmigkeit[7] und dafür ein immer stärkeres Bemühen um eine rein aus dem Dichterisch-Menschlichen entwickelte Religion oder Religiosität, daß überhaupt keine Wege mehr hinüber und herüber zu führen scheinen. Zu diesen Gründen treten einige noch enger konkret-sachliche hinzu: einmal handelt es sich doch nur um ein Randgebiet von einer, verglichen mit den großen theologischen und ekklesiologischen Problemen, geringen theologischen Ergiebigkeit; anderseits hemmt es, daß man die Methoden der Fachtheologie nicht in Anwendung bringen kann und sich immer der besonderen Struktur der literarischen Gebilde bewußt bleiben muß. Es ist durchaus erklärlich nach alledem, daß höchstens in unsern ganz großen kirchengeschichtlichen Werken hin und wieder ein kurzer Hinweis auf die weltliche Literatur einer Zeit sich findet[8], während die Protestanten allerdings, bei ihrem stärker aufgelockerten Theologiebegriff, den literarischen Erscheinungen wohl auch ausführlichere Untersuchungen widmen[9]. Immerhin konnte beispiels-

lierungen bezeichnend: *„Sic ab ea (ratione) poetae geniti sunt: in quibus cum videret non solum sonorum, sed etiam verborum rerumque magna momenta, plurimum eos honoravit, eisque tribuit quorum vellent rationabilium mendaciorum potestatem."* (De Ordine, Lib. II, 40 [XIV], ebd. Sp. 577C).

[6] Vgl. unten S. 248 Mitte u. Anm. 36.

[7] Die kindlich fromme und sehr reiche Lyrik, Ausdruck einer festen Gläubigkeit und einer in dieser gefundenen gelösten Sicherheit, die es vor dem 19. Jahrhundert in Deutschland gab, in breitem Strom selbst noch neben der Aufklärung, klang nur bei einigen Romantikern, bei den meisten wie gebrochen, weiter und ist seither fast völlig verhallt. Die Anthologien geistlicher Dichtung, z. B. „Der deutsche Psalter" von Will V e s p e r, reden hier eine sehr deutliche Sprache. Von Klopstocks religiösen Oden über Faustens Religionsgespräch mit Gretchen zu Rilkes Stundenbuch, das ist ein sehr kennzeichnender Weg.

[8] Die sehr allgemeinen Bemerkungen in H e r g e n r ö t h e r s Handb. d. allg. Kirchengeschichte Bd. II[4], 1913, S. 738.

[9] Die ziemlich ausführlichen Analysen bei A. H a u c k, Kirchengeschichte Deutschlands Bd. IV[2], 1913, S. 553 ff.

weise Emil M i c h a e l seinen Aufsatz „Zur Theologie der Grallegende" von 1903[10] mit den Worten einführen: „Es ist nicht das
erste Mal, daß Wolfram und sein Parzival in einer theologischen
Zeitschrift auftreten", um dann einige voraufgegangene Arbeiten aus theologischen Zeitschriften zu nennen. Die Bedeutsamkeit einer theologischen Durchleuchtung der Literatur ist also
durchaus schon empfunden worden.

Der Quellenwert der Literatur ist freilich ganz durch die
Eigenart ihres Wesens bestimmt. Wollte man das in einem literarischen Werk zur Verwendung gebrachte „Material an religiösen Motiven" sammeln, um es zu Schlüssen auf die persönliche Frömmigkeit oder Rechtgläubigkeit des Dichters oder auf
die konkreten Formen religiösen Lebens der Zeit, der Gesell-
schaftsschicht, denen das Werk entstammt, zu verwerten, so
ergäbe sich wohl im allgemeinen eine höchst bescheidene, noch
dazu meist sehr fragwürdige Ausbeute[11]. Denn trotz vielfältiger und tiefreichender Verwurzelung in der Wirklichkeit ihres
Entstehungsgebietes, was Vorstellungsbereich, Darstellungsmittel
usw. angeht, verfügt die Dichtung über eine souveräne Freiheit
in der Behandlung ihrer stofflichen Motive[12]; sie kann sie suchen,

---

[10] ZfkTh Bd. 27, S. 780 ff.

[11] Die lange vorherrschende positivistische Richtung in der Literaturbetrachtung hat auf diesem Weg höchst merkwürdige Resultate erzielt. So
hat z. B. Ulr. S t ö k l e die theologischen Ausdrücke und Wendungen im
Tristan Gotfrids von Straßburg in einer so betitelten Tübinger Dissertation
von 1915 zusammengetragen und gefunden, daß „eine viel größere Summe
theologischer Anschauungen im Tristan enthalten ist, als man auf den ersten
Blick vermuten möchte", daß der Dichter „mit der kirchlichen Lehre wohl
vertraut" war und „unabhängig von der Vorlage manches Theologische erst
in den Tristan hineingetragen hat". Er findet sogar, daß Wolfram v. Eschenbach „mit alleiniger Ausnahme der Buße, über die im Tristan nichts steht
(daß dies allerdings ein äußerst beachtenswertes Symptom ist, wird nicht
bemerkt!), dem Inhalt nach nicht viel mehr an Theologischem bietet, als
Gottfried" (aaO S. 31). Wie unzutreffend das auf diese Weise ermittelte
Bild ist, das später auch noch ins Erhabene hinaufethisiert wurde (E h r i s-
m a n n , Literaturgeschichte § 50, bes. S. 314—320), tut der Vergleich mit
den feinfühligen Untersuchungen von R a n k e (Tristan u. Isolde 1925,
S. 176 ff., bes. 203—210) und seinem Schüler N i c k e l (Königsberger Deutsche Forschungen, Heft 1) dar. Siehe auch den sehr guten Aufsatz von Fr.
K n o r r über Gotfrid in ZfDk 50 (1936) S. 1—17.

[12] Für das Folgende: H. L ü t z e l e r , Einführung in die Philosophie der

wo sie sie findet, in den Ereignissen, Zuständen, Bräuchen und Bestrebungen ihrer Umwelt, in den Erlebnissen und Phantasiegebilden ihrer Verfasser, in den Berichten oder Vorstellungen über fremde Zeiten und Völker, in den Sagen und Mythologien aus der Vergangenheit — alles dies hat für sie gleichen Wert, sobald es geeignet ist, ihrem Sinngesetz zum Ausdruck zu verhelfen, und soweit es dazu nicht geeignet ist, darf sie es verändern und verwandeln, bis es ihren Zwecken dient. Sie hat oft die geschichtlichen Tatsachen in der erstaunlichsten Weise verkehrt und damit ihre höchsten Ziele erreicht. Wenn wir ihr heutzutage infolge eines empfindlicheren Wirklichkeitssinnes keine schrankenlose Willkür an Naturgesetz und Geschichtsverlauf mehr zubilligen, bestimmte Gattungen wie Fabel, Märchen, Sage nur noch als Kinderlektüre oder als Objekt wissenschaftlicher Bearbeitung bewerten und die unbekümmerte Naivität, mit der etwa das Mittelalter in die Natur und in fremde Geschichtsräume blickte, nicht mehr ertragen würden, so sind wir doch nicht im unklaren darüber, daß auch wirklichkeitsnahe Dichtung immer Höheres leistet als bloße Darstellung von Natur und Geschichte, und dies bedeutet eine Entwirklichung des Stofflisch-Motivischen, die einer Auswertung im biographisch-psychologischen oder im kulturgeschichtlich-volkskundlichen Sinn fühlbare Grenzen zieht. Nur aushilfsweise, bei Ausfall oder Unzulänglichkeit der eigentlichen Quellen, und dann nur mit äußerster Behutsamkeit könnte die Literatur für solche Forschung ausgeschöpft werden[13].

Ist darum die Absicht, aus dem verwendeten „Stoff" in Dichterwerken Rückschlüsse auf das konkrete Frömmigkeitsleben in der zeitlich-räumlichen Umwelt ihrer Entstehung oder

---

Kunst (=Die Philosophie, ihre Geschichte u. ihre Systematik, hsg. v. S t e i n - b ü c h e l, Abt. 14) bes. Abschn. VI „Das Sinngesetz der Kunst", S. 37 ff.

[13] Die Zurückhaltung von Religionspsychologen gegenüber den Erzeugnissen von Dichtern (vgl. K. G i r g e n s o h n, Religionspsychologie, Religionswissenschaft und Theologie, 1935, S. 23) ist begründet, zwar nicht, weil die Aussagen der Dichter vor der Öffentlichkeit nicht voll glaubwürdig wären, sondern sachlich, weil es im Wesen des literarischen Kunstwerks liegt, mehr zu sein als Rechenschaftsablage über die Psychologie seines Verfassers, selbst wenn es sich um „Bekenntnisse" oder autobiographische Aufzeichnungen handelt.

gar auf das ihrer Verfasser zu gewinnen, von vornherein wenig
aussichtsreich, so ist es anderseits auch gar nicht so wichtig wie
die unmittelbare Möglichkeit, die Religion, die eine Dichtung
durchwaltet, die in ihre ideelle Wirklichkeit eingefangen ist, selber zu sehen und aufzuhellen. Es kommt in der Tat nicht so
sehr darauf an, aus dem Frömmigkeitsleben der Personen eines
Romanes dasjenige des Dichters zu erschließen, als festzustellen,
daß die Personen des Romanes ein solches Frömmigkeitsleben
führen. Die Dichtung als solche ist ein Stück der geschichtlichen
Wirklichkeit eines Volkes, und zwar von einer ganz anderen
Geschichtsbedeutung als das subjektive Erleben ihrer Schöpfer,
das nur durch die Objektivierung im Werk Bedeutung erlangen
kann; sie ist eine eigengeartete und zugleich sehr wichtige Äußerung seines Lebens; so darf sie ein unmittelbar auf sich gerichtetes Interesse beanspruchen, und das Zeugnis, das sie als solche
ablegt, das mit rein kunstanalytischen, nicht mit experimental-
psychologischen Methoden gewonnen wird, hat einen selbständigen Wert für die Beurteilung der Frömmigkeit ihres geschichtlichen, landschaftlichen und auch personalen Quellgrundes. Man
wird vorsichtig sein mit präzisierten Aussagen über das konkrete Frömmigkeitsleben dieses Quellgrundes, aber man wird
sagen können: er hat dieses oder jenes Werk mit solchem Fröm-
migkeitsgehalt zu erfüllen vermocht.

Diese Gedanken werden bestätigt durch die Aufgabe, die das
Biographische und positiv Historische in der Literaturwissenschaft überhaupt zu erfüllen hat: es soll, soweit es dies vermag,
zum Verständnis des künstlerischen Wertes beitragen, nicht Ziel
sein, um dessentwillen man die Analyse der Kunstwerke be-
treibt[14].

Für die theologische Betrachtung kommt hinzu, daß ein
Urteil über die persönliche Frömmigkeit eines Menschen, der
der Dichter ja war, die Zuständigkeit eines Historikers über-
steigt; das Werk in seiner überindividuellen Objektivität ist für
unsere Lektüre bestimmt, aber so wie der Dichter es nicht ge-

---

[14] L ü t z e l e r , aaO S. 62: „Solche rein biographischen Feststellungen
besagen aber in sich noch gar nichts; der Grad ihrer Wichtigkeit und Un-
wichtigkeit erhellt nur vom Werk aus, das also vorher in seiner Eigenart
erkannt sein muß . . .“

schrieben hat, um seine p e r s ö n l i c h e n Angelegenheiten mit
Gott vor aller Welt bloßzulegen, so hat eine frömmigkeitsgeschichtliche Literaturbetrachtung sich vor allen Urteilen zu
hüten, die dem Urteil Gottes vorgreifen.

Mit dieser Betonung ihres objektiven Eigenwertes hängt man
selbstredend, wie angedeutet, die Dichtung keineswegs im leeren
Raum völliger Unverbundenheit mit der lebendigen Wirklichkeit auf; im Gegenteil gehört sie zu den lautersten und wertvollsten Offenbarungen der religiösen Situation derjenigen Bereiche, denen sie entstammt, wie derer, in denen sie Schätzung
und Widerhall findet. Gewiß ist sie oft sehr großzügig in der
Behandlung ihrer Motive, die sie den Reservoiren der Wirklichkeit und der Phantasie entnimmt, aber nur im Hinblick auf
ihren Sinnkern, dem sie reine und sichtbare Gestalt verleihen
will; mit diesem kann sie freilich nicht mehr nach Gutdünken
schalten, in ihn sammeln sich immer Einsichten über des Menschen Sinn und Aufgabe oder Wünsche, die nach Erfüllung
streben. Von ihm aus und auf ihn hin sind alle in einer Dichtung verwendeten Motive zu bewerten, weil sie von ihm her
ihren Sinn im Werk erhalten; werden sie losgelöst für sich
betrachtet, so steht den Fehlurteilen eine weite Tür offen. Dieser Sinnkern ist stets auf das innigste mit den zentralen Haltungen oder Antrieben einer Zeit verbunden, er offenbart mit
voller Wahrhaftigkeit deren Tiefe oder Seichtheit, deren Wahrheit oder Irrtümer.

Mit voller Wahrhaftigkeit — das ist der eine Vorzug dieses
dichterischen Zeugnisses. Denn der Sinnkern vermag wohl Irrtümer zu enthalten, doch können diese nicht verheimlicht werden. In jeder anderen Betätigung, in Philosophie, Wissenschaft,
Politik, gesellschaftlichem Verkehr usw. kann der menschliche
Geist, sofern er über die nötige Klugheit gebietet, die Sprache
gegen ihren naturhaften Sinn zur Lüge benutzen, ohne daß dies
unmittelbar festgestellt werden könnte, weil dort der sinnfällige
Vordergrund der Sprache bloßes, stets ersetzbares und übersetzbares Mittel der Verlautbarung ist; dagegen verrät die Dichtung
jede auch geringe Unredlichkeit, jede auch nur wenig bewußte
Unlauterkeit gegenüber dem Sinngehalt unweigerlich in einem
aufweisbaren sprachlichen Mißklang, weil der sinnhafte Hinter-

grund in nicht ersetzbarer Weise durch die Sprache ausgedrückt, sinnlich-gestalterisch in ihr verleiblicht wird, sodaß mit Notwendigkeit jede Unstimmigkeit im ideellen Gehalt sich im sprachlichen Gewand abspiegelt[15]. Ähnlich wie das Kind, dessen noch völlig ungespaltenes Bewußtsein jede Lüge durch ein Erröten offenbart, gehört auch der Dichter zu den wahrhaftigsten Menschen, was seine Werke so glaubwürdig, unter Umständen aber auch so erschütternd macht.

Der andere Vorzug, der das Zeugnis der Literatur hinsichtlich der Geschichte der Frömmigkeit auszeichnet, besteht darin, daß sie anzeigt, wie die Frömmigkeit in das Gesamtleben eingeordnet ist, welcher Ort ihr zukommt, welch großen oder geringen Raum sie darin einnimmt, wie stark oder schwach ihre prägende Kraft ist. Hierin nämlich geben deren primäre Quellen, etwa die Heiligenbiographien, die Niederschläge der aszetischen, mystischen Gebetsliteratur usw., bei weitem nicht den wünschenswerten Aufschluß. Allerdings wird man sich vor Übersteigerungen hüten und nicht das Zeugnis etwa der Aufklärungsliteratur über Mönchsideal und Mönchsleben für einen Beitrag zur wirklichen Geschichte des gleichzeitigen Mönchtums, zu seiner zeitgeschichtlichen Stellung halten[16]; immerhin ist dieses Zeugnis von eindringlicher Gewalt, zum mindestens entspricht es sehr genau den Vorstellungen, die sich die durch die Literatur repräsentierten Kreise über das Mönchtum machten, und kann also für seine Beurteilung und Wertschätzung in der Welt nicht übergangen werden.

Auch die Literatur- und Geistesgeschichte hat ein hohes Interesse an der in der Geschichte der Dichtung zu verfolgenden Entwicklung der Frömmigkeit, und sie hat ihrerseits schon viele beachtliche, auch gerade für die Theologie wichtige Beiträge dazu geliefert; sie hat wohl auch schon den Wunsch nach einer Zusammenarbeit mit den Theologen auf dem beiderseits inter-

---

[15] Vgl. Joh. P f e i f f e r, Umgang mit Dichtung, 1936, S. 36 ff.

[16] O. R i e t s c h e l, Der Mönch in der Dichtung des 18. Jahrhunderts (einschließlich der Romantik), 1934, hat sich von diesem Irrtum nicht frei gehalten.

essierenden Gebiet geäußert[17]. Dabei kann es nicht überraschen, wenn die Ergebnisse auf beiden Seiten nicht ohne weiteres übereinstimmen; die verschiedene Blickrichtung auf das gleiche Phänomen, nämlich aus dem profanen Bereich mit rein geschichtswissenschaftlichem (zu dem auch noch weitere, aber doch auch profane Gesichtspunkte hinzutreten mögen) und im höchsten Fall weltanschaulichem Interesse und aus dem theologischen Be-

---

[17] Viele verdienstvolle Erforscher der mittelalterlichen Literatur müßten hier genannt werden; ihre Arbeit, die sich notwendig auf Grenzgebiet bewegt, ist auch angefeindet worden. P. de M u n n y n c k wirft den Literarhistorikern in einem temperamentvollen und in mancher Beziehung recht wertvollen Aufsatz vor: „Sie behandeln — und zwar sehr schlecht — naturwissenschaftliche, metaphysische, sittliche, religiöse Probleme, die sie in keiner Weise etwas angehen. Und wenn sie eine besondere Kompetenz in einem bestimmten Fach haben — z. B. in der Geschichte —, wirbeln sie uns eine Staubwolke von winzigen Kleinigkeiten um den Kopf, die mit der Literaturgeschichte gar nichts mehr zu tun haben. Das ist bloß eine besonders ärgerliche Form des unfruchtbaren Alexandrinismus." Er wünscht, daß sie sich rein auf die literarische Kunst konzentrieren und denkt, daß sie schon wegen der Größe und Dringlichkeit dieser Aufgabe „alle Ursache haben, sich ganz streng darauf zu beschränken" (Jb Ltw Bd. III, 1928, S. 11 u. S. 8), und sein Rezensent in StZt, J. O v e r m a n s, umschreibt diese Forderung dahin, daß als literarische Kunst nur Werke zu gelten hätten, „die im deutschen Sinn des Wortes ‚Dichtung', d. h. vorwiegend auf ästhetische Wirkung angelegt" seien (Bd. 116, 1929, S. 392).

Abgesehen indessen davon, daß jede Wissenschaft außer ihren zentralen Aufgaben auch bestimmte Randgebiete, die natürlich auf der Grenze zu andern Wissenschaften liegen, im Auge behalten muß, sind die zentralen Aufgaben der Literaturforschung doch umfänglicher, als obige Forderungen und Vorwürfe voraussetzen.

Sie werden, wie bei jeder Wissenschaft, vom Forschungsgegenstand, in unserm Fall also von der Dichtung bestimmt; diese aber erschöpft sich nicht in der Erzielung ästhetischer Wirkungen; das tut nur ein verhältnismäßig geringer — nach Menge wie nach Gehalt geringer — Bruchteil von ihr, der im unfruchtbaren Formalismus des *l'art pour l'art* Erfüllung sucht. Der echten Dichtung geht es immer um Tieferes: sie teilt das Wesen aller Kunst, das Menschlich-Wesenhafte, die personbildenden Urkräfte des Seins, etwas vom Geheimnis der Welt — nicht gedanklich zu erfassen, sondern in sinnlich wirkmächtige Gestalt zu bannen. Wenn sie demnach in ihrem Werkstoff, der Sprache, das formt, was sie bewegt, das Erlebnis von Natur und Welt, die Vorgänge in der Seele, die Geschicke der Nation, Nöte der Gemeinschaft, ethische, metaphysische Anliegen, so taucht vieles, was die verschiedensten Wissenschaften sich zum Forschungsgegenstand gewählt haben, in ihr wieder

reich, wo man ein vom Glauben mitbestimmtes Urteil wie auch ein letzten Endes auf die Erlösung und Heiligung der Menschheit gerichtetes Interesse nie preisgeben kann, ergibt notwendig ein verschiedenes Bild. Verschiedene Blickrichtung bedeutet hier, daß die Haltungen, mit denen die beiden Wissenschaften dem historischen Objekt gegenübertreten, von Grund auf verschieden sind. Während nämlich alle profanen Wissenschaften, um zu gediegenen und begründeten Erkenntnissen zu gelangen, gar keinen anderen Weg haben, als sich vor ihre Gegenstände hinzustellen und sie zu analysieren und mit möglichst feinen Me-

---

auf — doch in ganz anderer Weise. In dem sie von diesen Dingen dichtet, will sie sich kein wissenschaftliches Ansehen geben, schon gar nicht Beiträge zur Lösung wissenschaftlicher Probleme liefern; sie erschaut nur und nimmt in sich auf die m e n s c h l i c h e Bedeutsamkeit und Tiefe dieser Seinsbereiche, dieser Fragen; sie kümmert sich nur um ihre Bezogenheit auf den lebendigen Menschen, in welchem sie ihren menschlichen Einheitsgrund haben und den sie in seinem Menschsein entweder fördern oder schädigen.

Wenn demnach die Literaturwissenschaft ihrer Aufgabe gerecht werden will, kann sie nicht davon entbunden werden, in „wissenschaftlicher" Weise, d. h. jedoch für sie: unter dem formalen Gesichtspunkt ihres Auftretens in der Literatur, sich diesen Dingen zuzuwenden; sie muß ihnen nachgehen als Äußerungen, Antrieben, Spannungsmomenten, Erfüllungen usw. des menschlichen Lebens, nicht natürlich als den eigentümlichen Forschungsproblemen anderer Wissenschaften.

Es ist allerdings ebenso unvermeidlich, daß die Berührungen manchmal sehr innig werden, wie daß fachwissenschaftliche Erwartungen vom Literaten „sehr schlecht" erfüllt werden. Es ist auch wahr, daß die Unsicherheit auf dem Grenzgebiet sogar besonnene und verehrungswürdige Forscher zu Fehlurteilen verführt hat. Man ist beispielsweise erstaunt, bei einem Gelehrten wie E h r i s m a n n, freilich unter Berufung auf O. Z ö c k l e r, Die Tugendlehre des Christentums, einen theologisch und historisch so falschen Satz wie den folgenden zu lesen: „... durch die Sentenzen des P e t r u s L o m b a r d u s wurde das Siebenersystem (der sittlichen und göttlichen Tugenden) als Gegenstand des Dogmas festgelegt." (Ehrismann, Tugends. S. 140.) Gänzlich unzutreffend sind auch die durch den ganzen Aufsatz verstreuten Unterscheidungen zwischen christlicher und mönchischer, weltlicher und theologischer Tugend (bes. S. 147, 150, 153 f.).

Aber durch eine bedingte Unvermeidbarkeit von Irrungen wird sich der forschende Geist nicht von erfolgversprechenden Untersuchungen abschrecken lassen. Wir hoffen, in der vorliegenden Arbeit, die als frömmigkeitsgeschichtliche Untersuchung theologischen Absichten entspringt, aber dem Gegenstand gemäß mit literarischen Methoden arbeiten muß, den Gefahren zu entgehen.

thoden auf das hin, was sie aussagen, abzuhören, sodaß also immer das Objekt, das Phänomen, letzte und entscheidende Norm ist und das, was es zu erkennen gibt, als gültig und wahr und richtig angenommen werden muß, weiß die Theologie, daß dem Menschen Wirklichkeiten und Bestimmtheiten anhaften, die für das natürliche Auge nicht sichtbar, im besten Fall erahnbar sind. So trägt er einen Schaden, die Erbsünde, mit sich, dessen Auswirkung in all seine Werke, soweit dieselben sündlich belastbare Bereiche (also etwa Frömmigkeit, Sittlichkeit) mitumfassen, er nicht oder kaum verhindern kann; er erhält von Gott eine gnadenhafte Ausstattung und reiche Gnadenhilfe, die ihm im Hinblick auf sein schlechtweg transzendentes Ziel, die ewige Seligkeit, gewährt wird; aber am lebendigen Gegenstand sichtbar machen lassen sich diese Wirklichkeiten nicht — also daß für die theologische Betrachtung eine bloß aus dem Gegenstand gewonnene Erkenntnis noch kein adäquates Wissen über diesen vermittelt. Für die Theologie sind die zu erkennenden und zu erforschenden Dinge nicht ausschließliche Erkenntnisnorm, da die in der Offenbarung über den Menschen gemachten Aussagen, obwohl mit den natürlichen Erkenntnisfähigkeiten weder von den Dingen abzulesen noch auch nur an ihnen nachzuprüfen, Anspruch auf Gültigkeit und Berücksichtigung erheben[18].

Es ist in jedem Fall außerordentlich schwer und sehr häufig völlig unmöglich, dieser Sachlage (deren Gewißheit hier aus der Dogmatik übernommen werden muß) im konkreten Fall der Literaturbetrachtung, der Kunstanalyse Rechnung zu tragen; einerseits sind die Offenbarungslehren nicht starre Maßsysteme mit Präzisionsskala, die man mechanisch anlegen könnte, um sofort und genau abzulesen, wie weit ein Kunstwerk ihnen ent-

---

[18] Unzweifelhaft droht dem Wissenschaftscharakter der Theologie von hier aus eine große Gefahr: das Dogmatisieren. Aber sie wird von Theologen selbst deutlich gesehen, wenn einer z. B. darauf hinweist, daß „ein Quentchen geschichtlicher Tatsachen mehr wiegt als einige Zentner von Spekulationen" und darum verlangt, daß ein Theologe bei bestimmten Stoffen zuerst „seine Brust mit dreifachem Erz bewehrt hat gegen die Versuchung, die mitunter etwas störrischen Fakta aufzuzäumen und so zu lenken, daß sie zu einem vorgesteckten Ziel hin laufen". (H. V o g e l s gelegtl. einer Rezension in der Theol. Revue Bd. 33, 1934, Sp. 49)

spricht oder wie weit es zurückbleibt, anderseits geraten in der Kunst, wie wir sahen, auch die theologischen Wahrheiten unter deren alles Stofflich-Motivische wie alles Formale ihrem Sinngesetz unterordnende künstlerische Bannkraft[19]. So behutsam man demnach sein muß, um einer Dichtung nicht Unrecht zu tun durch vorschnelles Urteil, so muß doch grundsätzlich an dem Prinzip der theologischen Gegenstandserforschung festgehalten

---

[19] Den Umwandlungsgesetzen kann an dieser Stelle nicht weiter nachgegangen werden, sie ändern sich sehr nach den einzelnen Kunstwerken; allein es handelt sich um Gesetze, reine Willkür herrscht nicht, da sonst alles in Auflösung geriete.

An einem Einzelfall, der oft besonders dringend empfunden wird und dem auch in unserer Untersuchung mehrfach Bedeutung zukommt, mag einiges hervorgehoben werden.

Sünde ist stets verboten: man darf sie weder selber tun noch einen andern dazu veranlassen oder an der des andern sich freuen. Aber die Sünde in einem Roman hat eben an dessen Unwirklichkeitscharakter teil und ist Sünde in der Sphäre der Unwirklichkeit: für die (unwirklichen) Personen des Romans verboten, die mit ihr etwas Böses tun, kann sie weder den Verfasser (ihren wahren Urheber!) noch den Leser durch ihren ästhetischen Genuß unmittelbar, sondern höchstens auf dem Weg über den Sinnkern in Schuld verstricken; feiert dieser die Sünde oder nivelliert er Gut und Böse miteinander aus, so wird das Werk selber sündhaft, seine Schöpfung und sein (rein ästhetischer, wenn man so sagen kann) Genuß. Soll hingegen einfach der Mensch in der Sünde, in ihrer Not oder in ihrem Schmutz gezeigt werden oder in seinen verschiedenen möglichen Haltungen zu ihr, oder soll das Wesen der Sündhaftigkeit dargestellt werden, so wird niemand etwas dagegen einwenden können. Das Werk braucht nicht einmal eine „klare" Verurteilung vorkommender Sünden zu enthalten, sondern darf die Fähigkeit dazu im Leser voraussetzen; denn Kunst ist nicht Sittenlehre und hat nicht die Aufgabe, die seelsorgliche Pädagogik zu ersetzen oder zu ergänzen, sie darf erwarten, daß dieselbe von berufener Stelle aus in hinreichender Weise geleistet wird, sodaß die Leser nicht über dem Genuß des Kunstwerks in Sünde fallen. Natürlich muß, wenn Sünde intendiert ist, dies, in der vom Formgesetz des Kunstwerks geforderten Weise, auch zum Ausdruck kommen — selbst dann, wenn sie in unerlaubter Art mit dem Heiligen auf eine Stufe gestellt werden soll.

Somit hat die Sünde in der Dichtung zwar das gleiche Wesen, aber nicht einfachhin dieselbe Funktion wie im wirklichen Leben, und auch insofern noch hat sie in ihr eine eigene Daseinsweise, als sie auf eine andere Art zustande kommen kann, wenn etwa in der Dichtung eine andere Psychologie, z. B. eine Märchenpsychologie herrscht. Vgl. die Ausführungen über Parzivals Unterlassungssünde S. 72 ff.

werden; es kann schlechterdings eine theologisch beurteilende und wertende Erkenntnis nicht entbehrt werden.

Bereits für den grundlegenden Begriff, mit dem an Untersuchungen, wie sie hier ins Auge gefaßt werden, heranzutreten ist, nämlich für den Begriff der Frömmigkeit, ist diese Feststellung von höchster Bedeutung. Mit der Krisis der Religion in unserer Zeit geht eine Zersetzung des Begriffes der Frömmigkeit Hand in Hand, die sich in den Äußerungen der Wissenschaft so gut wie der Dichtung spiegelt. R i l k e schreibt einmal: „Religion ist etwas unendlich Einfaches, Einfältiges! Es ist keine Kenntnis, kein Inhalt des Gefühls, es ist keine Pflicht und kein Verzicht, es ist keine Einschränkung: sondern in der vollkommenen Weite des Weltalls ist es: eine Richtung des Herzens."[20] Er entwertet damit weitgehend die Beschreibung, die einst Goethe noch hatte geben können:

> In unsers Busens Reine wogt ein Streben,
> Sich einem Höhern, Reinern, Unbekannten
> Aus Dankbarkeit freiwillig hinzugeben,
> Enträtselnd sich den ewig Ungenannten;
> Wir heißen's: fromm sein![21]

Bei G o e t h e ist Religion noch auf Gott bezogen als auf ihren Gegenstand und umfaßt die Werte der Demut, der Reinheit, der Dankbarkeit und der Hingabe an ihn, der, bei aller Unbekanntheit, doch als d e r, nicht d a s ewig Ungenannte, Erfüllung tiefsten und lautersten menschlichen Strebens bringen soll, während sie bei R i l k e eine geradezu erschreckend reine Selbstauflösung des persönlichen Menschen in die Welt, ihre Weite, ihre Dinge ist.

Das subjektive und irrationale Element, das in G o e t h e s Versen ausgesprochen ist (e s w o g t ; in unserm B u s e n), wurde in der neueren Zeit so stark als wesensbegründend für die Religion angesehen, daß darüber sowohl der Transzendenzcharakter ihres Gegenstandes (Gottes) wie ihr Wirklichkeitsanspruch preisgegeben und die objektive und normhafte Gültigkeit des religiösen Wertes einem schrankenlosen Individualis-

[20] An Frau Blumenthal-Weiß, Dez. 1917, zitiert nach Fr. K l a t t, R.-M. Rilke, Sein Auftrag in heutiger Zeit, 1936, S. 21.
[21] Trilogie der Leidenschaften, Str. 14 der Elegie; Cotta Bd. II, S. 209.

mus geopfert wurde; ja in der neukantischen Religionsphilosophie wurde der Religion überhaupt keine Eigenständigkeit
mehr zuerkannt, dieselbe vielmehr als selbständiger Wert völlig
geleugnet oder in die anderen Wertsphären aufgelöst[22].

Hans v. S c h u b e r t[23], der sich um einen Begriff von Glauben (im Sinn von Religion oder Frömmigkeit) bemüht und ihn
bestimmt als „Sinn für das Heilige", wobei aber das Heilige
„nicht nur als das Sittlich-Gute, sondern als die unbedingt über
uns stehende, unser Fühlen, Denken und Wollen ergreifende
Macht oder Kraft" verstanden ist, vermag die Religion nicht
mehr von ihrem fratzenhaften Zerstörungsbild zu unterscheiden; was immer als eine solche furchterregend-bezaubernde
Macht entgegentritt, läßt er als Gott gelten, wo immer sie empfunden wird, spricht er von Religion. „Es ist grundsätzlich
das Gleiche, wenn der staunende Algolkinindianer beim Anblick
eines noch nicht gesehenen Vogels ausruft: ‚Manitu', ‚das ist
eine Macht, ein Gott' mit dem Unterton: ‚Nimm dich in acht'."
Auf diese Weise geht Religion über in ein „unaussagbares Ge-
bundensein an die Gesamtwirklichkeit der Dinge, an einen
gewaltigen, all unsere Erfahrung übersteigenden Lebenszusam-
menhang." Wie weit ist man hier noch von R i l k e entfernt?
Welche Schranken trennen uns noch grundsätzlich von einer
Definition der Religion als purem „Ausdruck der unmittelbaren
Lebendigkeit des inneren Gefühls"[24] oder von der bekannten,
die Wissenschaft fast schrankenlos noch immer beherrschenden
Religionsbegründung Feuerbachs: „Nicht Gott schuf die Menschen nach seinem Bilde, sondern der Mensch schuf Gott nach
seinem Bilde"?

Bei dieser Umwandlung des Objektiven und der transzen-
denten Wirklichkeit Gottes in eine Funktion des menschlichen
Ich im Weltzusammenhang ist es nicht unverständlich, was G.
S i e g m u n d schreibt: den modernen Menschen gelte „nur ein
Glaube, der dadurch echt ist, daß er aus eigenem Erleben und
Schaffen geflossen ist, der nicht übernommen ist, ganz unabhän-

---

[22] J. H e s s e n, Religionsphilosophie des Neukantianismus[2], 1924.
[23] Die Geschichte des deutschen Glaubens, 1924, S. 4—6.
[24] P. N a t o r p, Religion innerhalb der Grenzen der Humanität[2], 1908,
S. 104.

gig von seinem sachlichen Wahrheitsgehalt", m. a. W. „der Glaube an die schöpferische Kraft der eigenen Persönlichkeit"[25]. Deshalb ist auch in dem Sammelband „Dichterglaube. Stimmen religiösen Erlebens"[26] ein geradezu groteskes Chaos von Anschauungen niedergelegt.

Angesichts solcher Entwicklungen empfindet man, wie sachgemäß die Theologie handelt, indem sie, entsprechend den Lehren der Kirche[27], es unbedingt ablehnt, „daß der Glaube in seinen Voraussetzungen nur subjektiv bedingt oder in seinem Gegenstand subjektiv orientiert"[28] sei und daß sie sich nicht abhängig machen kann vom jeweiligen Stand der Religionswissenschaft. Es ist wahr, daß man, in allzu aprioristischer Deduktion die phänomenologische Objektanalyse gänzlich vernachlässigend, „in der neueren Theologie, durch die Umstände gedrängt, den Glaubensbegriff bisweilen zu einseitig intellektualistisch aufgefaßt und andere Wesenselemente, die nicht weniger zum kirchlichen Glaubensbegriff und der Lehre des Vaticanums gehören, zurückgestellt"[29] hat. Die neuere Religionsphänomenologie bemüht sich mit Erfolg, die hier vorhandenen Lücken zu schließen und leistet damit fruchtreiche und unersetzbare Arbeit[30]. Jedoch besteht die Theologie, ganz unabhängig davon, was die Religionsphilosophie gesichert hat, darauf, daß alle Religion sinnlos sei und ihr Anspruch für niemanden verbindlich gemacht werden könne, wenn sie sich nicht beziehen soll auf den wahren und lebendigen Gott, der seinen Namen in Wahrheit verwirklicht und als solcher erkannt werden kann, und mit dem der Mensch durch eine vollkommene und allseitige Abhängigkeit von ihm und Hingeordnetheit auf ihn verbunden ist; mit diesen Elementen, die keineswegs gänzlich im Bereich des Irrationalen liegen, gibt sie uns die Möglichkeit, zu entscheiden, was wir als

---

[25] Psychologie des Gottesglaubens, 1937, S. 2.
[26] Hsg. von H. B r a u n, 1932.
[27] ZB Conc. Vat. sess. 3, cap. 3 (D e n z i n g e r, Enchiridion Symbolorum, nr. 1789).
[28] L. K ö s t e r s S. J., Zeitgemäße Glaubensbegründung, in: Lebendige Seelsorge, Wegweisung durch die religiösen Ideen der Zeit, hsg. v. W. M e y e r u. P. N e y e r O. F. M., 1937, S. 79.
[29] Ebd.   [30] ZB J. H e s s e n, Die Werte des Heiligen, 1938.

Religion, als Frömmigkeit zu betrachten haben und was als Zerr-
bild von ihr zu beurteilen ist bezw. ganz außerhalb ihres Bereiches fällt.
Im folgenden soll die Frömmigkeit im P a r z i v a l W o l f-
r a m s v o n E s c h e n b a c h untersucht werden.

Wolfram von Eschenbach ist nicht nur einer unserer größten
Dichter, er gilt auch als einer, der den religiösen Fragen sehr tief
nachgesonnen hat[31]. Sein Parzival insbesondere[32] wird bewertet
als die schlechthin repräsentative Leistung des staufischen Rittertums, das seinerseits die geschlossenste, höchste und reichste
Gesellschaftskultur des deutschen Mittelalters hervorgetrieben
hat. Man darf in dem Werk wohl eine wertvolle Beisteuer zu
den eingangs dargelegten Fragen erwarten.

Es sind nun freilich die widersprechendsten Aussagen über
die im Parzival niedergelegte Frömmigkeit gemacht worden, die
geradezu unglaublich weit auseinanderklaffen[33]. Ein vorrefor-
matorischer Protestant[34], ein tieffrommer, kirchentreuer Katho-
lik[35], ein ernster Ritter, der sich in manchem über die Volks-
religion seiner Zeit erhoben habe[36], ein deutscher Christ[37], ein

---

[31] Auch bei gegensätzlichsten Auslegern herrscht hierüber Einmütigkeit;
um nur zwei nebeneinander zu stellen, glaubt Fr. R. S c h r ö d e r (Die
Parzivalfrage, S. 80) ebenso gut „die tiefreligiösen Wurzeln der Parzivaldichtung bloßgelegt“ zu haben, wie G. E h r i s m a n n (LS S. 256) sagt, daß
„dieses Gedicht seine Vollendung erst in der höchsten Idee, in der religiösen“ finde.

[32] G. W e b e r, Wolfram: „Das Wolfram-Problem ist hier im wesentlichen als Parzival-Problem gefaßt“ (im Vorwort S. V).

[33] Genaue und im einzelnen belegte Aufführung aller bisher geäußerten
Ansichten würde viel zu weit führen; im folgenden nur eine winzige Aus-
lese; zur Kritik s. unten Kap. VI.

[34] Die ehedem häufigst zu hörende Meinung, am ausführlichsten bei
S a n M a r t e (A. S c h u l z), Pzst I u. II. Zuletzt, soviel ich sehe, bei R.
P e s t a l o z z i, Probl. S. 199 f.

[35] D o m a n i g, Pzst II; J. S e e b e r, Ideen; E n g l e r t, Lebenspr.;
A. S a t t l e r, Rel. Ansch.

[36] Die neuerdings in den Literaturgeschichten meist zu findende Anschauung; zwei ganz verschiedene Vertreter: W. S c h e r e r, Geschichte der
deutschen Literatur, sagt S. 134: „Er suchte über dem Irdischen das Ewige.
Er war dabei kein Asket nach dem Herzen der Kirche. Er war ein selbständiger Mensch mit eigenen Überzeugungen, aber eine religiöse Natur.“
P. H a n k a m e r, Deutsche Literaturgeschichte, S. 51 f: „Parzival ist nicht

„Mensch" im Sinn einer aufklärerisch humanistischen Ethik[38], ein geheimer Verehrer manichäischen Ketzertums oder sonstwelcher esoterischen Lehre aus dem Orient[39], all dies soll er gewesen sein, während unter diesen Interpretationen Einmütigkeit darüber besteht, daß er die religiösen Probleme sehr tief angepackt und beantwortet habe; andere halten ihn eher für einen Verfechter frommen Laienchristentums[40], oder für den Propheten einer vergeistigten Religiosität, die schon um Jahrhunderte den Goethespruch vorausnahm: Alles Vergängliche ist nur ein Gleichnis[41], oder auch für einen Wirrkopf voll krauser und nebuloser Mystik[42]. Und das Überraschende ist: alle vermögen für ihre Auslegung beachtliche Anhaltspunkte vorzulegen, denn in einem verhältnismäßig ausgewogenen Aufsatz sagt Fr. J. Strohmeyer: „Den Grund dieser abweichenden Beurteilungen haben wir nicht zum geringsten Teil in der Art Wolframs zu suchen, in dunkler, mysteriöser Sprache, in seltsamen, oft abgebrochenen, nicht vollständig ausgeführten Bildern und Gleichnissen, in lockerer, sprungweiser, oft unlogischer Darstellungsweise seinen Gedanken Ausdruck zu geben, dann freilich in der Gralfrage selbst, dem Inhalt seines Parzival"[43].

Zumal im Hinblick auf das Religiöse wird Wolframs allgemeine Unklarheit groß. Kirchliche Einrichtungen werden als bestehend angenommen (Gahmuret hat seinen Kaplan bei sich; Feirefiz wird auf der Gralburg getauft), aber oft sehr aufgelöst

---

ein Vorläufer der protestantischen Religiosität . . . Aber er ist auch nicht dargestellt in der Form des katholischen Christen, dem das Sakrament und der Priester, die kirchliche Form der Heilsordnung und -vermittlung, den Weg zu Gott und zum Gral öffnet. Dieses Lebens Anfang und Wendung verläuft in der ritterlichen Welt, vollendet sich aus ihren sittlichen und laikal-religiösen Kräften."

[37] Tritt in der neuesten Deutung stärker hervor; W. S t a p e l, Dt. Christent.

[38] Besonders unverblümt, dazu stark individualistisch, G. V. A m o r e t t i, Pz.

[39] Fr. R. S c h r ö d e r, Parzivalfrage; C. R a h n, Kreuzzug u. sonstige.

[40] H. N a u m a n n, St. Ritter.

[41] V. M i c h e l s, s. das Zitat unten S. 251.

[42] M. W i l m o t t e, Gral, S. 7 (bei im übrigen höchster Verehrung für den Genius Wolfram).

[43] S t r o h m e y e r, Kathol. S. 667.

(Ithers Tod und Totenfeier; der Taufakt des Feirefiz). Kirchliche Gnadenmittel scheinen notwendig (besonders die Taufe)
und doch entbehrlich, wo die Gesinnung vorhanden ist (Sigune
kommt nicht zur Messe, weil ihr ganzes Leben Gebet ist; die
Taufe mit Tränen oder Muttermilch), fremdartig scheint die
Ansicht über die neutralen Engel, sehr frei die Stellungnahme
zum Heidentum, die „obligate" Verehrung der Jungfrau Maria
scheint in den Hintergrund gedrängt zu werden, manches Kirchliche aus der französischen Vorlage ist gänzlich verschwunden.
Am stärksten verdichten sich die verwirrenden Erscheinungen
im Gralkomplex; der Gral ist ein Heiligtum, das mit den zentralen Geheimnissen des Christentums, Erlösungsmysterium und
Eucharistie, zusammenhängt und doch nach den neueren Ansichten eher auf alchemistisch-arabische Geheimkulte als auf christlichen Gottesdienst hinweist! Ähnlich scheinen die Gralhüter
über manches erhaben, was zu kirchlich christlichem Leben gehört, sie scheinen, obwohl Laien, eine Art priesterliches Amt
auszuüben, Trevrizent nimmt Parzivals Bekenntnisse entgegen
und spricht ihn von der Sünde frei, während er mindestens in
eigenartiger Akzentuierung mit dem Wort Laie spielt. Eine für
mittelalterliches Empfinden erstaunliche Kühnheit (wenigstens
nach unserer Vorstellung vom Mittelalter) stellt die Art dar, wie
der Dichter seinen Helden auf die Fahrt in den Gotteshaß ent-
läßt: Wer ein Feigling ist, der denke vorderhand nicht mehr an
ihn, wenn anders ihm dies sein stolzer Sinn gestattet. So bietet
der Parzival unleugbar Ansätze zu Meinungsverschiedenheiten.

Anderseits aber konnte W. G o l t h e r in einer für die Wolframforschung nicht eben schmeichelhaften Weise in seinem
Parzivalbuch, und zwar gleich im ersten Satz der Vorrede sprechen von den „immer wiederholten Versuchen, ohne Rücksicht
auf das zeitliche Verhältnis aus den verschiedenartigsten Quellen
Einzelheiten herauszugreifen, die untereinander und mit den
fernliegenden Dingen in willkürlichste Verbindung gezwungen
werden"[44]. Niemand, der die Verhältnisse kennt, wird leugnen,
daß diese Art Wissenschaftsbetrieb, die übrigens inzwischen noch
keineswegs aufgehört hat, besonders für die religiösen Probleme

[44] Pz/Gr S. III.

beliebt war, die der Parzival bietet. Hält man sich obendrein vor Augen den oben skizzierten Verfall des Frömmigkeitsbegriffes, ferner den wohlverständlichen Wunsch, das, was man selbst für wahr und dem geistigen und sittlichen Aufschwung der Nation für zuträglich hält, aus der nationalen Literatur zu begründen, nicht zuletzt auch die noch immer recht große Unfestigkeit der geistesgeschichtlichen Arbeitsmethoden, dann findet man es nicht allzu verwunderlich, daß die Beurteilung Wolframs so verschieden ist.

Beabsichtigt ist im folgenden eine vor allen Dingen b e h u t - s a m e[45] Behandlung der durch die Aufgabe gestellten Fragen, denen unter keinen Umständen nach irgendwelcher Seite hin präjudiziert werden soll, die immer und immer wieder am Text und an den Absichten des Dichters zu prüfen sind.

Die Aufgabe aber ist, die Frömmigkeit im Parzival darzustellen. Nicht also die persönliche Frömmigkeit des Dichters, Herrn Wolframs von Eschenbach, soll untersucht werden — aus den oben besprochenen Gründen der Objektivität der Kunstwerke. Wenn trotzdem oft der Dichter oder sein Name das Subjekt der Sätze bildet, so ist das nur von ihm als dem Schöpfer seines Kunstwerkes gemeint. Sind wir auch überzeugt, daß gerade dieser Dichter in seinen persönlichen Anschauungen mit seinen Werken übereinstimmt, so bleibt es gleichwohl wahr, daß er uns nur in seinen Werken faßbar ist, und darum halten wir uns an sie. Im übrigen kann man in den Werken des Eschenbachers noch genügend Anhaltspunkte dafür finden, daß die Identität von Dichter und Mensch nicht ganz problemlos glatt ist[46], aber um den damit aufgerissenen Fragen nachzugehen, brauchten wir notwendig genauere Angaben, als wir leider besitzen.

---

[45] Diesem Wort gerecht zu werden, war uns die wichtigste Sorge; um auch den Anschein von Gewalttätigkeit gegen den Dichter zu verhüten, wurde auch eine gewisse Breite nicht gescheut, und alles Anspruchsvolle in der sprachlichen Formung, alles zu scharf Apodiktische in den Urteilen streng vermieden.

[46] Wolfram scheint nicht zu jenen Dichtern zu gehören, deren gesamte menschliche Existenz in ihrem Dichtertum aufgeht, sondern zu jenen, die die Dichtung neben einem existenzgebenden Beruf als Blüte des Lebens pflegen können: er i s t ein Ritter und k a n n ein Teil mit Sange.

Die Beschränkung auf den Parzival bedarf vielleicht einer Rechtfertigung. Sie ist darin begründet, daß trotz vieler Analogien im Einzelnen und im Gesamtwerk die religiösen Fragen im Willehalm[47] doch künstlerisch anders angepackt und bewältigt sind und darum die beiden nicht ganz leicht zusammengefaßt werden können, wenn die Einheitlichkeit gewahrt bleiben soll. Dem Willehalm gebührt allerdings sehr wohl eine eingehende Behandlung, umso mehr, als wir keineswegs den Parzival, wie dies meist geschieht, einfachhin über ihn stellen möchten; in vieler Hinsicht muß jener vielmehr als das reifere und tiefere Werk betrachtet werden, und fast könnte man sagen: wie die Geschichte Parzivals zu Ende geht mit einem Lobpreis der allerheiligsten Dreifaltigkeit und der Willehalm mit dem großen Gebet an sie beginnt, so ist der Parzival im Grunde erst der Weg zu jener Höhe des Rittertums, die dann Willehalm in einer entwicklungsfreien und schwankungslosen Vollkommenheit erfüllt. Freilich hat für uns Heutige die Problematik des Weges und das Entwicklungsmoment viel größere Reize als der ruhige feste Besitz, und wir haben auch Veranlassung, es Wolfram hoch anzurechnen, daß er in einer Zeit, in der die Entwicklungsidee vielfach kaum ansatzweise in ihrer Bedeutsamkeit und Tiefe erkannt war, derselben so starken Ausdruck zu verleihen vermochte.

Sehr bedauerlich war die Notwendigkeit, die Untersuchung einstweilen noch größtenteils auf die Darstellung der Phänomene beschränken zu müssen und eine unanfechtbare historische Einordnung noch nicht geben zu können. Dafür sind die Vorarbeiten noch nicht weit genug gefördert; je weiter sie indes gedeihen, umso mehr werden sie über die Ursprünglichkeit Wolframs auch auf diesem Gebiet und über seine Unableitbarkeit unterrichten.

Daß die Hauptschwierigkeit aller Wolframinterpretation auf dem sprachlichen Gebiet liegt, bedarf keines eingehenden Nachweises. Hierbei ist natürlich ganz abgesehen von den besonderen Erfordernissen, die ein Sprachkunstwerk überhaupt stellt, indem die einzelnen Aussagen nicht selbständig bewertet

---

[47] Wird leider gegenüber dem Parzival allzusehr vernachlässigt. Zuletzt über ihn L. W o l f f in DVS 12 (1934) S. 504 ff.

werden können, sondern erst vom Sinnkern aus, sodaß also vor
allem ihre Funktion im Kunstwerk zu ermitteln ist. Wolfram
ist darüber hinaus in der Handhabung der Sprache im höchsten
Maße eigenwillig, und es ist sehr zu bedauern, daß wir darüber
noch immer nur sehr bruchstückhaft und zusammenhanglos
unterrichtet sind. Nicht zu Unrecht hat man, wie für Wolframs
Dichten überhaupt, insbesondere für seine Sprache immer wieder den Vergleich mit der ihrer Selbstgesetzlichkeit überlassenen
Natur gebraucht. Wie alles Organische im Gegensatz zum „Gebildeten" liebt sie — obschon sie sehr präzis und klar zu formu-
lieren weiß, wenn es darauf ankommt, wir werden Beispiele zu
analysieren haben — logische Schärfe nicht eben sehr. Wir
wissen genau, was Gotfrid von Straßburg *edeliu herzen* nennt,
aber was der Eschenbacher unter *triuwe* versteht, läßt sich bei
weitem nicht so eindeutig bestimmen; weder bemüht er sich um
genaue Abgrenzung von benachbarten Begriffen noch um saubere
Unterscheidung zwischen tieferen und flacheren Schichten ihres
Bereiches, und ebenso ist es bei allen seinen wichtigeren Termini.
Diese Unschärfe geht bis in den Gebrauch der grammatischen
Formen hinein, denn sehr mit Recht hat z. B. Th. S c h a r m a n n
in seiner Saeldestudie bezüglich Wolframs sagen können, daß
durch die „Unabgrenzbarkeit der einzelnen Formen (*„saelden"*
bald als schw. gen. sing. des an sich starken Wortes, der für die
meisten Fälle gesichert ist und normalerweise eine Personifika-
tion bedeuten würde, die jedoch wieder weniger beabsichtigt
scheint, bald als st. gen. plur.), unterstützt durch die sehr häufige Weglassung des Artikels, ein merkwürdig schwebender,
alogischer Eindruck, welcher sich der begrifflichen Deutung häufig entzieht", entstehe[48]). Es gibt die berühmte Streitfrage, ob
im Prolog der *zwîvel* zwischen dem *unverzaget mannes muot*
und der *unstaete* steht und als Mischung aus beiden den *parrier-
ten*[48a] Zustand ergibt, oder ob er mit der *unstaete* identisch ist,
sodaß erst das Hinzutreten des *zwivels* zum *unverzaget mannes
muot* diesen schwebenden, schillernden Zwischenzustand der
Elsterfarbigkeit, des *gesmaehet unde gezieret*, des teilhaft des

---

[48] S c h a r m a n n, Saelde S. 65.
[48a] Ein Terminus aus der modischen Schneiderei; bedeutet etwa: ver-
schiedenfarbig zusammengestückt.

Himmels und der Hölle schafft. Hierüber ist noch keine Einigung zu erzielen gewesen, und auch die Handhabung schärfster Systematik und Akribie, womit N o l t e eine Klarstellung hatte erzwingen wollen[49], hat kein Einvernehmen herzustellen vermocht; hier ist die Erkenntnis viel förderlicher, daß solche Unentwirrbarkeit, solche für rationale Zergliederung einfach unzugänglich gemachte *Complexio oppositorum*, wie sie dem Konkret-Lebendigen, dem Entwicklungsunterworfenen eignet und nur auf dem Weg organischer Entwicklung zur Klarheit eines bestimmten Zieles geführt werden kann, für den Parzivaldichter, für seine Hauptfigur vor allem, als Ausdruck dessen aber auch für das Formale der Komposition und der Sprache, symptomatisch ist. Wolfram hätte das Ungeklärte der Begriffe beheben können durch das Satzgefüge, auch dies hat er verschmäht. Es ist uns genügend klar, was der Prolog im Ganzen besagen will; aber für die wesensmäßig rationale Wissenschaft ist es begreiflicherweise nicht einfach, dieser das ganze Werk durchdringenden Irrationalität, die sich noch auf viele andere Dinge erstreckt, Zeitsinn z. B., Kausalsinn usf.[50], gerecht zu werden.

Umgekehrt ist zu berücksichtigen: Wolframs Ausdrucksmittel sind oft abstrakt, formalistisch, rein terminologisch. Es gibt für bestimmte Motive und Motivgruppen, etwa den Helden, die Natur usw. einen ganz bestimmten, obligaten, darum immer wiederkehrenden Wortschatz, der seinen Gegenstand den gat-

---

[49] N o l t e, Eingang, S. 6 ff und dazu die Rezension R i e g e r, Vorrede.

[50] Zahllos sind die unausgeführt bleibenden Motivsplitter, Ungenauigkeiten, Unstimmigkeiten, sorgfältig zusammengetragen bei S. S i n g e r, Stil. Vgl. die kurze Aufzählung bei M. M a r t i, Einleitung zu K. B a r t s c h, Wolframs v. Eschenbach Parzival und Titurel[4], 1927, S. XXIX f); doch der Schluß auf ungeschickt gekürzte oder nicht recht verstandene französische Quellen (Kyot) erklärt nichts. Es ist Wolframs Art, aufgestellte Ordnungen nicht sehr pedantisch durchzuführen. Der Tag von Barbigoel (503, 5 ff) kann nur ein Jahr und vierzig Tage nach dem Aufbruch vom Plimizoel liegen (vgl. 321, 18 in Verbindung mit 418, 10), findet aber offenbar erst nach dem Aufenthalt Parzivals bei Trevrizent statt, der seinerseits viereinhalb Jahre nach dem gleichen Ausgangspunkt liegt! Auch Gramoflanz wird später acht Tage vor der vereinbarten Zeit (610, 21—684, 12 u. das Folgende) zum Kampf erscheinen, ohne daß irgend Aufhebens davon gemacht würde, wenn man nicht die Botschaft des Artus (677, 1 ff) als eine Vorverlegung des Termins ansehen will.

tungsmäßigen Desiderata angleicht, aber nicht in anschaulicher Individualplastik herausarbeitet, und der höchst selten einmal gesprengt wird[51]. Von diesem Gesetz des Typus, das eine in der mittelalterlichen Dichtung weithin herrschende Erscheinung darstellt, hat sich auch unser Dichter nicht frei machen können, und wohl gar kein Bedürfnis dazu gefühlt; dieses Gesetz macht es uns indes unmöglich, derartige Worte in jedem Fall mit ihrem vollen Gewicht zu nehmen. Des weiteren ist darauf zu achten, wo der Unterhaltungscharakter, die reine Fabulierlust, die in der mittelalterlichen Seele ganz andere Wege einschlagen mußte als in der unsrigen, die Führung des Romans übernimmt; solche Stellen darf man nicht mit religiöser oder weltanschaulicher Problematik belasten.

Es mag bei diesen flüchtig zusammengerafften Hinweisen auf Schwierigkeiten der Wolframdeutung bleiben; bei aller Unvollständigkeit und Skizzenhaftigkeit genügen sie immerhin, um das Gebot der leider häufig zu vermissenden Vorsicht zu begründen, die die Auslegung der Wolframschen Dichtungen, schon bloß aufs Philologische gesehen, erfordert.

Der Aufbau, mit dem wir unsere Aufgabe am besten glauben erfüllen zu können, ist folgender. Zunächst muß der Sinnkern[52] der Dichtung herausgearbeitet werden, d. i. bei einem Entwicklungsroman wie im vorliegenden Falle das Ziel; glücklicherweise können wir uns hiefür auf ganz präzise theoretische Formulierungen stützen, in denen als Ziel die Synthese von Weltkultur und Religion aufgestellt wird (Kap. 1). Anschließend werden wir uns nach den Ansätzen zur Synthese umschauen, wie sie die ritterliche Gesellschaftskultur der Zeit im Spiegel von Wolframs Parzival bietet — die dem Dichter natürlich nicht

---

[51] Vgl. z. B. M a t z, Ausdrücke.

[52] Der „Grundgedanke des Parzivals" wurde von F r i t z s c h, Religiosität S. 10 f in seiner Wichtigkeit für Untersuchungen unserer Art erkannt, und diese Anregung hätte S a t t l e r, Rel. Ansch. immerhin aufnehmen können, der im übrigen zu Recht bekennt, von der Arbeit F r i t z s c h' keine Förderung erfahren zu haben; allerdings war für Fr. der Grundgedanke nicht etwa der scharf und präzis gefaßte Sinnkern des Epos, sondern angesichts der Unklarheit darüber, wie weit W seinen Quellen gegenüber Selbständigkeit bewahre (Kyotproblematik!), verstand er darunter den Inhalt „im Großen und Ganzen", „im Allgemeinen".

genügen (Kap. 2), um sodann den Weg jenes Ritters zu betrachten, der aus diesen Ansätzen oder vielmehr aus noch primitiveren Voraussetzungen heraus zur Höhe des Zieles in der vollendeten Synthese führt (Kap. 3) und weiterhin bei der Synthese selbst, die in der Gralssymbolik konkrete Ausdrucksgestalt gefunden hat, zu verweilen (Kap. 4). Diesen mehr analytischen Untersuchungen treten noch zwei mehr synthetische gegenüber in dem Abschnitt über Wolframs ethisches System (Kap. 5) und in der theologischen Zusammenfassung des Ganzen (Kap. 6).

Kapitel I

Das Ziel: Die Synthese

Die Schlüsselworte zum Verständnis des Parzival[1], die, den erzieherischen Anspruch der Dichtung[2] laut verkündend, des Helden Weg und das erreichte Ziel deuten, sind jene berühmten Schlußverse, in denen mit bildloser Klarheit und knapper Prägnanz die Grundanschauung des „Hohenliedes vom Rittertum" zusammengefaßt wird:

> 827, 19 *swes lebn sich so verendet,*
> *daz got niht wirt gepfendet* [gepfändet = beraubt
> wird, verlustig geht]
> *der sêle durch des lîbes schulde,*
> *und der doch der werlde hulde*
> *behalten kan mit werdekeit,*
> *daz ist ein nütziu arbeit.*

---

[1] S t a p e l, Dt. Christent. S. 833: „Wenn wir erkennen wollen, worum es W im Grunde ging, so müssen wir den Schluß des Werkes fragen. Da heißt es: *Swes lebn* usw." T s c h i r c h (üb. Keferstein) S. 160: „Daß W den sittlichen Gehalt seines Parzival in den berühmten Schlußversen 827, 19—24 zusammenfaßt . . . — das ist germanistische Binsenweisheit." Entsprechend gibt es kaum eine einläßlichere Arbeit über die Dichtung, die nicht diese Verse zitierte; aber eine angemessen genaue Interpretation wird trotzdem bisher vermißt.

[2] Über diesen erzieherischen Anspruch als wesentliche Haltung der mittelhochdeutschen Dichter s. S c h n e i d e r, Erziehergest. Auch Br. B o e s c h aaO (Note 3 zu S. 3) §§ 1—7 S. 27—58.

Vom Ende her, das den Schlußpunkt unter die Betätigungsmöglichkeit des Menschen setzt, wird sein Leben überblickt und beurteilt; es wird gefragt, ob es eine *nütziu arbeit* genannt werden kann; dies ist der Fall, wenn einerseits Gott der von ihm beanspruchten Seele nicht beraubt wird, anderseits auch die Welt dem nunmehr von ihr Scheidenden ihre Huld bewahren kann.

Mit hohem Anspruch tritt Wolfram an den Menschen heran: er will ihm nicht von einer Aufgabe sprechen, die neben anderen wichtig ist, sondern die beherrschend über seinem ganzen Leben und Dasein stehen soll. In der Tat stellt ihr Inhalt ein großes Ziel dar, in echter Weise den doppelseitigen Ansprüchen Gottes sowohl wie der Welt Genüge zu leisten.

Auf den ersten Blick scheint das nichts Geringeres zu heißen als den Ausgleich der beiden Gegensätze, von denen die christliche Askese seit Anbeginn erfüllt ist und von denen der eine bejaht, der andere verworfen wird[3]. Wir stoßen hier auf eine Tendenz, die das Mittelalter in hervorragender Weise kennzeichnet, die „Welt", die natürlichen Ordnungen, die irdischen Werte, nicht zu gering anzuschlagen, sie vielmehr in positiver Weise zu bewältigen, d. h. sie einzugliedern in harmonischer Einheit in die große geoffenbarte und mit glaubensfroher Selbstverständlichkeit hingenommene Gottesordnung, kraft welcher Gott ja auch Schöpfer von Welt und Natur war. Die gleiche Tendenz, die die Idee des „Sacrum Imperium" schuf, diese Vereinigung zweier nach heutigem Denken peinlich auseinander zu haltender Primärordnungen, und die die päpstliche so gut wie die kaiserliche Politik bestimmte, die in den mächtigen „Summen der Theologie" Ausdruck suchte und die seither als klassisch geltende Formulierung prägte „*gratia non destruit naturam sed supponit et perficit*", die eine Stelle wie Eph. 2, 3 *natura filii irae* interpretierte: *non quidem [per originem] naturae ut natura est, quia sic bona est, et a Deo, sed naturae ut vitiata est*[4] — eben sie treffen wir auch in der Literatur wieder. Ja hier wird

---

[3] Man braucht nur an die Johanneische Literatur zu denken, zB Jo 17, 9. 14—16; 1 Jo 2, 15—17; 5, 19. S. S a s s e über *Kosmos* im Theol. Wörterb. z. Neuen Testament, hsg. v. G. K i t t e l, 3. Bd. S. 867 ff, bes. 889 ff.

[4] T h o m a s v. Aquin, Expositio in Ep. ad Eph. Cap. 2 lect. 1 Schluß (Editio Parm. Bd. 13, 1862, S. 457).

sie motivgebendes und strukturbestimmendes Element für die bedeutsamste dichterische Leistung der Zeit[5].

Ähnlich wie die Wissenschaft hat aber auch der Dichter nicht leichthin und oberflächlich Welt und Gott gegeneinander ausnivelliert und so einen unausgeglichenen Dualismus schlecht überdeckt; gewiß findet sich die Formel *got unde werld*[6] in zahllosen zeitgenössischen Produktionen, wo sie oft schlagwortmäßig bedenkenlos verwandt und für die Gestaltung der Dichtwerke in keiner Weise nutzbar gemacht wird[7] — eine Tatsache, die

---

[5] Auch W widerspricht, wie kurzerhand alle Erscheinungen des Mittelalters, dem erhobenen Vorwurf des Dualismus (bes. v o n E i c k e n, Die mittelalterliche Weltanschauung); will man das Wort beibehalten, so unterscheide man doch den antithetischen Dualismus von einem synthetischen Ordnungsdualismus, welch letzterer mit Recht als Gradualismus bezeichnet wurde (Günther M ü l l e r, Gradualismus in DVS 2, 1924, S. 681—720). Allerdings schlingt sich durch diesen ontologischen Gradualismus ein echter Oppositionsdualismus, nämlich der ethische Gegensatz von Gut und Bös, was in dem Aufsatz M ü l l e r s nicht genügend Beachtung findet: die Sünde kann nicht positiv in das Stufensystem eingeordnet werden, insofern sie gerade eine Störung desselben bedeutet. Denn es gehört zur vollen Ausrundung des Gradualismus, daß die Werte der einzelnen Stufen auch in der erforderten Ordnung erstrebt und vollzogen werden. Wenn Augustinus die Sünde bestimmte als *factum vel dictum vel concupitum aliquid contra legem aeternam*, so bestimmte er die *lex aeterna* als die *ratio divina vel voluntas Dei, ordinem naturalem conservare jubens, perturbare vetans* (Contra Faust. Man. 22, 27; Mauriner Ausgabe[2], Paris 1837, Bd. VIII, Sp. 588D) und wurde hiermit grundlegend für die mittelalterliche Anschauung. Vgl. hierüber Fritz T i l l m a n n, Handbuch der kath. Sittenlehre Bd. 3, 1934, S. 257 f. Auch beim Sündigen kann man nichts anderes erstreben als ein *bonum*, einen Wert: *Intentio peccantis non est ad hoc, quod recedat ab eo quod est secundum rationem* [worin das Wesen der Sünde besteht, da sich in der *ratio* die *lex aeterna* offenbart], *sed potius quod tendat in aliquod bonum appetibile* (Thomas v. Aqu. Summa Theol. 1a 2ae qu. 73, a. 1; Editio Leonina Bd. VII, 1892, S. 25). Thomas spricht nicht von einem S c h e i n g u t, durch das man irregeführt werden kann, sondern von einem wirklichen *bonum appetibile*, dessen Erstrebung aber mit der *recta ratio agibilium* nicht im Einklang steht. Der Versuch, auch die „höfische" Minne in den Rahmen des realistischen Gradualismus hinzubringen (G. M ü l l e r, aaO S. 709 f, es geschieht übrigens mit allen Vorbehalten!), können wir darum wohl doch nicht wagen.

[6] Eine monographische Untersuchung dieser Formel steht noch aus; vgl. inzwischen die kurzen Gedanken bei N a u m a n n, St. Ritter, S. 57 f.

[7] Wieviel geringeren Ernst Gotfrid v. Straßburg hierin aufbringt, er-

immerhin zumindest ein dringendes Zeitanliegen bekundet; indes als Sinndeutung eines Werkes wie des Parzival wird man den oben zitierten Versen ihre voll gemessene Gehalttiefe zuerkennen. Jedenfalls hat Wolfram das Zeitanliegen mit Ernst aufgegriffen und jahrelange Mühe auf seine dichterische Meisterung gewandt; seiner endlich geglückten Leistung ist er ebenso froh wie sich bewußt gewesen[8]. Schon darin, daß die Aufgabe die *arbeit* eines ganzen Menschenlebens zu ihrer Bewältigung erfordert, darin, daß in den den angeführten unmittelbar vorausgehenden Versen (827, 17) ihre Lösung als das Ergebnis des langen und schweren Weges Parzivals ausdrücklich angegeben wird — ein Ergebnis, zu dem das Beste die *saelde*[8a] beiträgt — enthüllt sich, daß es sich nicht um eine banale, leicht zu verwirklichende Selbstverständlichkeit handelt.

Die sehr fein abwägende sprachliche Gestaltung des Gedankens verdient eine genau hörende Aufmerksamkeit.

In erster Linie und unter allen Umständen muß gewährleistet sein, daß die Forderung Gottes auf die Seele nicht unerfüllt bleibt (V. 20 f); das wird zuerst ausgesprochen, denn es ist grundlegend und unerläßlich, und darüber gibt es keinen Zweifel und keine Auseinandersetzung. Wenn Parzival sich auch für eine Zeitlang voll Haß von Gott abwendet und ihm nicht mehr dienen will, so ist es zwar das schlechthin Bedeutsame, daß der Dichter ihn nicht preisgibt, sondern mit Nachsicht und Geduld sich entwickeln läßt — bis er ihn im rechten Augenblick dem weisen und ausgereiften Einsiedler zuführen kann (vgl. den

---

kennt schon eine flüchtige Betrachtung seiner bezgl. Aussagen. 1802 ff heißt es von Tristans Zieheltern: *die beide ein triuwe und ein lîp got und der werlde wâren, des si guot bilde bâren beidiu der werlde und gote;* später heißt es von der *moraliteit* 8016 ff: *ir lêre hât gemeine mit der werlde und mit gote; si lêret uns mit ir gebote got und der werlde gevallen.* Da werden Gott und Welt völlig gleichwertig nebeneinander gestellt und wie zur Betonung ihrer Gleichrangigkeit wird genau abgewechselt mit der Präzedenz. Besteht für Gotfrid überhaupt ein Unterschied zwischen Gott und Welt?

[8] Das betonte „ich" in 827, 17!

[8a] Schwer wiederzugebendes Wort, am kürzesten etwa Glück, Heil. Vgl. G. M ü l l e r, Schicksal und Saelde, Der Mensch im irdischen Geheimnis, 1939, besonders das 2. Kapitel und darin S. 80 ff. Über dieses Wort im Sprachgebrauch der höfischen Dichter s. S c h a r m a n n, Saelde.

weit vorausdeutenden Vers 268, 30!); der Zweifel Parzivals ist
aber keineswegs der Zweifel des Dichters, der das Ganze gestaltet (die ungemein reichen und kunstvollen vorweisenden und
rückschauenden Verzahnungen, die für Wolfram kennzeichnend
sind, beweisen, wie sehr er sich seiner souveränen Schöpfermacht
über das Ganze bewußt ist), und der seinen Helden, bevor er
ihn wieder zu weltlicher Ehre gelangen läßt (14. Buch), ohne
die ein harmonischer Schluß (16. Buch) nicht denkbar ist, in das
richtige Verhältnis zu seinem Gott und Schöpfer bringt (9. Buch).

Jedoch die Erfüllung dieser Grundaufgabe genügt dem Willen des Dichters noch nicht: wer seine Lebenszeit wahrhaft nutz-
bringend ausfüllen will, für den muß hinzutreten auch das Bemühen um die Huld der Welt (V. 22 f). Das ist ebenso fraglos
und selbstverständlich — wenn auch nicht ebenso uneinge-
schränkt, denn es wird mit der Klausel versehen, daß es *mit
werdekeit* geschehe, ja durch es wird offensichtlich die Erfüllung
der primären Aufgabe einigermaßen in Gefahr gebracht: und
der *d o c h der werlde hulde behalten kan*. Dieses *doch*, durch
seine Stellung in der ersten Hebung stark betont und durch den
stauenden langsamen Auftakt noch besonders aufgegipfelt[9], enthält viel; es stellt gewissermaßen rückblickend noch einmal den
Vorrang der auf Gott bezogenen Grundaufgabe fest, um dann
die Gegensätzlichkeit beider Forderungen, d. i. konkret ihre
Schwervereinbarkeit zu unterstreichen, aber trotzdem schließlich
einen unüberhörbaren Nachdruck auf die zweitlinige Aufgabe
an der Welt zu legen; man gewinnt geradezu den Eindruck,
daß es, eben weil das Vorrecht Gottes so unbestritten und problemlos anerkannt ist, eher darauf ankommt, den Dienst an der
Welt oder vielmehr seine harmonische Einfügung in die grundlegende Lebensordnung auf Gott hin als wichtig und dringlich
hervorzuheben. Auch die folgende Beobachtung scheint das zu
bestätigen: während die negative Fassung der Grundaufgabe
von monumentalem Ernst ist, auch die Möglichkeit eines Ver-

---

[9] Wolframs schwere Auftakte um der Ausdrucksgebärde willen (übrigens ein altererbtes germanisches Gut) sind im allgemeinen mehr als zwei-
silbig. S. P a u l, Auftakt; ferner ders. Deutsche Metrik, 1930, S. 51. Im vorliegenden Fall hat auch der zweisilbige Auftakt einen wuchtigen, schwer
schreitenden Gang, der wohl nicht unbeabsichtigt ist.

sagens nüchtern drohend vor dem Geist aufsteigen läßt, hat das
voll aufklingende Wort von der *werlde hulde* einen sehr ein-
ladenden Charakter; das *gepfendet* weckt herbe Assoziationen,
das *behalten kan* die Sehnsucht.

Wolfram enthüllt in den besprochenen Versen, wie wir
sehen, nicht bloß seinen Willen zur Synthese, was meist allein
beachtet wird, er deutet auch das Grundsätzliche über ihre Struktur an, das zwischen den Gliedern spielende Gegensatz- und
Vorrangverhältnis, das ihre Verwirklichung zu einer notwendigen und doch harten Arbeit macht — welche freilich den Ritter,
der nicht die mühevolle *arbeit*, sondern gerade das mühelos zu-
gefallene *gemach* scheut, nicht schrecken kann; sie lockt und reizt
vielmehr, weil sie nicht sinnlos, sondern höchst sinnvoll, fruchtbar, segenstiftend, eben *nütziu* ist.

Eine Stelle innerhalb des Gedichtes, doch auch an einem, und
zwar hochbedeutsamen Abschluß, nämlich am Ende des zentralen 9. Buches, besagt, daß Parzival die vierzehn Tage strenges Büßerleben bei seinem Oheim gern ertrug,

> 501, 17 *wand* [=da] *in der wirt von sünden schiet*
> *und im doch rîterlîchen riet.*

Auch hier haben wir eine Synthese, nicht zwar als den vom
Helden zu erringenden Zustand, sondern als betätigtes pädagogisches Geschick seines Führers, aber eben deshalb genau die
gleiche, die wir oben als Endpunkt der Entwicklung formuliert
fanden. Darum dürfen wir sie ohne Scheu heranziehen zur
weiteren Verdeutlichung. Hier wird demnach gesagt, einmal,
daß die Sünden es sind, durch die die Seele für Gott verloren
geht und man also von ihnen befreit werden muß; und sodann,
durch die Ersetzung des Begriffes Welt durch das Umstands-
wort zu Ritter, daß die Welt offenbar mit dem Rittertum und
der ritterlichen Kultur zusammenfällt — eine Einengung, die
uns für einen Ritterdichter weiter nicht befremdlich anmutet.
Auch hier wird durch den Gegensatz zum Ausdruck gebracht,
daß Rittertum und höfisch-ritterliche Weltkultur nicht schon
von vornherein die Frömmigkeit einschließen; das sind zwei
verschiedene Sphären, aber Wolfram und Parzival freuen sich
eben, daß es der abgeklärten Reife eines Trevrizent gelingt, dieselben in harmonischen Einklang zu bringen.

Es scheint, daß diesmal das *doch* nicht so stark adversativ,
sondern mehr konzessiv ist: ohne ritterliche Art zu verleugnen,
hat der Alte seinen Neffen mit Gott ausgesöhnt. In allgemeiner,
lehrhafter Formulierung heißt das: man kann recht wohl, auch
ohne sein Rittertum dranzugeben, von Sünden frei werden und
das rechte Verhältnis zu Gott gewinnen. Auf diesem letzteren
liegt jedenfalls nunmehr aller Nachdruck, entsprechend der Tatsache, daß das Verspaar die Ereignisse in Trevrizents Klause
zusammenfaßt und abschließt. Gerade dadurch aber wird bezeugt, daß die Dringlichkeit, die oben den Aufgaben an der
Weltkultur zugesprochen wurde, in keiner Weise zu einer Ver-
schiebung der sachlichen Verhältnisse verführt, kraft deren das
Religiöse den Primat innehat.

Eine ziemlich wichtige Äußerung zur Frage findet sich kurz
vor der soeben behandelten Stelle; Trevrizent selbst spricht zu
Parzival:

499, 26 *nu volge miner raete*
nim buoz für missewende [= Untat]
unt sorge et [= auch, halt] *umb dîn ende,*
daz dir dîn arbeit hie erhol,
daz dort diu sêle ruowe dol [= Ruhe erdulde,
Ruhe habe].

Nicht so sehr die Gegensätzlichkeit der beiden Glieder (*hie —
dort, arbeit — ruowe*) ist hier betont als die Notwendigkeit,
daß am Ende der volle Ausgleich hergestellt sein soll. Allerdings
ist der Sinn der Verse nicht eindeutig und scharf zu erkennen;
es kann gesagt sein — und das ist das Näherliegende — daß die
Buße, die Parzival, obzwar innerlich schon völlig von seiner
falschen Haltung gelöst, aus Sorge für sein Ende noch auf sich
nehmen muß, nicht nur der Seele fürs Jenseits wohltätig ist,
sondern auch zum Erfolg irdischen Bemühens beiträgt. Dahinter stände der Gedanke, daß vom überirdischen Pol her dem
weltlichen Streben keine Gefahr droht, sondern im Gegenteil
Förderung und letzte Vollendung zukommt, ein Gedanke, der,
wie noch darzutun, auch durch den ganzen Aufbau der Dichtung
zur Darstellung gebracht wird, und darum die andere Inter-
pretationsmöglichkeit zur theoretischen macht; an sich könnte
nämlich der Vers 29 vor dem letzten parenthetisch eingeschoben
sein, sodaß man etwa zu verstehen hätte: Trage Sorge um dein

Ende, damit, während dir dein weltliches Streben irdischen Gewinn einträgt, doch jedenfalls auch die Seele im Jenseits ihre Ruhe finde. Dies würde zwar keine voll ausgeglichene Harmonie ergeben, nur ein Kompromiß, ein Nebeneinander, aber immerhin noch bezeugen, daß Wolfram ein ernstes und mit ganz konkreten Mitteln (Buße tun) verwirklichtes Ringen um das übernatürliche Ziel von Parzival fordert, wogegen die erste Deutung die Synthese sehr tief gründen ließe: ein ernsthaft religiöses Leben ist nicht nur Vorbereitung auf einen glücklichen Tod, sondern verleiht auch den Diesseitswerten ihre höchste Erfüllung, eben dadurch die echte Synthese schaffend.

Abschließend können wir dieses kurze Kapitel zusammenfassen:

In der Parzivaldichtung soll als Sinn des menschlichen Lebens die Herstellung der Synthese von gottbezogener Frömmigkeit und weltoffener Diesseitsarbeit aufgezeigt werden. Diese Aufgabe ist keine leichte Selbstverständlichkeit, denn die beiden Forderungen bilden einen Gegensatz zueinander. Das Weltkulturideal, das an sich viel einladender und mit einer gewissen Berechtigung sogar dringlicher vor dem Menschen steht, hemmt das rechte Gottverhältnis; hier taucht der Begriff der Sünde auf: sie, die die Gottverbundenheit stört, aber irgendwie der Welt besonders nahe steht, hindert das Zustandekommen der Synthese, und ihre Überwindung ist also die wesentlichste Voraussetzung zu deren Vollziehung, m. a. W. die Läuterung von der Sünde ist konkret gesprochen die große Forderung, vor die der Mensch gestellt ist, denn die von Sünden gereinigte Welt, das ist der geläuterte Ritter, ist unmittelbar zur Synthese befähigt, ja stellt sie selber dar.

Kapitel II

Die Frömmigkeit von Wolframs Rittern und Damen

Unverkennbar ist der Ernst und die Sorgsamkeit, womit in den durchgesprochenen Reimgruppen das Problem der Religiosität im Leben des Ritters von dem Dichter des Parzival angefaßt wird.

Sicherlich war die Schöpfung der Ritterorden eine der bedeutsamsten Leistungen des Mittelalters, hervorgegangen aus eben dieser, schon als brennend empfundenen Problematik, der sie in genialer Weise entgegenzukommen suchte[1]. Aber mit diesem Mönchsrittertum war natürlich noch keine allgemeine Lösung geschaffen; weitaus zahlreicher als die zum Mönchtum Befähigten und Bereiten waren all die ernsten und frommen Ritter, die in der Welt ausharren mußten und es auch wollten, da sie ihre Aufgabe in der Welt hatten und sich darum mit ihr auseinandersetzen, sich in ihr bewähren mußten, und die übrigens allein die Möglichkeit hatten, große und wichtige Bereiche des menschlichen Lebens, die den Ordensrittern ganz oder doch fast ganz unzugänglich waren, z. B. das aufs höchste entwickelte gesellschaftliche Leben, die Ehe (in der Zeit des so seltsam gearteten Minnewesens!) mit kulturschöpferischem und religiösem Willen zu durchdringen. Diesen Männern wurde ihre Lebensgestaltung zu einer wirklichen Frage, denn die Tiefe der gläubigen Hingabe, mit der sie die religiösen Wirklichkeiten umfingen und die Unentrinnbarkeit, mit der die weltlichen Aufgaben sie bestürmten, mußten in einen Ausgleich gebracht werden; das war indes bei der lauten Warnung vor der „Welt", der

---

[1] B e r n h a r d v. C l a i r v a u x, De laude novae militiae seu exhortatio ad milites Templi, Cap. 1.: „Eine neue, seit Ewigkeit unerhörte Art Rittertum, in der zugleich in zwiefachem Kampf gestritten wird, sowohl gegen Fleisch und Blut, wie gegen die bösen Geister unter dem Himmel (vgl. Eph. 6, 12). Denn wo man bloß mit den Kräften des Körpers einem körperlichen Feind widersteht, das möchte ich ebenso wenig für wunderbar ansehen, wie ich es für selten halten kann. Aber auch wenn mit der Kraft des Geistes den Lastern oder den Teufeln der Krieg angesagt wird, auch das möchte ich, wenngleich lobenswert, nicht erstaunlich nennen, da man die Welt voll von Mönchen erblickt. Indes, wenn der ganze Mensch (unnachahmlich ist hier das lateinische *uterque homo*) sich mit seinem Schwert machtvoll gürtet (vgl. Ps. 44, 4), mit seinem Wehrgehenk sich herrlich schmückt, wer sollte das nicht höchster Bewunderung für würdig halten, etwas so völlig Ungewohntes? Wahrhaftig ein furchtloser Ritter und nach allen Seiten hin gesichert, der wie dem Leib den eisernen, so dem Geist den Glaubensharnisch anlegt. In dieser doppelten Waffenrüstung fürchtet er nicht Teufel noch Mensch; nicht einmal den Tod fürchtet er, der zu sterben sich sehnt; denn was soll der beim Leben und beim Sterben fürchten, dem Leben Christus ist und Sterben Gewinn?" . . . (Mauriner Ausgabe von Mabillon, S. Bernardi . . . opera, IV, Paris 1667, S. 98.)

mitunter sehr starken Verurteilung derselben durch die führenden Männer der christlichen Frömmigkeit[2] nicht ganz einfach, jedenfalls nach der Zeit, die man als die kluniazensische Reform bezeichnet, weit schwieriger als vorher, wo man gerade in den Klöstern mit einer tiefen und großgeformten Frömmigkeit eine schöne und sichere Weltoffenheit harmonisch und unproblematisch zu verbinden gewußt hatte[3].

Es ist einleuchtend, daß sich für den „Laien" die Frage der Auseinandersetzung von Frömmigkeit und Weltzugewandtheit (auch wenn man von der Komplizierung derselben im hohen gegenüber dem frühen Mittelalter ganz absieht) sehr viel anders stellte, als für den Mönch und den Kleriker. Für diese beiden war, dem einen durch Ordensregel und klösterlichen Brauch, dem andern durch kirchliche Bestimmung, eine grundsätzliche Lösung an die Hand gegeben, in die selbstredend nicht die ganze „Welt", sondern nur umgrenzte Bereiche von ihr aufgenommen sein konnten; im Grunde blieben ihnen als Aufgaben nur, bei wechselnd weitem Spielraum für freie Initiative des Einzelnen oder einer Gemeinschaft, einerseits die persönliche Angleichung an die vorgegebene Lösung, anderseits eine missionarische Einflußnahme auf die Welt. Die Laien waren demgegenüber durch einschränkende Vorschriften sehr viel weniger gebunden, eigentlich nur auf die grundlegenden und für ein christliches Leben unerläßlichen (nach dem Urteil der Zeit) Bedingungen verpflichtet; nach Wolfram ist die Forderung an den Laien, wie wir sahen, nur sehr allgemein gehalten: daß Gott nicht der Seele verlustig geht, daß diese im Jenseits Ruhe findet. Stieg das Laientum überhaupt aus dumpf-naturhaftem zu geschichtsbewußtem Sein, zu kultureller Leistung empor — und das war zur Zeit Wolframs durch die Entwicklung des Rittertums längst in großem Umfang geschehen[4] — so standen ihm Welt und

---

[2] Einige Stellen aus der überreichen Zahl zusammengetragen bei Maurus W o l t e r OSB., Praecipua Ordinis monastici elementa, Brügge 1880, S. 61 ff.

[3] H a n k a m e r, LG S. 21: „Weltoffenheit ohne Verweltlichung ist die Signatur dieser klassischen Zeit."

[4] Geschichte, Kultur und Ethik des Rittertums wird hier als bekannt vorausgesetzt. Einige ausgewählte Literatur: K. H. R o t h v. S c h r e c k e n-

Weltkultur in ihrer ganzen Breite offen, damit aber auch die Aufgabe, nach deren Vereinbarung mit der Religion in der vollen Breite zu suchen. Der Ritter, zu seiner Zeit d i e konkrete Gestalt des kulturschöpferischen und kulturtragenden Laien, der die Welt nicht verläßt, sondern in ihr bleibt, an ihr arbeitet, mit ihr recht eigentlich identisch ist, trägt doch auch lebendig in sich das ganze Erbe der christlichen Lehrverkündigung von Jahrhunderten. Wesensnotwendig gewinnt in seiner Frömmigkeit, die durchaus echt ist, auch die Welt eine große Bedeutung. Eben das ist das Problem, welches sich bildet, und die Situation, aus der heraus offenbar der Parzival gedichtet worden ist; anders wären die zitierten Stellen, deren Wichtigkeit für die Interpretation vom Dichter genügend hervorgehoben ist, nicht verständlich. Denn Wolfram, der zwar ein kleiner und armer Ritter war, aber mit glühender Hingabe an seinem Stand und dessen hohen Werten hing[5], durchschaute wohl die Probleme dieses Standes, vor allem das unterste und wesentlichste, das Verhältnis des Ritters zu Gott.

Unser nächster Schritt muß nun sein, die Weltauffassung Wolframs, soweit sie sich aus den greifbaren Äußerungen des Parzival ergibt, näher kennen zu lernen. Der in vieler Hinsicht belehrende Aufsatz Hennig B r i n k m a n n s über „Diesseitsstimmung im Mittelalter"[6], der die seit der Jahrtausendwende mächtig erstarkende Weltzugewandtheit zu ausschließlich aus der Reaktion gegen die kluniazensischen Reformbestrebungen erklärt, jedoch den breiten Strom nichtreaktionärer Weltoffenheit unbeachtet läßt, der aus der Klosterkultur des frühen Mittelalters durch die Kluniazenserperiode hindurch in die Blüte-

---

s t e i n, Ritterwürde u. Ritterstand, 1886; A. S c h u l z, Höfisches Leben[2], 1889; A. S c h u l t e, Der Adel und die deutsche Kirche im Mittelalter[2], 1922; Wilh. E r b e n, Schwertleite und Ritterschlag, 1919; Ernst H. M a ß m a n n, Schwertleite und Ritterschlag, 1932; P. K l u c k h o h n, Die ritterliche Kultur in Deutschland, 1932; Hans N a u m a n n, Deutsche Kultur im Zeitalter des Rittertums, 1938 (im Handbuch der Kulturgeschichte, hsg. v. K i n d e r m a n n).

[5] Vgl. 269, 7—11; 612, 5—9.
[6] DVS 2 (1924) S. 721—52. Dazu die ergänzenden Korrekturen für das Gebiet der bildenden Kunst von Karl S i m o n: Diesseitsstimmung in spätromanischer Zeit und Kunst, ebd. 12 (1934) S. 49—91.

zeit hinüberfloß und durch das Emporkommen eines nichtgeist-
lichen Kulturträgers fast naturhaft bedeutend verstärkt wurde,
vermag viele Erscheinungen der Zeit, der höfischen Literatur
und auch Wolframs zu deuten, doch nicht alles, und vorab nicht
jenen ernsten Zug sittlichen Anspruches an den Menschen, der
die Vorstellung (der Ritter und in besonderem Maße) unseres
Dichters von der Welt auszeichnet.

Ganz gewiß ist die Welt voll Süßigkeit (238, 22) und Wonne
(117, 4), und ihre Freude zu genießen, ist so tiefes Glück, wie
bitteres Schicksal, sie entbehren (435, 28; 742, 25). Aber darüber
hinaus wird sie, einigermaßen nach dem Bilde Gottes selbst, als
ethisch-richterliche Macht gesehen (412, 18; 427, 28), die nicht
wahllos, sondern nach Verdienst den Edlen ihre Gunst (103, 2)
und Huld (827, 22) verleiht, über die Ehrlosen ihren Spott ausgießt (330, 2; 657, 14) oder ihre Schande verhängt (269, 12;
476, 3). Damit sind die Begriffe *êre, werdekeit, prîs,* die für
die ritterliche Ethik schlechthin entscheidende Bedeutung haben
und die allein dem Ritter die Möglichkeit der Existenz geben,
mit der Welt aufs innigste verknüpft und von ihrem Urteil
abhängig gemacht.

Häufig tritt das Wort *werlt* in der Dichtung nicht eben auf;
man zählt es, einschließlich des fünfmal gebrauchten Adjektivs
werltlîch, 32 mal. Von diesem Sachverhalt läßt sich bei Wolfram aber kein Rückschluß auf seine Bedeutsamkeit ziehen.

Ein einziges Mal nur meint das Wort den Kosmos, den
großen Weltbau Gottes (451, 10). Im übrigen hat es immer einen
stärkeren oder minder starken Anklang an die Sphäre des
menschlich-personalen Seins[7], wobei wir im Auge behalten müssen, daß Ritterzeit und Ritterdichtung als konkrete Erschei-
nungsform des Menschlichen in erster Linie das Ritterliche ansprechen werden. Ganz einfach das Rittertum, d. h. die Ritterschaft, die ritterlich-höfische Gesellschaft ist darunter verstanden, wenn es von Gawan und Vergulaht heißt: *dô kam diu
werlt ir sippe war* (503, 14), wenn Artus im Zorn über des
Urjans Verbrechen ausruft: *die werlt sol riuwen dirre vermal-*

---

[7] Möglicherweise klingt für W in dem Wort die etymologische Grund-
bedeutung des ersten Bestandteiles wer=Mann, Mensch noch nach. Zum
Wort s. K l u g e, Etym. Wtbch. d. deutschen Spr.[11] sub verbo S. 684.

dîte mein (526, 10 f). Nur die Ritterwelt kommt in Frage, wenn von Gawans Junker Gandiluz gesagt wird: *al diu werlt sah in gerne* (429, 26), oder wenn Plippalinot über Lischoys Gwelljus berichtet: *dem al diu werlt ie prîses jah* [jehen=sagen, zuerkennen; Genit. d. Sache] (545, 4). Die gleiche Vorstellung waltet noch, obzwar um vieles verblaßter, wenn Frauen einen Mann minnen *vor al der werlde*, nämlich mehr als jeden andern Ritter (365, 29 u. 724, 22; vgl. auch 692, 4), wenn Mütter ihre Kinder *der werlde* schenken (168, 27; 276, 20; 303, 21). Daß Parzival den Rat der Mutter, er soll *der werlde grüezen bieten* (127, 20), auf jeden Begegnenden (138, 5—7), sogar einen Kaufmann (142, 7; die Geringschätzung des Kaufmanns und überhaupt jedes nichtritterlichen Menschen tritt im Parzival bekanntlich öfters deutlich hervor) ausdehnt, ist nur ein Zeugnis mehr für seine naive Tölpelhaftigkeit.

Auch in Stellen, in denen das Wort schon einen allgemeineren und abstrakteren Sinn gewinnt, muß man ihm seine Bezogenheit auf die ritterliche Gesellschaft belassen, wenn etwa über einen Mann sich *der werlde spot* (330, 2; 657, 14) ergießt, wenn Herzeloyde für ihr Verhalten *der werlde gunst* (103, 2) findet, ihr Tod als *der werlde riuwe* bezeichnet wird (128, 17) oder Parzival *der werlde vreude* (164, 18) heißt; ähnlich bei Amfortas, dem die eigene jugendliche Unbesonnenheit *der werlde an im fuogte leit* (472, 28).

In all diesen Fällen, wie übrigens in einzelnen des vorigen Absatzes bereits, haftet dem Ausdruck aber zugleich, dunkler oder deutlicher, etwas ins Große Steigerndes an; *der werlde riuwe, vreude, leit* scheint doch weit mehr als Schmerz und Freude der Ritterschaft, scheint ins Kosmische ausgeweitet, fast ins Metaphysische (in dem Sinn, in welchem die Literaturwissenschaft dieses Wort gebraucht) erhöht — aber weil im Parzival, wie man ja weiß, das Rittertum selbst nach allen Richtungen hin ungeheuer vertieft, ja metaphysiziert wird. So gewinnt der Begriff die Bedeutung eines höchsten, nicht mehr zu überbietenden Maßstabes — im Rahmen natürlich des ritterlich-ständischen Ordnungs- und Wertgefüges, in dem ja Dinge wie Freude und Leid usf. wesentliche Bauelemente darstellen. Die Schwere der Trauer Sigunens läßt sich also ermessen, wenn man hört: *werlt-*

lîch vreude ir gar gesweich [=entschwieg, verstummte] (435, 28), nicht als ob sie nur noch in geistlicher Freude ihren Trost gefunden hätte, sie war bar aller Freude. Und das Unheil des Bruderkampfes zwischen Parzival und Gawan kann nicht herber gekennzeichnet werden, als es in den Versen geschieht: *swer da den prîs gewinnet . . . werltlîch vreude er hât verlorn* (742, 23. 25).

In das ritterliche Wertgefüge gehören vor allem Begriffe wie *êre, prîs* und anderseits *schande, spot*, weil sie die wichtigsten, nämlich sittlichen Beurteilungen eines Ritters ermöglichen und enthalten; auch sie werden vor oder gar von der Welt dem Ritter zugesprochen, und indem sich so, nicht wahllos, sondern nach Verdienst, der Welt Gunst und Huld ihnen zuneigt oder ihre Schande, ihr Spott über sie ausgießt (Zitate s. o.) wird sie zu einer ethischen und richterlichen Macht, ja gleich zur höchsten sittlichen Instanz, deren Befunde endgültig sind und keine Berufung zulassen.

Bei so hoher Einschätzung muß sie auf das sittliche Leben und Streben der Menschen einen tiefgehenden Einfluß ausüben. Zweimal wird Vergulaht nachdrücklich an diese sittliche Maßfunktion der Welt erinnert (412, 18—20; 427, 27—29), um ihm das Ungehörige seiner Tat vorzuhalten. Umgekehrt spricht Trevrizent über Ither ein großes Lob aus, wenn er von ihm sagt: *al werltlîch iu schande in flôch* [=floh] (476, 3). Hierher gehört das schon zitierte Wort des Artus (526, 10 f), insofern sich die tatsächliche Verurteilung des Urjans daran anschließt (527, 19 ff). Clinschor, in unserm Gedicht an sich ein edler und ritterlicher Herzog (618, 1; 656, 23), bezeugt durch seine Verwandlung in einen bösartigen, menschenfeindlichen Zauberer die zerstörerischen Wirkungen des Spottes der Welt, den ihm seine Verstümmelung zugezogen hatte (657, 13 ff).

Vor allem ist Parzivals Einstellung zur Welt zu beachten. In einem der höchsten Augenblicke seines Lebens, da er mit dem selbstgestabten Eid Jeschutens Unschuld beweisen will, erklärt er, falls er nicht die Wahrheit spreche, *werltlîcher schame* auf immer verfallen zu wollen (269, 12); tags darauf aber ist für ihn das Unglück, daß er wirklich dieses Los (330, 2) soll tragen müssen, so groß, daß es seine seelisch-religiöse Katastrophe begründet, was nichts Geringeres bedeutet, als daß sich hier das den Roman beherrschende Problem entzündet.

Anderseits gilt aber auch, daß ritterliche Tugend läuternd auf die Welt zurückwirkt. Ither war nach Trevrizents Urteil der *rehten werdekeit geniez* [=Genuß], *des diu werlde was gereinet* (475, 28 f). Sie hat also Ursache, sich tüchtiger und ausgezeichneter Mitglieder zu freuen (164, 18; 168, 27), wie sie darunter leidet, wenn dieselben ein Leid (472, 27 f) oder gar der Tod (128, 17 ff) ereilt. Natürlich gehören auch die nichtsittlichen Werte der höfischen Kultur vor ihr Forum, also körperliche Schönheit (429, 26), sippenmäßige Verbundenheit der Edlen (503, 14), Zuerkennung des Siegespreises in ihren Kämpfen (545, 4) u. dgl. Wenn weiterhin, wie wir schon sagten, die Welt voll Süßigkeit ist (238, 22), wenn die lichtdurchflutete Pracht der Natur als *der werlde wunne* empfunden wird (117, 4), so entspricht auch das durchaus der höfischen Betrachtungs- und Gefühlsweise.

Kurz die Welt ist Inbegriff, Kern und Überhöhung des Rittertums, und zwar sowohl in seiner konkret-gesellschaftlichen Existenzform wie nach seinen geistig-ethisch-kulturellen Aspekten. Immer hat sie den Charakter der großen Öffentlichkeit, jener Öffentlichkeit, die für die Entfaltung der Ritterkultur von grundlegender Wichtigkeit war. Über das erste Auftreten d i e s e s Weltbegriffes in der Ritterdichtung schreibt K. K o r n : „für die Gruppenperson der freudigen Festgesellschaft, die von überall her herbeigeströmt ist, hat Veldeke einen ganz besonderen Terminus: *werelt* (Eneit 6281 ff; 12 780; man wird unwillkürlich an die französische Entsprechung *monde* erinnert)"[8]. Dieser Weltbegriff allein reicht aus, um alle Vorwürfe auf Individualismus bei Wolfram zu entkräften. Diese Welt ist der Raum, der alle umschließt, wo sich ihr Leben abspielt, wo sie einander begegnen und sich zu bewähren haben. Auch von Parzival wird sie nur für die Zeit verlassen, in der sein edler Stolz aus Ehrgefühl und Scham es nicht erträgt, ihr seine Gegenwart zuzumuten, mit ausdrücklicher Hoffnung jedoch, nach wiedererrungener Ehre auch in ihren Kreis zurück-

---

[8] K o r n, Freude, S. 21.

kehren zu können und Aufnahme zu finden (330, 7—20; vgl.
695, 25 ff; 696, 3 f und wieder 733); wenn übrigens die „Welt",
aufs höchste mitbetroffen von seinem Unglück, ihm nichts von
ihrer vollen Wertschätzung entzieht, ohne doch auf Parzivals
Seelenstimmung und Entschluß irgendwelchen besänftigenden
Einfluß nehmen zu können, so ersehen wir daraus, welch unanfechtbare, objektive Gültigkeit ein vor ihrem Forum ausgesprochener Tadel hat, auch wenn der Betroffene selbst von seiner Berechtigung im Innersten nicht überzeugt ist.

Unvollständig ist das bisher entwickelte Bild von der ritterlichen Welt insofern, als behutsam sämtliche religiösen Bezüge
daraus ferngehalten sind; indem dieser Mangel nun ergänzt
werden soll, haben wir zu behandeln 1. Gott in der höfischen
Umgangssprache und Vorstellungswelt, 2. das religiös-kirchliche
Verhalten in den höfischen Kreisen. Die folgende Zusammenstellung aller irgend faßbaren Äußerungen höfischer Frömmigkeit soll zugleich deren Hauptcharakterzüge hervortreten lassen:
es ist eine zwar wechselnd, doch nirgends allzu tiefe, christlich
gefärbte Religiosität, durchaus ernsthaft gemeint und in ihrer
Breite alle Personen und Schichten der Dichtung, einschließlich
Parzivals und seiner Umgebung umfassend[9]. Außer Betracht
bleibt nur, was zu Parzivals Entwicklung im engeren Sinn gehört[10] und was sich auf die Gralsymbolik bezieht.

In der höfischen Umgangssprache nimmt Gott einen ziemlich
breiten Raum ein. In seinem Namen begrüßt man sich und
beim Abschied stellt man seine Freunde und sich selbst seiner
gütigen Vorsehung anheim; man beteuert seine Aussagen bei
seiner Allwissenheit und in höflicher Liebenswürdigkeit lenkt
man auch wohl Komplimente auf ihn ab, den man als den Spen-
der und Urheber aller eigenen Vorzüge anerkennt. In alle Fein-
heiten und Schattierungen, die diese reich durchgebildete Um-

---

[9] Es handelt sich also nicht darum, alle irgend religiös gefärbten Ausdrücke nach einem bestimmten Schema, etwa den Artikeln des Glaubensbekenntnisses, aufzureihen und auf ihren theologischen Gehalt hin auszu-
pressen (dies ist von San Marte, Pzst und von Sattler, Rel. Ansch.
ausreichend besorgt), sondern die durch sie über das Ganze gebreitete religiöse Stimmung abwägend zu erfassen.
[10] Beachte indes die Sätze auf S. 57 unten.

gangssprache eines differenzierten Gesellschaftslebens ermöglicht, wird Gott einbezogen.

Gegenüber Kingrimursels festem Gruß an die gestörte und von ihm noch weiter zu störende Artusrunde (320, 22 f: *got halt* [=erhalte; häufiges Grußwort] *den künec Artus, dar zuo frouwen unde man*) hat Gawans morgenfrisches Wort an Bene *got halde iuch freuwelîn* (554, 9) einen ziemlich spielerischen Klang, während Cunnewarens herzliche Freude über Parzivals Ankunft sich einen lebendig schönen Ausdruck schafft: *got alrêst, dar nâch mir west willekomen* (305, 27 f). Wenn der junge Parzival sein freundliches *got halde iuch* an alle Welt richtet (wobei er jedesmal eigens versichert, das tue er auf Geheiß seiner Mutter 138, 27; 145, 9; 147, 19. 30), so liegt darin seine ganze naturhaft fromme Kindlichkeit. Des Artus liebenswürdige Entgegnung *got vergelt iu gruoz* (149, 7) wird von dem Knaben ohne Umstände akzeptiert, kann ihm noch nicht so ans Herz gehen, wie später dem in äußerster Not Verfangenen das beinahe gleiche Wort der leidgeprüften Sigune (438, 15), während Jeschute, als Dame von feinster Bildung, für Artus' teilnehmende Worte zu ihrem Mißgeschick die nämliche Dankformel durch eine gewandte Höflichkeit einigermaßen entwertet (278, 6). Eine andere häufig verwendete Dankformel ist *got lôn*, bald *leichtêr* (Ither 145, 10), bald wärmer (Gurnemanz 169, 13), meist mit echtem Gefühl der Dankbarkeit ausgesprochen (Sigune 252, 18; Orilus 271, 6; Gawan 701, 29), von Parzival einmal völlig unverstanden (156, 15), einmal sehr höflich (228, 21) und einmal aus tiefer Empfundenheit gesagt (329, 16).

Recht zahlreich sind, entsprechend der Mannigfaltigkeit der Situationen, die Ausdrücke, in denen man sich dem Schutz, der Hilfe, der Macht, der Gnade Gottes empfiehlt. Allgemeiner Abschiedsgruß ist *got hüete dîn*, von Parzival (159, 3; in tragikomischer Weise zu Jeschute 132, 23), dem Knappen Gawans (mit etwas schnippigem Ton gegen die neugierige Arnive 626, 29), den Rittern Karnahkarnanz (124, 17) und Kingrimursel (324, 29) gebraucht, auch wohl, und zwar mit einer etwas bösen Ironie seitens des Dichters, dem garstigen Fischer in den Mund gelegt (144, 9), und einmal vom Dichter selbst an Gawan gerichtet (552, 30). Umschreibungen tun mitunter das Bemühen

kund, den Sinn nicht von der Förmlichkeit überdecken zu lassen
(507, 24 Gawan *bat (got) man und wibes pflegen;* 799, 13 *do
bevalh in gote der guote man,* Trevrizent den Parzival). Freundlich fromm weiß Artus sich auszudrücken: *guote naht geb iu
der gotes segn* (279, 26). Nicht viel anderes bedeutet der Wunsch,
Gott möge jemanden bewahren, nämlich in oder vor Gefährdung (124, 21 Karnahkarnanz; 350, 14 Gawan zu sich selber;
389, 14 Parzival zu unserm Erstaunen in der Zeit seines Gotteshasses[11]). Seiner bekümmerten Mutter sagt Gahmuret: *got troest
iuch, frouwe, des vater mîn* (11, 2), nachdem er sich selbst für
seine Ritterfahrt Gottes Führung unterstellt hat (*got wise mich
der saelden wege* 8, 16). Es kommt auch vor, daß ein voll-
tönendes Wort seelisch nicht recht erfüllt ist: *got in mit saelden
lâze leben* flicht Plippalinot höchst beiläufig ein, indem er von
Parzival spricht (559, 12).

Besonders in entscheidungsschweren Augenblicken oder in
menschlich aussichtslosen Lagen ist Gottes Hilfe notwendig. Vor
Kämpfen ungewissen Ausgangs sagen Gawan (707, 26) oder der
Dichter selbst (210, 29), Gott möge es *ze rehte erscheinen* [dies
das Transitiv zu *schînen*]; vor gefährlichen Unternehmungen,
besonders wenn ein Zurück nicht mehr möglich ist oder verschmäht wird, also in der typischen Schicksalssituation, tritt besonders die Formel *nu waltes got* o. ä. hervor — sie erinnert
an das *waltant got* des Hildebrandsliedes, und an ihr kann man
wohl die Verchristlichung unseres Volkes deutlich ablesen (Gawan 514, 21; Plippalinot 561, 20; der Krämer vor dem Wunder-
schloß 564, 3; Orgeluse 602, 2). Nachdrücklicher klingt: Gott
helfe dir (Sigune 442, 10), angstvoller: Gott rette Gahmurets
Söhne (Dichter beim Zweikampf der Brüder 742, 14). Andere
Ausdrücke für das gleiche Bewußtsein sind: *got gebe, got gewer*
[=gewähre], von Gawan einmal bei ernstestem Anlaß und aus
tiefster Freundschaft zu Parzival gesagt (331, 27) und einmal
mit köstlichem Neckton zu Lyppaut (367, 30), verwandt ferner
mit größerem (Lyppaut 374, 2; der graue Ritter 514, 16) oder
geringerem Nachdruck (485, 12 Trevrizent) oder auch mit mehr

---

[11] Ironie Parzivals oder zuchtvolle Wahrung der Form vor den Frem-
den? Oder bloßer Ausdruck des Konventionellen? Gar nur Versehen des
Dichters?

Verbindlichkeit (Jeschute 258, 8). Mit diesen Worten spricht man wohl seine Erwartung aus, daß Gott einem die Ritterehre makellos bewahre bis zum Tod (Kingrimursel 416, 3).

Inhaltlich gehören zu dieser Gruppe die Stellen, in denen die Abhängigkeit von Gottes Vorsehung in die Form eines Bedingungssatzes gekleidet wird: wenn Gott es fügt, gewährt u. dgl. (Gawan 431, 7; 558, 15; 562, 11; Parzival 820, 16; Herzogin von Brabant 825, 30); stärker formelhaft klingt *ruocht* [=geruht] *es got* (Parzival 128, 11; Sigune 439, 20; Gawan 558, 5; Arnive 660, 21; die Jungfrauen von Schastel Marveil 578, 1), was Lischoys nach seiner Niederlage absolut und negativ wendet: *mîns prîss er nimmer ruochet,* nachdem er sich in der Zeile vorher von Gott verflucht genannt hatte (543, 1 f). Dies letztere ist natürlich Ausbruch ritterlichen Ärgers, nicht religiöser Inbrunst, und Entsprechendes gilt wohl von dem Ausdruck *daz ez got erbarme,* in den sich das Mitgefühl hüllt, wenn es von einem argen Schicksalsschlag berichten oder hören muß (92, 26 Kaylet; 105, 24 Tampanis; 465, 7 f u. 476, 10 Trevrizent). Für vollends entleert allen religiösen Gehaltes wird man solche Ausdrucksweise nicht anschen; sie bezeugt Denk- und Vorstellungsformen, die wohl bis zu einem gewissen Grad verhärtet sind, für die aber der seelisch-gläubige Untergrund nicht zerstört ist (wie es bei einem modernen Ungläubigen der Fall wäre, der sich noch derselben Redensarten zu bedienen vermag) und die immer leicht wachzurufen sind.

Echter wird das religiöse Sprachgewand schon wieder, wenn man für eine erfreuende Tatsache Gott dankt (355, 16 Lippaut), für ein beglückendes Ereignis ihn lobt (766, 23 Artus), selbst noch wenn dies auf französisch geschieht (578, 3 die Erlösten von Schastel Marveil). Gawan will nur etwa sagen, daß er seine Fähigkeiten und Vorzüge dem Dienste des Artus geweiht habe, er drückt das aber so aus: *swes got an mir gedâhte* ... (303, 22); wenn er ganz allein in gefahrvoller Stunde Gott als den Urheber seines großen Ruhmes anerkennt (568, 12), so soll das sicher mehr als bloße Formel sein; der heuchlerische Gruß der Dame des Urjans (505, 29 *got sande iuch mir ze troste her*) verfehlt nicht seine Wirkung auf ihn, während die grobe Unhöflichkeit Orgelusens (516, 2: *got müeze iuch vellen*) offenbar das

Letzte an Möglichkeiten zu erschöpfen sucht, um einen Zudring-
lichen sich fernzuhalten, allerdings ohne einen Gawan irre
machen zu können.

Einige Bekundungen sehr feiner und zuchtvoller Umgangs-
kultur von religiöser Färbung sind wohl mit Absicht für Parzival vorbehalten, obschon sie nicht grundsätzlich aus dem Rahmen des Bisherigen herausfallen und darum nicht aufgespart
werden für die Zeit seiner Begegnung mit Trevrizent. Freilich
sein Verhalten am Ende des 14. Buches, wo er den Damen und
der ganzen festlichfrohen Gesellschaft um Artus so aufrichtig
Gottes Segen und Freude wünscht und es doch nicht wagt, sich
unter sie zu mischen (696, 1 ff), geht über Höflichkeit edelster
Art weit hinaus, hier ist seine Seele einen Augenblick lang unmittelbar sichtbar. Doch schon in Pelrapeire war er geradezu
erschrocken, als Kondwiramurs vor ihm auf den Knien lag, weil
das sich nur vor Gott zieme (193, 4), und bei der ersten Be-
grüßung auf der Gralburg unterläßt er es nicht, wegen einer
Anerkennung, die er im übrigen nicht ausschlägt, doch gebührend auf Gott hinzuweisen (228, 22—24). Auch die energische
Versicherung seiner Zufriedenheit mit Trevrizents Armut (andernfalls *verre* [=sei fern, bleibe fern] *mir der gotes gruoz*
486, 28) gehört in dieses Kapitel religiös verklärter Höflichkeit.

Gott ist es ferner, der in allen Aussagen die Gewißheit garantiert, in Bitten die Dringlichkeit steigert; die gemeinsame
Formel ist *durch got,* die bald anspruchslos selbstverständlich
(Parzival 225, 15), bald nachdrücklich zuredend klingt (ders.
259, 5), meist ohne allzu tiefe Bedeutung ausgesprochen wird
(Gawan 368, 2 u. 615, 26; Herzog Astor 359, 27; ein Knappe
342, 26). Im Munde des alten Kahenis ist sie ernst und bedacht
(449, 19 — das Komma wird wohl besser vor dieses Kolon gesetzt und nicht an den Zeilenschluß), während Plippalinot sie
gedankenlos und nervös zugleich gebraucht (556, 15), Feirefiz
dagegen mit drolliger Dringlichkeit durch sie sein Taufverlangen
unterstreicht (818, 12).

Die Überzeugung von der Allwissenheit Gottes hat sich ver-
flacht in die oft gebrauchte, mitunter variierte Redensart *got
weiz* (48, 7 Gahmuret; 153, 1 Antanor; 369, 3 Obilot; 685, 3

Gramoflanz; 166, 8 in knabenhafter Großsprecherei und 749, 8 in tiefer Bescheidenheit Parzival).

Jugendliches Ungestüm (149, 11 Parzival), weibliche Ungeduld (110, 14 Herzeloyde) oder Herzensnot (10, 22 f u. 28 ff Schoëtte; 109, 30 u. 110, 17 Herzeloyde), schamvolle Entrüstung (133, 23 Jeschute), spottendes Erstaunen (675, 13 Keye), all diese menschlichen Haltungen und Spannungen vermögen sich in religiös betonter Form zu äußern und legen damit zwar nicht die Frömmigkeit des einzelnen Sprechers an den Tag, wohl aber seine feste Verwurzelung in einer religiös bestimmten Gemeinschaftskultur. Es ist ein breiter, nicht immer tiefer, doch wie wir sehen auch nicht immer ebenmäßig seichter Strom von Frömmigkeit, der dem gesellschaftlichen Umgang der Menschen in unserer Dichtung eine gewisse Farbe verleiht. Niveau und Intensität haben sich in einer Gesellschaftskultur immer der Regulierung durch ein strenges Formgesetz zu beugen[12]; zudem haben wir bislang nur solche Äußerungen kennen gelernt, die dicht an der Grenze von bewußt und unbewußt liegen, die fast unwillkürlichen, man möchte sagen die religiösen Naturlaute.

In den mit stärkerer Bewußtheit gesprochenen Äußerungen muß sich vor allem das Vorstellungsbild, das man in der höfischen Welt des Parzival von Gott hat, deutlicher abzeichnen.

Am klarsten hervor tritt in diesem Bild der Zug, daß Gott über den menschlichen Geschicken waltet. In diese Richtung wiesen ja bereits die zahlreichen Belege für Empfehlung in seinen Schutz aus dem vorigen Abschnitt. Gott ist der Herr über das Leben, der aus der Gefahr des Todes zu entreißen vermag, sei es eine ganze Stadt, die in der Belagerung zu verhungern droht (185, 17 f), sei es einen einzelnen Ritter, dessen rastlose Fahrten stets des göttlichen Schutzes bedürfen (431, 7), zumal bei einem Abenteuer im Dienst der Nächstenliebe, das bisher noch niemand überstanden hat (558, 15 f. 20). Oft wird, wie schon hervorgehoben, die Gelegenheit ergriffen auszusprechen, daß bei Gott der Ausgang der Ritterkämpfe liegt, z. B. vor Parzivals Begegnung mit Clamide (210, 28 f), während der harten Auseinandersetzungen mit Orilus (264, 26—29) und seinem eigenen Bruder Feirefiz (742, 14 u. 744, 22 ff), bei Gawans Helden-

---

[12] Hierzu N a u m a n n, Höf. Kult. S. 34 f.

taten vor Bearosche (380, 12) und seinem Kampf mit Lischoys Gwelljus (537, 23); Lischoys selbst deutet seine beiden Niederlagen so, resigniert erinnert er sich nach der ersten an seine früheren Triumphe, *des [siges] pflag ich, dô got wolte* (539, 11), was ihn aber keineswegs hindert, alsbald den Streit von neuem zu beginnen und das neue Erliegen mit den schon berufenen Versen 543, 1 f zu quittieren. Plippalinot ist ganz derselben Meinung: *iwer prîs*, sagt er kurz danach zum Sieger, *sînhalp der gotes slac* (545, 6). Selbstredend macht ein solches Walten Gottes nicht die Tapferkeit der Streitenden überflüssig, im ritterlichen Weltbild hat kein Quietismus Raum: *swen got den sic dan* [=von dannen, davon] *laezet tragn, der muoz vil prîses ê bejagn* [=erjagen] (537, 23 f); sogar Parzival kann ganz kurz vor seiner Berufung zum Gral noch, halb scherzend, halb ernsthaft sagen, sich wehren sei der beste Segen wider den Tod (759, 10). Aber eine Verwechslung von Gott und menschlicher Tapferkeit ist das nicht, weiß man doch, daß Mut und Kraft selber dem Ritter von Gott gegeben sind (380, 12) und daß, wenn er einem Ritter trotz dieser Eigenschaften aus höheren Gründen den Sieg nicht zugedacht hat, er ihn noch im letzten Augenblick durch einen Zufall zu vereiteln vermag (744, 11 läßt Gott das Itherschwert in Parzivals Hand zerspringen gerade über dem Schlag, der Feirefiz niederzwingt). Gott lenkt also die Lebenswege bis in das zufällige Geschehen hinein, sodaß auch Gawan es ihm ohne weiteres zuschreibt, wenn ihm sein gestohlenes Roß unerwartet wieder zuläuft. Herzeloyde verrät in einem kurzen, nur andeutenden Seufzer, daß er ihr sogar die qualvollen Selbstmordgedanken nehmen könnte (110, 17), daß er also Gewalt hat über Vorgänge in ihrem Herzen, die ihrem eigenen Wollen entzogen sind.

In all diesen Stellen, selbst der Resignation des Lischoys, spricht sich der Glaube und die Erwartung aus, daß Gott, demgegenüber man sich in völliger Abhängigkeit befindet, seine Macht nicht dazu gebraucht, sich eben als machtvoll zu erweisen, sondern um sie den Menschen in freundwillig gütiger Weise zugute kommen zu lassen, da er ihnen in Hilfsbereitschaft zugetan ist. Der machtvolle Helfergott, das ist der Gedanke, der manchmal überraschend deutlich zutage tritt und überhaupt den

Roman beherrscht. Deshalb erinnert man sich gerade in Notlagen seiner Allgewalt (185, 17), seiner Herrschaft über das Leben (431, 7; 558, 15 f). Der Dichter erwartet, daß er dem den Sieg schenkt, der um des Handlungsfortganges oder um unserer Sympathie willen selbstverständlich keine Niederlage erleiden darf (210, 29—211, 1), bittet sogar, wenn mit der Rolle oder der Wertschätzung des Gegners eine Niederlage ebenfalls unvereinbar ist, um einen für niemanden unglücklichen Ausgang (264, 28 f; 742, 14 f; 744, 24). Unter Umständen tritt dann allerdings auch einmal für den Namen Gottes das Wort *gelücke* ein (738, 18), wohl kaum um den Gottesbegriff aufzulockern, aber doch des Vermerkens wert.

An die Idee des Helfergottes knüpft sich bekanntlich, wenn wir dies vorgreifend andeuten dürfen, das zentrale Problem der Dichtung. Sie war die Quintessenz der mütterlichen Lehre an den jungen Parzival (119, 22—24), die der Knabe sich bei allem Mißverstand wohl gemerkt hat (121, 2; 122, 26) und an der die Krise seines Lebens später aufbrechen wird (447, 29 f; vgl. 332, 2—4. 6); in den Abschnitten 447—461 ist das Wort fast ununterbrochen in seinem Mund, weshalb auch Trevrizent besonders darauf eingehen muß (461 u. 462). Vorausdeutend fällt das Wort vom Helfergott mitsamt seiner erst an dem Romanhelden sich entwickelnden Problematik bereits in der frühesten Vorgeschichte zweimal rasch hintereinander (10, 20. 29 Schoëtte). Auch sonst tritt diese Gottesvorstellung stark hervor, z. B. im Gralbereich (442, 9; 468, 9; 480, 15. 26; 795, 26; 796, 3) und besonders in der geradezu feierlichen Gawanstelle (568, 1—5. 11 ff), in die der Dichter mit seelisch ganz erfüllten Worten sein eigenes Bekenntnis einflicht (568, 6—10):

  1 *Er lac, unde liez es walten*
     den der helfe hât behalten,
     und den der helfe nie verdrôz,
     swer in sînem kumber grôz
  5 *helfe an in versuochen kan.*
     der wîse herzehafte man,
     swâ [=wo immer] *dem kumber wirt bekant,*
     der rüefet an die hôhsten hant:
     wan [=denn] *diu treit* [=trägt] *helfe rîche*
 10 *und hilft im helfeclîche.*
     daz selbe ouch Gâwân da geschach.

Besonders beachtenswert für die ritterliche Frömmigkeit sind die beiden Adjektiva in Vers 6: *der wîse herzehafte man!* Sache und Wort findet sich ebenfalls in Gawans treuen Freundesworten an den entehrten Parzival (331, 25—30), die indes bei diesem den Ausbruch der Krise auslösen.

Der dargelegte Gottesbegriff ist übrigens der Grund, weshalb Leute in bedrängter Lage jemanden, von dem sie Rettung erwarten, anreden: Gott möge euch Hilfe lehren (659, 21 Arnive für alle auf dem Zauberschloß Gefangenen); natürlich kann die religiöse Inbrunst dabei recht gering sein (635, 11 Itonje in ihrer Liebesnot), es mag sich um rein konventionelle Formeln handeln (648, 30 Gawans Knappe am Artushof) oder gar nur um einen Scherz in der Unterhaltung (674, 2 Orgeluse zu Artus). Schließlich gehört auch die sprichworthafte Prägung hierher, die etwas massiv Eudämonistisches hat, allerdings an Ort und Stelle nur spielerisch humorvoll gemeint ist: *der schadehafte erwarp ie spot: saelden pflihtaer* [=der Anteil an, Gemeinschaft mit der Saelde hat] *dem half got* (289, 11 f).

Die starke Hervorkehrung der Idee des Helfers hat nicht etwa die Folge, daß Gottes Wesen in eine Funktion an der Welt aufgelöst wird, das ist im Mittelalter noch nicht denkbar; umgekehrt setzt sie an der Welt den Zustand der Hilfsbedürftigkeit voraus, sowie ein Abhängigkeitsverhältnis, das nach der Erschaffung ungemindert fortbesteht. Keine Wahrheit belehrt so klar über Gottes Transzendenz gegenüber der Welt, wie die von ihrer Erschaffung durch seine Allmacht, die ein allen Personen der Dichtung geläufiger Gedanke ist; er, der *aller wunder hât gewalt* (43, 8 Dichter), ist es auch, der *al die werlt volbrâhte* (451, 10 Parzival) und der *die sterne hât gezalt* (659, 20 Arnive). Einmal heißt es mit Wolframscher Originalität *des hant dez mer gesalzen hât* (514, 15 der graue Ritter[13]), anderswo mit einer an die alttestamentlichen Propheten gemahnenden Sprachkraft: *der beidiu, krumb unde sleht* [=gerade; schlicht] *geschuof* (264, 26 f Dichter, vgl. Is. 45, 7). Der Mensch, von ihm in kunstsinniger Weise gebildet (518, 21 Dichter), sieht in der Tatsache, daß er ihm sein Leben verdankt (266, 17 Orilus), seine Daseins-

---

[13] Vielleicht ein mißverstandener französischer Satz (qui fist la mer salée). Doch siehe Note 91 zu S. 141.

berechtigung garantiert (259, 16 Parzival); alle guten Gaben verdankt er ihm, die gesunden Glieder (298, 18 Keye), den Verstand (820, 16 Parzival) und die fünf Sinne (488, 26 Trevrizent), Einsicht und Weisheit (518, 2 Dichter); Gottesgeschenke sind weiter säldenhaftes Leben (559, 12 Plippalinot), liebe Kinder (367, 9 Lyppaut), Trost im Kummer (487, 20—22 Dichter; 540, 24 Gawan), Freude (547, 22 Gawan; 733, 19 Parzival), Gnade (781, 4 Cundrie). Gott hält das Leid den Menschen fern (124, 21 Karnahkarnanz), gibt ihnen Glück zur schweren Ritterfahrt (331, 27 Gawan).

Er ist auch der Begründer der gesellschaftlichen Ordnung unter ihnen; über die Ehe wird an anderem Orte ausführlich zu reden sein[14]; er baut aber auch die Freundschaften auf (391, 29 Scherules) und ermöglicht es den Freunden, einander zu dienen (331, 28—30 Gawan). Damit kommen wir immer näher an die Werte der höfisch-ritterlichen Standeskultur, die ihm samt und sonders zugeschrieben werden: Kraft und „Tugend" (303, 22 Gawan; 412, 16 ein Ritter Vergulahts; 475, 28—30 Trevrizent; 559, 5—8 Plippalinot; 659, 21 Arnive) und die Ehre als beider Bestätigung (198, 8 Kingrun; 258, 8 Jeschute; 397, 5 Lyppaut; 558, 24 Plippalinot; 766, 23 Artus).

Rückschauend erkennen wir, daß hier alle Werte wiederkehren, die uns oben unter dem Namen „Welt" begegneten. Ist Gott ihr Schöpfer, so werden wir es auch verstehen, daß er in einigen Versen, die häufig von einer starken Verweltlichung des Gottesbegriffes gedeutet werden, als Urheber großer, unter Umständen reizvoller, ja sinnenglühender körperlicher Schönheit erscheint[15]. Zur Interpretation muß man jedoch beachten, erstens daß in diesen Versen nicht etwas Objektives über G o t t ausgesagt, sondern daß mittels des Gedankens von Gott als Ursache und Urbild aller geschöpflichen Schönheit das Höchstmaß subjektiven E i n d r u c k s ausgesprochen werden soll, der von der äußeren Erscheinung eines Menschen ausgeht; und zweitens daß dieses Stilmittel durchaus nicht wahllos zur Verwendung kommt, sondern eben nur für den jungen Parzival: es handelt sich entweder um den Eindruck, den er bei seinem Hervortreten aus

---

[14] S. unten S. 165 ff.   [15] ZB W e b e r , Gottesbegr. S. 15.

der Waldeinsamkeit auf die Menschen macht (123, 13 u. 124, 19 die Ritter, die ihn im Walde treffen; 140, 5 Sigune, die ihn zum erstenmal erblickt; 148, 26 u. 30 der Artushof), oder um den, den er seinerseits, der unerfahrene Tor, von einer bestimmten Sphäre der Welt, nämlich von Frauenschönheit empfängt (130, 23 Jeschute; 188, 8 Kondwiramurs — diese Begegnungen lassen übrigens schon ein Reiferwerden des Helden vermerken, er verwechselt wenigstens nicht mehr die Herrlichkeit Gottes selbst mit geschöpflicher Schönheit, wie es ihm im Walde zugestoßen war). Nur einmal wird diese Grenze leicht überschritten, nämlich wo Kaylet an seinen Turnierquetschungen die linden Hände Herzeloydens spürt (88, 16), die indes Parzivals Mutter war. Allmählich, je mehr der Held mit der höfischen Gesellschaft verwächst und je reifer er wird, werden auch die Ausdrücke gemindert: 308, 1 f wird von Engelsschönheit bei ihm gesprochen, was sachlich nicht viel Geringeres bedeutet, aber den Namen Gottes nicht mehr ins Assoziationsgefüge beruft.

Ähnlich wie die im Schöpferbegriff enthaltene und anerkannte Welttranszendenz Gottes sonach doch eine Weltzugewandtheit zuläßt, der die Welt rundweg alles, ihre Existenz, ihre Schönheit, ihre positiven Werte verdankt, ist es nun auch mit der ethischen Erhabenheit Gottes: als Garant der sittlichen Ordnung ist er der Welt überlegen, aber eben in dieser Eigenschaft ihr zugleich helfend zugetan. Es ist keineswegs Parzival allein, auf dessen Verhalten der Gedanke an den strengen Vergelter für gute und böse Taten einen wirksamen und förderlichen Einfluß hat (vgl. z. B. Galoës 7, 5). Das *urteilliche ende* (107, 28 Tampanis; 788, 2 Amfortas) und vor allem die hinter ihm drohende furchtbare Hölle ist lebendig erfaßte Glaubensangelegenheit. Wer sich der Unstäte (1, 10—12), der Falschheit (2, 17 f), der Schamlosigkeit (170, 17—20) usw. überläßt, wird ihr Feuer und ihre Peinen aushalten müssen. Schief und übersteigert, und sofern es, des Romans nicht achtend, rein das persönliche Glaubensleben Wolframs im Auge hat, von vornherein unglücklich, ist allerdings Noltes Urteil: „die Vorstellung von der Höllenstrafe sowie diejenige vom ewigen himmlichen Lohn (ist) dem Dichter durchaus geläufig, und in der Tat gehört sie zu den wenigen (!) religiösen Vorstellungen, die nicht nur ver-

einzelt aus bestimmten Anlässen auftreten, sondern als lebendiges Gut öfters wiederkehren."[16] Auch der Ausdruck „vom
ewigen himmlischen Lohn" ist nicht ganz zutreffend. Positive
Formulierung findet nämlich der Gedanke an das uns verheißene
jenseitige Leben bei Gott kaum irgendwo im Parzival, fast stets
wird er negativ gewendet: Vermeiden der Höllenstrafe; man
möchte wohl an K i e r k e g a a r d s Worte denken: „Überall
fast, wo der Christ mit dem Künftigen sich beschäftigt, da ist
Strafe . . . ewige Qual und Pein das, was ihm vorschwebt, und
ebenso üppig und ausschweifend wie seine Phantasie in dieser
Hinsicht ist (dies zwar stimmt nicht zu Wolfram, der nirgends
Höllenschilderungen versucht, sondern immer nur ganz kurz
sich faßt, höchstens von *hellenôt* oder *hellefiwer* spricht), ebenso
mager ist sie, wenn die Rede ist von der Seligkeit der Glaubenden und Auserwählten . . . Da ist keine Rede von einem kräftigen, geistigen Leben; das Schauen Gottes von Angesicht zu
Angesicht . . ., das hat sie nicht sehr beschäftigt."[17] Dementsprechend wird das Wort *himel* nur selten einmal gebraucht, bei
dem öfter vorkommenden *pardîs* ist meist an das irdische (479,
15—17; 481, 22), mit irdischen Köstlichkeiten erfüllte (244, 16;
470, 12—14; 481, 23) gedacht, kaum einmal an das himmlische
(472, 2); aber auch das Himmelreich wird noch nach *der werlte
süeze* vorgestellt (238, 22—24). Überall dringt ein kräftiger
Erdgeruch in die Religiosität des Parzival ein als echt mittelalterlicher Realismus, gesteigert noch durch die oben skizzierte
spezifische Problematik des Rittertums und des Parzivals; er
macht sich auch darin bemerkbar, daß Schicksalsschläge im Af-
fekt recht ungestüm mit Gottes Gerechtigkeit konfrontiert werden (10, 27 Schoëtte), während gläubige Ergebenheit körperliche
Leiden als Strafe für begangene Sünden hinnimmt (die Krankheit des Amfortas 251, 14 i. Zshg. mit 481, 17 f, gegen die darum auch kein Mittel hilft). Auch sonst wird schweres Leid auf
Gott zurückgeführt (252, 21; *der Sorgen urhap* [=Ursprung,
Urheber] in 141, 22 ist aber nicht Gott[18], wenigstens spricht
nichts dafür, sondern der Tod).

---

[16] N o l t e, Eingang, S. 2.
[17] S. Kierkegaard, Die Tagebücher, ausgew. u. übs. v. Th. H a e c k e r
Bd. 1, 1923, S. 42.   [18] Wie zB S a t t l e r, Rel. Ansch. S. 18 annimmt.

Die Züge religiösen V e r h a l t e n s nehmen bei weitem nicht den Raum ein, den man nach dem Vorausgehenden vielleicht erwarten möchte. Zum Unterschied von den religiösen Denkvorstellungen und Umgangsformen, die sich im Ganzen, wie man bemerkt haben wird, mehr in einer allgemein menschlichen Frömmigkeitssphäre halten, vollzieht sich das religiöse Verhalten vornehmlich in den Formen des christlichen Kultes, bleibt indes unleugbar in einem gewissen Zustand der Leere und Unbeseeltheit.

Am stärksten hervorgehoben ist die heilige Messe. Oft wird von einer Meßfeier berichtet. Gahmuret nimmt auf seinen Reisen stets einen *kappelân* mit (33, 18 sitzt er ihm bei Tisch gegenüber), der sie ihm hält, im Heidenland (36, 6—8) so gut wie in christlicher Gegend (93, 29). Auch König Artus hat den frommen Gebrauch (307, 13 u. 776, 25), und die Kapelle in seinem Lager (644, 23) wird auf den Fahrten ständig mitgeführt (669, 5). Gawan und der Burggraf Scherules von Bearosche wohnen vor den Kämpfen um der Gefahren und ihres Heiles willen der hl. Feier bei (378, 21—25); vor dem verabredeten Großkampf zwischen Gawan und Gramoflanz muß es gar ein bischöfliches Pontifikalamt mit großer Assistenz sein (705, 1—9). Auf Burg Graharz geht auch Parzival mit zur Messe (169, 15 f), die anscheinend in der Burgkapelle stattfindet, und ebenso selbstverständlich in Pelrapeire (196, 16—19), wo man übrigens von allen Kirchen der Stadt die Glocken zum Gottesdienst rufen hört; auch bei Vergulaht auf Schampfanzun ist die morgendliche Meßfeier üblich (426, 15). Daß der Romanheld in der Zeit seines Gotteshasses Kirchen und Gottesdienst nicht besucht, wird er sich als besondere Schuld anrechnen (461, 4—7), aber am Morgen der endlichen Wiedervereinigung mit Kondwiramurs finden wir das königliche Paar auch wieder zusammen bei der Messe (802, 22 f). Wolfram läßt die heilige Feier ebenso sehr bei wichtigen Anlässen, unter Umständen mit besonderem Zeremoniell vollziehen, wie er sie auch ganz beiläufig erwähnt (vgl. 93, 29; 307, 13; 426, 15; 776, 25), woraus sich ihre selbstverständliche Regelmäßigkeit ergibt. Daß dabei allerdings innerlich teilgenommen würde, verrät nie ein Wort, im Gegenteil hören wir, daß Parzival einmal die ganze Zeit über unverwandt nach Kondwiramurs schauen mußte (196, 18 f), bis endlich der *benditz* erfolgte, der Schlußsegen — der als die einzige, aber umso häufiger erwähnte Zeremonie aus der heiligen Handlung (94, 1; 196, 19; 705, 9; 802, 27) anscheinend die Hauptsache für die Ritter gewesen ist. Eigenartig weltlich mutet uns heute auch die Formel an, daß der Kaplan die Messe Gott und seinem Herrn sang, bezw. Gott und seiner Herrin (36, 8; 196, 7 usf); das ist aber im Mittelalter ein weitverbreiteter Brauch: nicht mit dem Feudalwesen in Verbindung zu bringen, sondern mit christlicher Frömmigkeit: der Priester bringt das Meßopfer Gott dar für die, die ihm beizuwohnen wünschen; noch in der Reisechronik des Hans von Waldheim 1474 heißt es: „Der Pfarrer von Kerns hielt Gott und uns in Bruder Klausens Kapelle eine Messe von Sankt Maria Magdalena."[19] Dieser Gottesdienst ist ein ganz fester Bestandteil des höfischen Lebens, so zwar, daß das Außerordentliche an der geradezu mythischen Sigunegestalt auch dadurch mitcharakterisiert werden kann, daß sie, deren ganzes Leben nur noch ein einziges Gebet war, nämlich über dem Sarkophag des Geliebten, nicht einmal zur Messe geht (435, 23 f) — was ihr natürlich nicht als Sünde anzurechnen ist wie ihrem Vetter.

Andere Spuren christlicher Lebensführung, die sich festhalten lassen, betreffen zunächst das Gebet. Man trifft etwa die Königin Gynover in der Frühe, lange vor der Messe — die normalerweise erst gegen die Mitte des Vormittags stattfindet (vgl. 93, 18 ff; 196, 10 ff; 307, 13 hatte sich schon sehr viel vor der Messe ereignet; Ausnahmen natürlich an Kriegstagen 36, 4 ff) — in der Kapelle, wo sie ihre Morgenandacht aus dem Psalmenbuch verrichtet! Mit dem Psalter sind natürlich auch Sigune (438, 1) und Trevrizent (460, 25) vertraut. Schon dem jungen Parzival legt die Mutter zugleich mit ihrer Belehrung über Gott das Gebet ans Herz (119, 23), und er läßt es bei der ersten sich bietenden Gelegenheit auch an gutem Willen nicht fehlen (120, 30 ff; 122, 25 ff). In Pelrapeire begleitet ihn das Gebet der Belagerten in den Kampf (196, 30), er empfiehlt seinerseits den toten Vater dem Einsiedel ins fromme Gedenken (474, 30 f),

[19] Nach der nhd. Wiedergabe bei Konstantin V o k i n g e r , Bruder-Klausenbuch, Stans 1936, S. 14.

weil er die Lehre vom Fegfeuer und von der Nützlichkeit der Fürbitte für die Verstorbenen offenbar beherzigt; wir dürfen annehmen, daß er selbst das Gebet für seinen Vater, wenn er den Einsiedler darum bittet, nicht unterläßt. Auf Munsalväsche betet man für Amfortas (483, 19). Parzivals Gralgebet gehört in anderen Zusammenhang[20]. Scherzhaft wird das Wort für Gebetshaltung wohl auch für einen im Schwertkampf niedersinkenden Ritter angewendet (744, 13).

Das Wort Segen erhält, dem Charakter der Dichtung zufolge, bald einen mehr magisch zauberischen (253, 25; 254, 15; 490, 23), bald einen mehr christlich sakramentalen Sinn (507, 23 f), und diese Unklarheit ist ebenso bezeichnend wie die schon zitierte fast rationalistische Wendung, der beste Segen wider den Tod sei, sich seiner Haut zu wehren. Kirchentum in irgendwelchem tieferen Sinn fällt fast völlig aus. Der Papst wird einmal erwähnt — um Amt und Würde des *bâruc* [=kalif] zu erläutern, und zwar im Sinne einer relativen Gleichstellung; wir erfahren indes aus der Stelle, daß es als eine Hauptaufgabe des Papstes angesehen wird, Sünden nachzulassen in offizieller und gültiger Weise (13, 25—14, 2). Ein Bischof ist zur Hand, wenn ein besonders feierlicher Gottesdienst gehalten werden soll (705, 1 s. o.), möglicherweise der des Bistums Barbigoel (497, 10) in der nebulosen Artuslandschaft. Im übrigen ist es der öfter erwähnte, mit der höfischen Welt enger als die eigentliche Hierarchie verflochtene Kaplan, der in ihr die Kirche verkörpert; ihn trifft man, als greisen, ehrwürdigen Priester, auch auf der Gralburg (817, 8), und unter den Leuten Gahmurets nimmt er offensichtlich eine besonders geachtete Stellung ein (33, 18). Er hat allerdings nicht nur für Taufe (817), Beichthören (106, 21 f), Messelesen zu sorgen, sondern dient, wie im Mittelalter überhaupt, so auch in unserm Roman, zur Abfassung von Briefen und Überbringung von Botschaften, selbst Liebesanträgen (76, 8 ff), die er mit aller Umsicht und Energie zu vertreten versteht (87, 7 ff; 97, 15). In den späteren Partien können die hohen ritterlichen Kreise übrigens selber lesen und schreiben (Gawan 625, 11 ff; Gynover 644, 27 ff; Artus 649, 7 u. 714, 21 ff; Gra-

---

[20] S. unten S. 187.

moflaux 710, 6 u. 715), und sie verstehen sich auch auf die Individualität der Handschrift (626, 9—11).

Von der religiösen Weihe, mit der die Kirche durch ihre Gebetszeiten den Ablauf des Tages umgab und mit denen auch das Volk vertraut war, haben sich noch eben zwei Worte erhalten, die *nône,* mit der für den Fastenden die Zeit der Nüchternheit endet (485, 25), und die *vesper* — rein als Zeitbestimmung für die Dauer von Gawans Schlaf (628, 11). Parzival weiß dazu noch, daß man in Kirchen und Münstern *gotes êre* spricht (461, 5), was sich auf das kanonische Stundengebet beziehen muß.

Noch stärker hat das Kirchenjahr eingebüßt; nur der *phinxtac* wird zweimal erwähnt (216, 14 u. 281, 18), jedoch rein als Artussymbol, als Inbegriff aller Maienlieblichkeit. Das Osterfest wird überhaupt nicht erwähnt, obschon es in den Aufenthalt Parzivals bei Trevrizent fällt! Über die Bedeutung des stärkstens hervorgehobenen Karfreitags wird allerdings noch ausführlich zu sprechen sein.

Der Lebensweg des Christen beginnt mit der oft erwähnten Taufe, die einmal auch, an Feirefiz, vorgeführt wird. Das Wort *touf* ist aber sehr oft einfach abstrakt das Christentum, *toufpflegende lande* sind die christlichen Lande. Aus dem Lebensablauf eines Christen hat Wolfram wenig in seinem Gedicht verwertet, man kann etwa hinweisen auf die alljährliche Beichtfahrt des Kahenis mit seiner Familie (446, 10 ff; 457, 20). Auffallend ist, daß es für Wolfram keine kirchliche Eheschließung zu geben scheint, nicht einmal als eine zweitlinige Nebensache, obschon das kirchenrechtliche Ehehindernis der *disparitas cultus* wiederum wohl bekannt ist (55, 25; 56, 25; 94, 11—15). Wir werden darauf zurückkommen[21]. Tod und Begräbnis sind dann wieder Anlaß, einiges christliche Gut einzuflechten. Der schwerverwundete Gahmuret konnte noch eine reuige Beichte (107, 27) ablegen, sodaß er *ân alle missetat* starb, und dies nebst seiner *manlîchen triuwe* (107, 25) vermittelte ihm die himmlische Glorie; sein Grab wurde auf Veranlassung seines Gefolges, doch auf Kosten des Baruch, in dessen Dienst er gefallen war, mit

---

[21] S. 174 ff.

einem kostbaren Kreuz geschmückt, das an Christi Kreuzestod erinnerte (107, 10 ff); die Grabschrift unterließ es nicht, im Heidenlande daran zu erinnern, daß er mit all seiner vorbildlichen Rittertugend ein getaufter Christ war (108, 21) und klingt aus in die fromme Bitte: *nu wünscht im heiles, der hie ligt* (108, 28). In der Heimat wurden noch sein Speer und die blutbefleckten Fetzen seines Hemdes im Münster beigesetzt, *sô man tôten tuot* (112, 1 f) trotz manchen kirchlichen Verbotes. Weit stärker in Artussphäre eingetaucht ist der Tod Ithers; ein rasch aus einem Kinderspeer und einem Stück Holz zusammengestecktes Kreuz *nâch der marter zil* [=Ziel, Zweck, Art und Weise; allgemeiner und blasser Ausdruck] fügt sich mit den Blumen, die der Knappe Iwanet über den toten Ritter streut, zu romantischer Bildwirkung; bei der Einholung der Leiche wird das *heilictuom*, wohl ein Reliquienkästchen, mitgeführt, das den religiös kirchlichen Charakter der Prozession betont, während in Gynovers Klagerede, in ihren schmerzvollen Reflexionen über das grausige Unglück kein Anklang an einen religiösen Gedanken sich findet (vgl. 159, 7; 13—19; 26 ff; 160, 3 ff); dies wird aber Trevrizents Ruhmeswort auf die makellose Rittertugend des Erschlagenen später ergänzen.

Von dem religiösen Brauchtum, das zur Zeit Wolframs bereits anzuschwellen begann, ist so gut wie nichts in sein Epos eingegangen[22]; zu erwähnen wäre etwa Parzivals Reinigungseid auf das Reliquiar (269, 2 ff).

Auch Erinnerungen an die biblische Geschichte sind dürftig. Am stärksten hat sich anscheinend der treulose Judaskuß dem Gemüt eingeprägt; Kingrimursel (321, 11 f) und Itonje (634, 19 f) erinnern sich seiner voll Bitterkeit in entsprechenden Situationen. Clamide würde um Kondwiramurs willen die Strafe des Pilatus und des Judas, der beiden Strafwürdigsten des Menschengeschlechts, hingenommen haben (219, 24 ff). Sonst erscheinen noch, meist für die Parzival-Gralmotivik reserviert, die Namen *Abel, Absalon, Adam* und *Eve, Davit, Kain, Lazarus, Luzifer, Nabchodonosor, Salmon,* aus der christlichen Legende

---

[22] Mit Ausnahme dessen, was wir über den Gralstein auszuführen haben werden. S. S. 129 ff.

sant Silvester. Der *tiuvel* muß öfters zu ritterlich saloppen Kraftausdrücken herhalten (50, 12; 570, 20), aber daß er im übrigen ernst zu nehmen ist, weiß man unbezweifelt (169, 20). Die Gottesmutter nimmt in der Heilstheologie, die Trevrizent seinem Neffen bieten wird, einen Platz ein, u. zw. besonders mit ihrer Jungfräulichkeit, während Herzeloyde mit dem Kinde Parzival an der Brust sie sich als königliche Nährerin vorstellt (113, 18 ff).

Fassen wir kurz den Inhalt dieses Kapitels zusammen, so läßt sich gewiß nicht behaupten, daß hinter jeder Namensnennung Gottes ein tiefempfundenes Glaubensbekenntnis stehe, oder daß jede religiöse Betätigung aus einem starken Herzensbedürfnis komme; oft besagt die einzelne Äußerung überhaupt nicht viel für den, der sie macht, indes, unter der formelhaften Konvention und weltlichen Oberflächlichkeit war auch mancher Zug echter Frömmigkeit zu entdecken, der ins Ganze hineingehört. Der einzelne ist kein Heiliger, aber die Gesellschaft ist bewußt religiös. Es offenbarte sich uns das Rittertum in einer höchst selbstverständlichen und unproblematischen Bezogenheit auf die Religion, aus der sowohl das Leichtkonventionelle wie das Aufrichtig-Ernste dieser Frömmigkeit erklärbar wird. Man würde dem Dichter nicht gerecht, wollte man die religiöse Atmosphäre, die er über sein Epos gebreitet hat, allzu gering bewerten.

Wir werden sehen, daß diese eigenartige Konventionalität vom Dichter gar nicht anders gewünscht ist; er will schon, daß in ihr sich nicht die ganze Religion erschöpfe, er will aber, daß sie nur die Oberfläche einer tieferen und ernsteren Frömmigkeit sei — denn alle irdischen Dinge, auch die tiefsten, brauchen ja ihre Oberfläche. In dieser Voraussicht war Wert darauf gelegt, daß der Dichter auch Parzival durchaus in den Bereich dieser Ritterfrömmigkeit hineingezogen hat, daß er ihm, wenn vielleicht in Bezug auf die Tiefe, so aber sicher nicht in Bezug auf die Artung des Gottes- und Religionsbegriffes eine eigene Anschauung beigelegt hat. Parzival wird die Gelegenheit und die Aufgabe haben, die Tiefe dieser scheinbar so oberflächlichen Religion zu durchmessen und festzustellen, daß dieselbe in Wahrheit sehr tief gegründet sein muß, wenn anders sie ihre Funktion im ritterlichen Leben soll erfüllen können.

Was sich bis jetzt uns dargeboten hat, war eine sehr weltliche Frömmigkeit, Gott sehr weltnahe, weltzugewandt, die Welt bis in das Kleinste hinein von Religiosität überhaucht — aber in diesem Oberflächenbild liegt noch nicht die Synthese, die Wolfram im Auge hat; hier sind nur A n s ä t z e zu ihr oder auch R e f l e x e von ihr[23], sie selber muß in der Tiefe begründet sein. Diese religiöse Oberflächlichkeit fordert ja, wenn man ernsthaft reden will, keine *arbeit*, von der im ersten Kapitel die Rede war.

Es gibt im Parzival ja auch ein Wort, das die ganze Weltsicherheit und Weltfreudigkeit mit einem Schlag aus den Angeln zu heben scheint; es kommt aus dem Munde des greisen Trevrizent und lautet:

475, 13   *owê werlt, wie tuostu sô?*
    15   *du gîst* [=gibst] *den liuten herzesêr* [=Herzensschmerzen]
        unt riwebaeres [=leidbringenden] *kumbers mêr dan der freud. wie stêt dîn lôn!*
        sus endet sich dîns maeres dôn!

Und diese Verse mögen das hiermit beendigte Kapitel offenhalten für das, was der Dichter uns nun weiter zu sagen hat.

Kapitel III

Parzivals Weg

Die Frage, mit der wir in die Analyse des Weges Parzivals eintreten, ist: welche Funktion erfüllt in ihm das Gottesproblem? Welche Bedeutung hat für die Entwicklung des Helden sein mehrfach sich wandelndes Verhältnis zu Gott? Ist dieser

---

[23] Besser gesagt, auch die Synthese hat ihre Gradunterschiede; sie kann sich in einer leichten und oberflächlichen Verbrämung des Lebens mit religiösen Konventionen erschöpfen, sie kann auch tief und ernst gegründet sein. „K e f e r s t e i n . . . erbringt den Nachweis, daß diese in den beiden Formen des Dualismus und des Gradualismus jetzt gültige Auffassung, die ‚höfische Weltlichkeit und christliche Jenseitigkeit, Honestum und Divinum‘ . . . auseinandersondert, falsch ist." (T s c h i r c h üb. K e f e r s t e i n S. 160). Aber man verstehe dies nicht dahin, als solle Parzival nicht mehr, als die bereits vorhandene, vorgegebene Einheit zwischen christlichem und höfischem Ethos, so wie es in der Welt der Dichtung sich bekundet, die bloß er noch nicht verstehe, anerkennen lernen.

ganze Gedankenbereich nur als unvermeidliches Zeitbedingsel vom mittelalterlichen Dichter aufgenommen, oder steckt hinter ihm ein wirklicher, drängender Ernst? Und auch, was hat es mit der für unsere Vorstellung über mittelalterliches Denken zunächst auffälligen Scheidung zwischen Ringen um Gott und Gleichgültigkeit gegen sakramental-liturgisches Kirchentum, das wir bei Parzival festzustellen glauben, auf sich?

Von diesem Fragenkomplex, der die Subjektivität des Helden betrifft, ist streng zu unterscheiden der in und von der Dichtung objektiv verwirklichte Gottesbegriff, sofern er für die Entwicklung des Helden bedeutsam gemacht wird[1]. Über letzteren sei in Kürze folgendes vorausgeschickt.

Der Gottesbegriff der Dichtung, d. h. der Gott, der über dem ganzen Ereignisablauf waltet, macht n i c h t die Entwicklungen durch, die dem Gottverhältnis Parzivals angeheftet werden; ohne alle Wandlung bleibt Gott von dem Anfang bis über das Ende hinaus sich selber gleich in *endelôser Trinitât* (798, 4), lenkend die Geschicke der Menschen und in ihre Lebenswege nur eingreifend, um sie zum guten Ziel zu führen. Nur wenige Male wird, gemäß seinem geheimnisvoll unsichtbaren Walten, aber auch gemäß der Tatsache, daß es hier gar kein Problem für den mittelalterlichen Dichter gibt, in ausdrücklichen Worten von ihm gesprochen. Zum erstenmal wird er in diesem Sinn genannt, als der junge Parzival an den Artushof kommt, also gerade nachdem er die ersten Schritte in seine ereignisreiche Lebensgeschichte hinein getan hat: *sus wart für Artûsen brâht, an dem got wunsches* [Wunsch, das Höchste, was man zu wünschen vermag] *het erdâht* (148, 29 f) — der Knabe, noch geradezu eine peinliche Erscheinung an der idealen Stätte ritterlicher Kulturentfaltung (vgl. 143, 21 ff), ist doch bereits Gegenstand der göttlichen Auserwählung, bestimmt zu den höchsten Zielen.

---

[1] Es ist nach unserm Empfinden zur richtigen Erfassung und Beschreibung der in einem Dichtwerk gestalteten Religion notwendig, daß man nicht nur die Frage nach der persönlichen Frömmigkeit des Dichters von derjenigen nach der in seinem Werk geschaffenen Religiosität zu unterscheiden weiß (s. oben S. 4 ff), sondern daß man vor allem in der letzteren auch das objektiv über der im Werk gestalteten Welt stehende Gottesbild und das den Personen desselben beigelegte auseinanderhält. Man vermißt dies sehr bei S c h e r e r, Vorsehung.

Wieder fällt verheißungsvoll sein Name in der ausweglosesten Not des erfolglosen Gralsuchers: *sîn wolte got dô ruochen* [=geruhen, besorgt sein, sich kümmern um] (435, 12), und zwar lange bevor dieser soweit ist (man beachte 446, 3—5), sein Pferd willenlos der Führung Gottes zu überlassen (452, 9—12); und das letzte Mal unmittelbar, bevor das glückliche Ende erreicht wird, bevor alle Wirren sich lösen, leitet Cundrie ihre Botschaft ein: *ôwol dich, Gahmuretes suon! got wil genâde an dir nu tuon* (781, 3 f), worauf Parzival selber erwidert: *sô hât got wol zuo mir getân* (783, 10). In wenigen gewaltigen Bögen überspannt die ewige Vorsehung den Lebensstrom Parzivals, und der mittlere Brückenpfeiler senkt sich hinein bis auf den Grund, der nach Wolframs Bild (461, 13) für Parzivals eigene Anker nicht mehr erreichbar ist. Einige andere Stellen könnte man vielleicht noch hinzufügen, aber sie haben, mit Ausnahme höchstens der Bemerkung vor dem Zerspringen des Itherschwertes (744, 14—18), bei weitem nicht die konstruktive Bedeutung; verhaltener weisen sie jedoch immer wieder darauf hin, daß Gottes helfende Allmacht, von den Zweifeln, in die ein Mensch geraten mag, unberührt, stets in der absoluten Selbstsicherheit ihrer Existenz sich selber und ihren Geschöpfen treu bleibt in einer alles geschöpfliche Verstehen übersteigenden Vollkommenheit (797, 23—30).

Unter ihrem Zeichen entfaltet sich also das Leben des Helden.

1. Der toersche knappe

Es beginnt in der Waldeinsamkeit Soltane. Daraus ergibt sich für den Dichter eine Reihe von Möglichkeiten: er kann den Helden ganz rein aus seinen natürlichsten Ursprüngen, aus seinem Bluterbe und dem Umgang mit der unberührten Natur, entwickeln, gewissermaßen ganz von Anfang an mit ihm beginnen; die Erlebnisse, die ihm bevorstehen, werden mit voller Kraft auf ihn treffen und nicht dadurch in ihrer Wirkkraft abgeschwächt sein, daß sie ihm bereits, wie im normalen Gang des Lebens, lange bevor er zu ihrer geistigen Bewältigung erwacht, gewohnheitsmäßig vertraut sind; anderseits aber, da der Dichter zur Erreichung seines Zieles die unter viel engerem

Horizont arbeitende, einen ganz andern Plan verfolgende Sorge Herzeloydens benutzt, kann er auch die Konsequenzen zur Entfaltung kommen lassen, die eine kultur- und lebensscheue Pädagogik nach sich zieht: sie ist nicht nur zum Scheitern verurteilt durch die Gewalt des erwachenden Lebens, das den Knaben zu seiner Zeit unwiderstehlich in die große Welt hinausdrängen wird zum Schmerz, ja zur Vernichtung der Mutter; dieser selbst wird auch der erziehenden Macht dieser Welt, sprich der ritterlich-höfischen Gesellschaftskultur, entzogen, einer Erziehungsmacht, die, wesentlich auf *mâze* und *zuht* abgezielt, den Trieb unbekümmerter Selbstbehauptung schon im Kinde eindämmt und damit den Menschen zum Gemeinschaftsleben befähigt; wenn der Mensch aus der Kulturgemeinde der Welt herausgenommen ist, fehlt der Zwang zur Selbstmeisterung, er bleibt hilflos gegenüber der Gefahr, überall rücksichtslos und rein triebhaft sein Begehren durchsetzen zu wollen, und wird natürlich die Folgen tragen müssen, die sich unvermeidlich ergeben werden, sobald sein Weg sich mit dem anderer kreuzt.

Parzivals Kindheit ist kein romantisch-Rousseausches Naturidyll[2]; weder die positiven noch die negativen Seiten an ihr darf man übersehen oder auch alleine sehen. Eigentliche Tugendhaftigkeit, personale Erlebnis- und Verhaltensbewußtheit stellen wir in dieser Zeit bei Parzival noch nicht fest; alles ist noch selbstgesetzlich wachsende Natur, über die er auch nicht in kindlicher Weise Herr zu sein bemüht ist. Das gilt von dem Mitleid mit den getöteten Vöglein, von der Empfindsamkeit für ihren Gesang, der in seine weit offene Seele einströmt, es gilt auch von seiner Tapferkeit, die als Ausdruck des Kraftgefühls seines kräftig gebauten und gut entwickelten Körpers zu werten ist, es gilt ebenso von der noch lange nachwirkenden Liebe und Verehrung für seine Mutter und von seiner Gelehrigkeit gegenüber ihren Unterweisungen und Ratschlägen. All das ist nur naturhafte Gegebenheit mit allem Liebreiz, den die unberührte Natur hat; es ist noch nicht persönlicher, ethischer Selbstbesitz, aber doch die notwendige Anlage dazu. Die köstlich humorvolle Schilderung und das feine Verständnis für die Werte der Natur kann

---

[2] Dies wird neuerdings immer deutlicher erkannt, s. zB B e c h e r, Ew. Pz S. 369.

nicht darüber hinwegtäuschen, daß Parzival in diesem Zustand des reinen Naturkindes doch nur ein *toerischer knappe* ist, der nicht so bleiben kann, wenn anders er ein rechter Ritter werden soll, der sich vielmehr erst in schweren, leidvollen Erfahrungen den hohen Adel seelisch-sittlicher Kultur erwerben muß, zu dem er vornächst nur die leiblich-seelischen Voraussetzungen besitzt. Doch einstweilen soll das alles so sein, damit die Problematik, auf die es dem Dichter ankommt, sich aufbauen kann. Es trifft vollkommen daneben, wenn man dem Dichter den Vorwurf macht, er habe die Mutter ihr Kind sehr unvollkommen erziehen, speziell ihre religiöse Unterweisungspflicht ihm gegenüber vernachlässigen lassen[3]; es kam diesem ja gerade darauf an, den Knaben stets ursprünglich den verschiedenen Objektivitäten des Lebens gegenüberzustellen. In der Illusionswirklichkeit der Dichtung sind die Möglichkeiten gegeben, anders zu verfahren als im realen Leben, sogar wenn im übrigen diese Dichtung mit erzieherischen Ansprüchen vor ihren Leser tritt. Daß Herzeloyde als pädagogisches Vorbild für andere Mütter gelten sollte, wenigstens in diesem Punkt, ist nirgends gesagt; bei all ihren Vorzügen läßt der Dichter nicht im unklaren, daß sie selbst das Opfer ihres erzieherischen Experimentes wird, welches aus einer von Selbstliebe nicht freien Mutterliebe hervorgegangen ist, aus einer *triuwe*, die noch nicht bis zum letzten geläutert war.

Man hat aus der Tatsache, daß dem Knaben sogar der Name Gottes in der Kindheit vorenthalten wurde, schließen wollen, daß dies sich mit Selbstverständlichkeit ergab aus der Fernhaltung alles Ritterlichen (117, 22 ff), mit dem der „höfische Gott" unlöslich verknüpft gewesen sei[4]. Das hat sicher nicht im Gedanken Wolframs gelegen; andernfalls hätte die hochempfindsame Herzeloyde zum mindesten durch ein leises Erschrecken ihren unbedachten Verstoß gegen das eigene Erziehungssystem, mit dem sie sich den Namen Gottes entschlüpfen ließ, verraten, wie sie später, nach dem ersten Rittererlebnis ihres Sohnes, in eine tiefe Ohnmacht fällt, und könnte nicht so ohne Zögern (asyndetisch auf die Frage des Knaben!) und mit so feierlicher

---

[3] G i e t m a n n, Pz S. 92.
[4] Gegen S c h w a r z, Gottesb. S. 64.

Einleitung (*sun, ich sage dirz âne spot*) ihre Unterweisung über Gott beginnen. In ihrem Verhalten liegt vielmehr jenes bewußte Kunstmittel Wolframs vor, durch das er immer wieder die Eigenart des Parzivalschen Entwicklungsweges zu kennzeichnen sucht: niemals greift belehrende Hilfe ein, bevor der Knabe nicht selbst in der Wirklichkeit auf die Probleme gestoßen ist, auf die er aus seiner Erfahrung noch keine Antwort weiß.

Das erste nun, worauf er stößt, ist Gott; das ist nicht bedeutungslos, sondern weist wie ein Scheinwerfer weit in die Zukunft hinaus. In der Formulierung der Frage (*owê, muoter*) drückt der Unwissende die erregende Wichtigkeit aus, die sein ahnendes Gemüt ihr beimißt. Wohl macht die Antwort auf sein Herz bei weitem nicht den Eindruck, den wenig später die Begegnung mit den Rittern in ihrer strahlenden Herrlichkeit zur Folge hat: *sîn muoter underschiet im gar daz vinster und daz lieht gevar, dar nâch sîn snelheit verre spranc.* Noch ist er ja allzu jung, um geistige Dinge tiefer zu erfassen, auch wenn sie ihm in Bildvorstellungen nahegebracht werden — ein p l a s t i s c h e s Bild vermeidet übrigens der Dichter! — später wird er die ganze Last und Schwere des Gottesproblems nicht als theoretisches, sondern als praktisches Lebensproblem erfahren müssen.

Der Inhalt der mütterlichen Gotteslehren bildet ein winziges Religionskompendium. Das Wesen Gottes wird dem Knaben rasch unter dem Symbol des Lichtes dargestellt (unter dem seit der apostolischen Theologie — bes. 1 Jo 1, 5 ff; auch zB 1 Tim 6,16 — vor allem seine Vollkommenheit und Heiligkeit verstanden wird), und weiter wird er kurz über die Menschwerdung unterrichtet; das Wichtige indes, was die Mutter mitzuteilen hat, ist die Wahrheit von seiner erbarmenden Liebe zur Welt. Über den Zusammenhang dieser drei Lehrstücke wird Parzival hier noch nicht aufgeklärt, erst viel später wird er von Trevrizent Näheres darüber hören, wird ihm die Menschwerdung als größtes Werk der Erbarmung Gottes erscheinen, der kraft seiner übersonnenklaren Heiligkeit die verschlossensten Herzenstiefen der Menschen durchdringt und erkennt, wo die eigentlichen Nöte seiner Kreaturen stecken. Einstweilen genügt es, den Gedanken der helfenden Barmherzigkeit dem Knaben stark einzuprägen und ihm die Folgerung nahezulegen, die sich daraus ergibt: in aller Not vertrauend sich an ihn zu halten. Hier fallen zum ersten Mal drei Termini, die für das Epos von grundlegendster Bedeutung sein werden, sie stehen in eine Zeile zusammengedrängt: *sîn t r i u w e der w e r l d e ie h e l f e bôt.*

Die Welt, wie oben dargetan, Raum der menschlichen Lebensentfaltung, Grundlage und Krönung der kulturellen und ethischen Gemeinschaftsgestaltung, wird dem jungen Parzival zuerst von einer ganz andern Seite her gezeigt, nämlich in einer gewissen Hilflosigkeit befindlich, angewiesen auf Gottes Erbarmen; sie bedarf seiner *helfe,* deren sie aber auch versichert sein kann durch seine *triuwe* — jene Eigenschaft, die sein wichtigstes Attribut ausmacht, wenigstens für das zu ihm aufschauende Geschöpf, die ihm in unveränderlicher Weise (*ie*) eignet und die ihre wirkmächtige Aktualisierung findet in tatstarker *helfe.*

Das Wort von der *triuwe* fällt hier also dem jugendlichen Helden zum ersten Mal in die Seele, und zwar gleich mit seinem richtigen und vollen Begriff als erbarmende, hilfbereite Liebe gegenüber der leidenden Kreatur, dem hilfsbedürftigen Menschen. Ob er wohl ihren ethischen, ihren auch den Menschen verpflichtenden Charakter schon spürt? Wenn Gottes *triuwe* so groß war, daß sie ihn veranlaßte, Mensch zu werden *nâch des menschen bilde,* liegt darin nicht genug Hinweis, daß auch der Mensch sich dieser Tugend befleißigen soll — nach Gottes Bilde? ganz abgesehen davon, daß dem unverbildeten Gemüt der Adel und die Verbindlichkeit einer solchen Tugend unmittelbar aufleuchten muß?

Gott gegenübergestellt wird von Herzeloyde der Teufel; er ist schwarz und vor allem ist er voll *untriuwe.* Die Warnung *von im kêr dîn gedanke* spricht es schon fast aus, daß er nicht nur mit ihm selber sich nicht einlassen, sondern auch vor der *untriuwe* sein Herz behüten soll.

Angefügt wird zum Schluß noch die Warnung vor dem *zwivel;* angesichts der Tatsache, daß die mütterliche Unterweisung vorausdeutend bereits ganz auf die Problematik ausgerichtet ist, in die der Sohn nach des Dichters Willen hineingeraten soll, wird das Gleiche von diesem Schlußsatz zu gelten haben, der von höchster Bedeutung für die Begriffsbestimmung des vielumstrittenen Wortes ist. Jedoch auch ohne diesen Blick in die Zukunft hat der Dichter durch den Zusammenhang vollkommen seinen Sinn an dieser Stelle gesichert; wenn es überhaupt einen hat, so den des Unsicherwerdens, des Schwankens an der *triuwe* und *helfe* Gottes, dem die Zerstörung des Vertrauens folgt und notwendiger Weise das Aufhören des Betens, des gesamten religiösen Lebens. Der *zwîvel* ist hier stark religiös gemeint, nicht als spekulativer Zweifel eines Philosophen, der theoretisch über die Existenz Gottes nachgrübelt, sondern als das Verlieren des Vertrauens auf Gottes *triuwe*.

Zum Ganzen der Stelle sei bereits hier vorausgeschickt[5], daß sich kein Unterschied oder gar Gegensatz zu Trevrizents späteren Belehrungen feststellen läßt, sondern daß der fromme Eremit dem aufs schwerste in die Probleme der *triuwe* Gottes Verstrickten genau das tief und breit entwickelt, was die Mutter dem noch völlig Unschuldigen in wenigen Sätzen kurz umreißt; wir werden noch sehen, daß der antithetische Dualismus (Gott und Teufel gleich Licht und Finsternis) durch das ganze Werk hindurch in voller Gültigkeit aufrechterhalten wird und daß auch Parzival seinem Oheim die empfangene Belehrung über Gott ungerügt mit einer ganz klaren Anerkennung dessen, *der nihtes ungelônet lât, der missewende noch der tugent* (467, 14 f), also des vorgeblich zu überwindenden Do-ut-des = Gottes der Romanik quittiert; umgekehrt fehlt bei Herzeloyde keineswegs die Transzendenz Gottes (die übrigens bei Trevrizent auch nicht so markant hervortritt, wie man vielleicht gerne möchte), bei der Kürze und Kindlichkeit, deren sie sich befleißigen muß, ist sie hinreichend in dem Vers *sîn triuwe der werlde ie helfe bôt* zum Ausdruck gebracht.

Parzival eilt nun wieder seinem Spiele nach in den Wald, wie hervorgehoben, nicht allzu sehr beschwert von den Gedanken, die ihm mitgeteilt wurden. Gemerkt aber hat er sich, daß man zu Gott beten muß und ihm dienen soll; er versichert später bei verschiedenen Gelegenheiten, daß er dies auch eifrig getan habe (332, 5 f; 447, 25) und gibt uns sofort einen zweifachen drolligen Beweis seines guten Willens in dem mit soviel humori-

---

[5] Im Hinblick auf W e b e r, Gottesbegr. S. 16.

ger Schalkhaftigkeit aufgemachten Rittererlebnis. Wenn noch etwas Ernsteres dahinter steckt als der dichterische Wunsch, den der Wirklichkeit entzogenen Knaben langsam und schwer aus den Kollisionen mit ihr reif werden zu lassen, so ist es sicher nicht ein Spielen mit dem „Rittergott" (123, 21) seitens des Dichters, wie einige anzunehmen geneigt sind[6], sondern eher stimmen wir W e b e r bei, daß hier die Oberflächlichkeit, die im Gefolge der glänzenden Zeitkultur manche Kreise des Rittertums erfaßt und bei ihnen zu einer verflachten Metaphysizierung des Ritters, zur Verritterlichung Gottes in einem unpassenden Sinn geführt haben mag, einem heilsamen Gelächter preisgegeben wird[7].

Bei Parzival weckt die Begegnung die vom Vater ererbten Anlagen zum Rittertum, und mit einem Drang, dem er nicht Zucht noch Zügel anzulegen vermag, treibt es ihn nun hinaus, in die Welt, zum Hof des Königs Artus, der Ritterschaft verleiht. Durch die Losreißung von der Mutter verursacht er, allerdings ohne es zu ahnen und gewiß ohne es zu wollen, deren Tod. Später wird ihm dies als Sünde angerechnet und zwar, wie K e f e r s t e i n[8] richtig sieht, mit vollem Recht. Wolfram mildert zwar die krasse und für ein besinnliches Publikum auch unglaubhafte Roheit des französischen Perceval, der sich um die vor seinen zurückschauenden Augen zusammenbrechende Frau nicht weiter kümmert, aber er läßt ihm die Schuld, daß er im wahren Sinn ohne *triuwe*, ja gegen sie handelt; darin liegt seine Sünde. Die ichbezogene Härte seines triebhaften Handelns kennt zwar Augenblicke gemüthafter Rührung und Mitleidsregung, jedoch für die T u g e n d der *triuwe* ist neben ihr noch kein Raum; er lebt rein in seiner puren, gut angelegten, aber noch untermenschlichen Naturhaftigkeit. Parzival hatte doch bemerkt, daß sein bloßes Bekanntwerden mit dem Rittertum eine lange Ohnmacht der Mutter zur Folge hatte und daß ihr

---

[6] S c h w a r z aaO S. 63; abgesehen davon, daß die textkritische Seite des Wortes nicht ganz geklärt ist (vgl. Apparat zur Stelle; L a c h m a n n schreibt im Text gegen D mit einigen G-Handschriften: ritter guot), scheint es ein humorloser Mißgriff, dasselbe aus dem drastischen Humor seiner Umgebung herausgelöst für eine ernstgemeinte Prägung Ws auszugeben. S. auch D e n n e c k e (üb. S c h w a r z) S. 48.

[7] AaO S. 16.   [8] K e f e r s t e i n, Eth. Weg S. 32.

nachher noch sein ausführlicher Bericht tiefsten Schmerz bereitete
— kein Wort des Verständnisses oder der Teilnahme kommt
über seine Lippen. Schon hier versäumt er die Mitleidsfrage.
Er kennt nur sein Verlangen. Hätte er *triuwe* gehabt, so hätte
er nimmer den gewiß berechtigten und auch nicht länger hinaus-
zuschiebenden Ausritt mit der Rücksichtslosigkeit betrieben und
vollzogen, die nun seine erste Sünde ausmacht. Unwissenheit
entschuldigt zwar — wo sie selber unverschuldet ist; aber hier
handelt es sich um eine rein aus naturhaft selbstischem Trieb
hervorgehende Rücksichtslosigkeit, für deren Folgen man die
Verantwortung vor Gott trägt.

So hart indes, wie K e f e r s t e i n will[9], darf die Schuld des
Knaben nicht beurteilt werden; gemindert war sie sicher, weil
er fern aller menschlichen Gemeinschaft auch nicht auf die ge-
meinschaftbildende Tugend der *triuwe* hin erzogen worden war;
anderseits hatte er doch das Vorbild seiner edlen Mutter, in
deren liebevoller *triuwe* er aufwuchs, er hatte dieses kostbare
Gut sogar anlagemäßig von ihr überkommen (140, 1); seit der
Begriff selbst ihm dann gelegentlich jener kleinen Religions-
stunde vor die Seele getreten war, durfte er nicht mehr in einer
so beschämenden Weise an ihm versagen. Ein nicht ganz zu ent-
wirrendes, echt Wolframsches, vielleicht auch echt menschliches
Hin und Her von Anklagepunkten und Milderungsgründen
hindert uns, das genaue Schuldmaß festzustellen, und jedenfalls
haben wir keinen Anlaß, die Hoffnung zu verlieren und den
Stab zu brechen über einen Knaben von besten Anlagen und
grundhaft guter Einstellung, wenn er beim Eintritt in seine Ent-
wicklungszeit einen Fehltritt beging; dies ändert jedoch nichts
daran, daß hier ein unzweifelhafter Verstoß gegen die *triuwe*
vorliegt und daß Parzival es lernen muß, daß man nicht einen
ungeformten und ungebändigten Willen einfach durchsetzen
darf, ohne daran zu denken, daß das eigene Handeln auch Folgen für die Mitmenschen hat.

Ungefähr die gleiche Deutung verlangen die nächsten „Sünden" des Helden, vor allem gegenüber Jeschute und Ither, wo
er das einemal ein einzigartig schönes Liebes- und Eheverhältnis,
Wolframs schönstes Ideal, täppisch und ahnungslos zerstört, das

---

[9] Ebd. S. 33. K. will sich nirgends auf mildernde Umstände einlassen.

andere Mal einen hervorragend edlen Ritter in kindisch unge-
stümem Zorn auf gräßliche Weise des Lebens beraubt, wobei
man nicht weiß, ob er die Zielsicherheit seines Wurfes aus dem
Waldleben mitbringt oder einem kaum zu glaubenden, doch
leider nicht unmöglichen Zufall verdankt. In beiden Fällen ist
auf das lebhafteste die unbändige Triebhaftigkeit gekennzeichnet — mit dem Humor, der Wolfram eignet und der auch objektiv die einzige Form ist, in der solche untermenschliche Art
sich literarisch darstellen läßt, und doch wieder mit jenem tiefen
Ernst, der hinter allem echten Humor sich birgt. Die Einzelheiten des näheren zu erörtern erübrigt sich. Nur dies ist wesentlich, daß in dem Epos, welches ganz den *grôzen triuwen* (4, 10)
gewidmet ist, einzige Sünde der Verstoß gegen die *triuwe* sein
kann, und bereits beginnt sich uns der Sinn des Entwicklungsweges Parzivals aufzuklären: er soll zur *triuwe* erzogen werden.

In der frühesten Periode seines Lebens, die bis zum ersten
Morgen auf der Burg Graharz reicht, kann sie sich noch nicht
entfalten, weil da noch ganz wild wuchernde Triebhaftigkeit
herrscht — mit dem ganzen Zauber, der die reine Natur so
schön macht und der das Anrecht gibt, aus ihrer Kultivierung
Hohes zu erwarten, mit aller elementaren Brutalität, womit sie
sich in zerstörerischer und Schrecken verbreitender Weise über
alle Schranken ergießt, und mit der grotesken Komik, die die
Kombination der beiden Gegensätze in dem auf ethisches Verhalten und personale Selbstbeherrschung doch angelegten Menschen ergibt.

2. Die Schuld der versäumten Frage

Nun greift der greise Gurnemanz in den Lebensgang des
Helden ein, auf dessen Bitte hin (162, 29 ff), und bringt dem
jungen Wildwuchs bei, was ihm allzu offensichtlich fehlt. Zwei
große Gebiete umfaßt seine Erziehung; in lehrhafter Unterweisung sagt er ihm, wie der gesittete, edle Ritter sich in den
verschiedenen Situationen, in die er kommen kann, benimmt
(170, 7—173, 10), und in praktischer Betätigung läßt er ihn die
Standeskunst des Reitens und Turnierens lernen (173, 11 bis
175, 6). In beiden Hinsichten hatte Parzival auf der gastlichen

Burg mit den vornehmen Bewohnern einen denkbar üblen, bei seiner adligen, wohlgeratenen Gestalt geradezu rätselhaften Eindruck gemacht.

Für uns kommen nur die höfischen Ethik- und Anstandsbelehrungen in Betracht, und vor allem jene eine (171, 17—24), die, vielleicht durch einen Zufall, vielleicht mit Absicht in die Mitte gerückt, sich für Parzival später so verhängnisvoll auswirken soll und ihm Anlaß wird, nach dem Gehalt und nach dem Sinn der ganzen Gurnemanzethik zu fragen. Der Rat des Fürsten besagte, „nicht viel und dumm zu fragen, vielmehr auch die andern Sinne, Hören, Sehen, Schmecken, Riechen, in kluger Weise spielen zu lassen"[10]. Fällt auf diese Belehrung die Schuld Parzivals, daß er die Schicksalsfrage auf der Gralburg nicht stellt, zurück, wie er selbst später annehmen wird (330, 1—7)? Enthält sie nicht mehr als rein konventionelle Höflichkeit, als äußerliche Mode, deren Befolgung eine Einengung des natürlich guten Empfindens und Wollens ist und zu deren Überwindung Wolfram seinen Helden führen will? Oder wenigstens, ist sie für einen minder hohen Gradus des Rittertums bestimmt und begeht Parzival, sei es aus Unreife, aus Schüchternheit, aus Versehen, bloß den Irrtum, sich an den Rat eines Mannes zu halten, der seiner Berufung nach eine ganze Sphäre unter ihm steht? Beides ist von vornherein kaum anzunehmen, jenes, weil es eine fast läppische Motivierung, dieses, weil es einen sehr sublimen, aber für wahrhafte Menschheitsdichtung unerträglichen Hochmut in das innerste Kompositionsgefüge dieses großen Epos brächte. Auch K e f e r s t e i n[11] hat diese verschiedenen Interpretationen abgelehnt und gezeigt, daß es echte, hohe, christliche Ritterart ist, was der alte Fürst seinem Schützling vorhält; sein frommer Sinn (169, 15—20) bürgt dafür, daß die religiöse Verankerung, die ja freilich nicht besonders stark betont wird, seinen Weisungen nicht fehlt; einmal (171, 4) wird indes ausdrücklich auf sie angespielt; die christliche Sittenkultur der Nächstenliebe steckt zudem unverkennbar in der zweiten und sechsten Unterweisung, der Tugend des Erbarmens mit den Notleiden-

---

[10] N a u m a n n, Höf. Kult. S. 43.
[11] AaO S. 35 ff.

den und mit dem besiegten Feind. So wie es „das unbestreitbare Verdienst der Kirche" nach Franz Rolf S c h r ö d e r ist, „die ritterliche Erotik veredelt, vergeistigt, aus der Sphäre reiner Sexualität herausgehoben zu haben"[12], so hat sie die gesamte Ritterkultur mit ihren hohen und edlen Prinzipien erfüllt, und wie dieses christliche Rittertum ungefähr ausgesehen hat, das kann man den Anweisungen des Gurnemanz mehr oder weniger entnehmen.

In den beiden erwähnten Vorschriften des Erbarmens findet je die Tugend der *triuwe* konkrete Ausdrucksform. Aber dieses Wort selbst wird von Wolfram mit einer merkwürdigen Behutsamkeit aus den Unterweisungen des Gurnemanz ferngehalten; es ist auffällig, daß eine ausdrückliche Mahnung zur *triuwe* oder Warnung vor der *untriuwe* von dem ritterlichen Erzieher nicht ausgesprochen wird, während die Schuld Parzivals später einhellig und von allen in einem schweren Verstoß gegen die *triuwe* erblickt werden wird (Sigune 255, 15 f; Cundrie 316, 2; Trevrizent 488, 28), und während auch kein Zweifel gelassen wird, daß der Fürst diese zentrale Tugend selbst in besonderem Maße hat. Er heißt der *triuwen rîche* (166, 2), ist geradezu *uz triuwe erkorn* (177, 13), und beim Abschied wird dieses Wort für den letzten zusammenfassenden Rückblick auf seine Person gebraucht (179, 8); zumal wenn er sich seinem Gaste widmet, so geschieht es *mit triwen kraft* (168, 21), und all seine Erziehungstätigkeit an Parzival ist nichts anderes als Ausfluß seiner wahrhaft väterlichen *triuwe* (165, 11). So steht diese Tugend als personaler Einheitspunkt hinter allen Lehren des *houbetman der wâren zuht* (162, 23), auf dessen Burg dieselbe überhaupt herrscht (167, 29; 168, 26); seine Schuld, daß er die wichtigste Tugend nicht ausdrücklich nannte, war nicht groß, Parzival hätte schon merken dürfen, daß sie der lebendige Quellgrund aller Einzelvorschriften war. Und genaueres Zusehen überzeugt uns, daß dieser Sachverhalt Parzival nicht entgangen ist. Er nennt selbst seinen Lehrmeister einen Mann mit *triwen âne schranz* [=ohne Bruch, ohne Riß], und zwar gleich am Tage, an dem er ihn frühmorgens verlassen hatte (189, 17), und wie-

---

[12] Fr. R. S c h r ö d e r, Der Minnesang, GRM 21 (1933) S. 270.

der, tragischer Weise, in dem Augenblick, wo er die Frage zu
unterlassen sich entschließt (239, 12); er weiß offenbar seit seinem Aufenthalt auf Graharz, daß die *triuwe* zu den Grund-
anforderungen an den Ritter gehört, die er zu leisten durchaus
bereit ist (202, 14; 209, 29), längst bevor er auf Munsalväsche
versagt. Da der Held also um Verpflichtung und Inhalt, um
Spannweite (vgl. die beiden letztangeführten Stellen miteinander!) und Funktion der *triuwe* weiß, und da er anderseits in
jeder Weise bereit ist, das Gute, was er gelernt hat, auch zu tun
(vgl. z. B. 188, 15 ff; 203, 4 f; 213, 19 f), so ist es sehr schwierig zu bestimmen, wieso es zu dem Versagen auf der Gralburg
kam und worin die Schuld eigentlich lag.

Wir wollen versuchen, soviel Klarheit zu erreichen, als möglich ist, nicht mehr aber auch, als der Dichter selbst uns gewährt.

Am einfachsten wäre es wohl, könnte man sich damit zufrieden geben, das „wunderliche Gemisch von heterogenen Elementen, das Wolfram im Grunde ist"[13], aufzuzeigen, ohne es
weiter aufzulösen; danach möchte Gurnemanz wohl den Parzival in die höfische Ethik eingeführt haben und seine Mahnungen
beständen alle zurecht in deren Rahmen; als aber Parzival auf
der Gralburg unter ausdrücklicher Berufung auf ihn und seine
triuwe sich an den hier treffenden Ratschlag halten wollte, da
verging er sich gegen die *triuwe* — weil der Dichter eben inzwischen seinen Standpunkt geändert und vom Boden der höfischen
auf den irgendwelcher andern Ethik hinübergewechselt wäre,
ohne zu beachten, daß sich, im Sinn dieser Interpretations-
methode, nur aus seiner Inkonsequenz die Katastrophe für seinen Helden ergab.

Immerhin scheint ein Rest von Unklarheit daher zu kommen, daß Wolfram genötigt war, ein altes Märchenmotiv für
seine ritterlich-ethische Dichtung umzuarbeiten; er hat darin das
Mögliche geleistet, sicherlich soviel und noch mehr, als für seine
mittelalterlichen Zuhörer und Leser, die der Märchenmotivik
und Märchenkausalität in der Literatur bei weitem nicht so kritisch gegenüberstanden wie wir, nötig war. Er hat aus dem vor-
gegebenen Stoff die Frage als die von Parzival zu bestehende

---

[13] B o e s t f l e i s c h, Minneged. S. 71 (gebraucht den Ausdruck allerdings in engerer Umgrenzung für das Minnephänomen bei W).

Probe mitsamt ihrer wunderbaren Wirksamkeit bestehen lassen. Innerhalb der Märchengesetzlichkeit nimmt es niemand wunder, wenn das Aussprechen einer Frage, über deren Wichtigkeit und Folgen man sich keine Vorstellungen macht (*unwizzende!*), als Aufgabe gestellt ist und der Held die Konsequenzen eines Versagens zu tragen hat. Wolfram hat die Frage ungemein ethisch vertieft, er hat sie obendrein dem Verständnis seiner Zeitgenossen nahezubringen gewußt, indem er sie als zu erfüllende Form[14] behandelte, ja sie geradezu als sakramentales Wort[15] erscheinen ließ, er hat sie also in ihrem C h a r a k t e r vollkommen verändert, aber in ihrer S u b s t a n z hat er sie unverändert bestehen lassen: daß Parzival sie, unwissend, zu stellen verabsäumt, macht tatsächlich sein Unglück aus und wird ihm, bei dem ins Ethische gewandelten Fragecharakter, sogar als schwere Schuld angerechnet. Hätte er gewußt, hätte er nur geahnt, was von dem Aussprechen des Fragewortes abhing, bei der mitleidvollen Gesinnung, die Wolfram ihm beilegt, hätte er gewiß nicht dem kranken Gralkönig „den Akt der Nächstenliebe verweigert", wie K e f e r s t e i n sich unerträglich hart und rigoristisch ausdrückt[16]. Beweis dafür ist sein aus aufrichtiger *triuwe* kommender Ausruf:

330, 29   *ay, helfeloser Amfortas,*
          waz half dich, daz ich bî dir was?

in den seine leidvollen Reflexionen nach Cundriens Verfluchung ausklingen und der ganz zu Unrecht von K e f e r s t e i n entwertet wird[17]. Es ist sicherlich weit über das Ziel hinausgeschossen, zu sagen „Parzival w e i g e r t sich jetzt, die lebendigen

---

[14] N a u m a n n, Höf. Kult. S. 41 ff.

[15] B e c h e r, Ew. Pz S. 378. Für die Umwandlung der Märchenstilistik in religiöse Vorstellungen ist es höchst beachtlich, daß n i c h t die magische Kraft des ausgesprochenen Wortes, sondern die Kraft des Allmächtigen dem siechen König die Gesundheit wiederschenkt (795, 30 ff). Parzival sieht, wie Becher gut sagt, in der Frage das „Werkzeug des dreifaltigen Gottes, den er darum auch demütig kniend zuvor anruft". So ist das Fragewort wirklich der Welt des Sakramentalen angenähert.

[16] AaO S. 51.

[17] Nämlich als „Ausfluß des natürlichen Egoismus des Menschen, der die traurigen Folgen seiner unsittlichen Tat an sich selbst erfahren muß" (ebd. S. 67).

Forderungen dieser (nämlich der von Gurnemanz ihm beige-
brachten christlich ritterlichen) ethischen Ordnung zu hören, indem er v o r s c h ü t z t, ein Gebot des Gurnemanz befolgen
zu müssen, das er aus der ethischen Ordnung der deutschen
christlichen Ritterwelt herausgelöst hat"[18]. Das Moment der
Unwissenheit ist für das Zustandekommen der schuldhaften
Versäumnis unumgänglich; daß es aber den Schuldcharakter
weder aufhebt noch mindert, dies stammt aus den märchenhaften Ursprüngen der Erzählung und konnte von Wolfram
schlechterdings nicht preisgegeben werden, wenn nicht der Fort-
gang der Dichtung zerstört werden sollte. Wir werden die
Schuld Parzivals nicht verstehen, wenn wir nicht bereit sind
anzunehmen, daß die Erzählung vom Gral an einer bestimmten
Stelle eben die Formulierung einer Frage erforderte und daß
die Versäumnis dieser Forderung des Helden Schuld ausmachte.
Wir können uns das Verständnis hiefür auch nicht dadurch erleichtern, daß wir uns einreden, dem mittelalterlichen Empfinden habe die sittliche Schuld mehr im objektiven Sein und Tun
gelegen als im subjektiven Denken und Wollen[19] — das sind
billige Behauptungen, die sich nicht auf die Kenntnis der mittelalterlichen Ethik stützen — sondern hier liegt einfach Einfluß
der Märchengesetzlichkeit vor. Einstweilen wird sie von Wolfram geduldet um des Zustandekommens des Romans willen —
nicht als ob er grundsätzlich mit ihr einverstanden wäre; später
wird sie vollkommen beseitigt, indem Parzival vielfältig unter-
wiesen, belehrt, gewarnt mit klarer Bewußtheit die Frage stellt,
und wir lächeln sogar ein wenig über die Ängstlichkeit, womit
Amfortas, noch von der Notwendigkeit des Unwissens überzeugt, seinem Helfer, der bereits vor ihm steht, nur dunkle Andeutungen zu machen wagt (795, 15 f), die diesen aber besonders
beeindrucken müssen (ebd., 20), weil sie ihn ein letztes Mal an
seine ehemalige *untriwe* erinnern.

Wolfram nimmt sogar schon früher Abstand von dieser „un-
verschuldeten Schuld"; der Roman muß zwar durchgeführt werden, und in ihm ist Parzivals Schuld stets festgehalten, so nach
Cundrie besonders von Sigune und Trevrizent, jedoch die Per-

[18] Ebd. S. 51 (Sperrungen nicht von Keferstein).   [19] S. unten S. 223.

sonen, die mit dem Schicksalsweg Parzivals nicht enger verflochten werden, schließen sich in keiner Weise diesem Urteil an, sondern im Gegenteil bewahren sie dem Helden unverminderte Wertschätzung und Hochachtung: Artus, Eckuba, Cunneware, die ganze Hofgesellschaft (geradezu grotesk die Verse 325, 30 ff), und allen voran geht der Dichter selbst mit den unzweideutigen Worten: *den rehten valsch het er vermiten* [= vermieden] (319, 8). Selbst Trevrizent, der da, wo Parzival als letzten und schwersten Punkt seines Bekenntnisses das Versagen beim Gral gesteht, sich selbstredend ganz ernst und erschüttert zeigt (488, 21—30), behandelt doch bei späterer Gelegenheit diesen Fehltritt merkwürdig leicht; *du treist zwuo grôze sünde: Ithêrn du hâst erslagen, du solt ouch dîne muoter klagen* sagt er 499, 20 ff, ohne die verfehlte Frage auch nur zu erwähnen; erst als das Gespräch noch weiter gegangen und erneut auf Munsalväsche gekommen war, spricht Trevrizent von seiner Sünde auf der Gralburg, jedoch sehr beiläufig, um auch alsbald abzuschließen: *die sünde lâ bî dn andern stên: wir suln ouch tâlanc* [= heute noch; eigl. den Tag lang] *ruowen gên* (501, 1 ff. 5 f). Diese Art ist ein ziemlich deutliches Zeichen dafür, daß Wolfram selbst ein wenig unbefriedigt war von der Beurteilung, die seinem Helden durch das *maere* zuteil wurde, sein ethisches Empfinden stimmte nicht so völlig überein mit der Märchenmotivik, die indes mit dem Ablauf der Erzählung so unlöslich verquickt war, daß sie eben in Kauf genommen werden mußte. Wir sollten freilich dem Dichter nicht übelnehmen, was ihm sein mittelalterliches Ritterpublikum, an manche wunderbaren, uns Heutigen befremdlichen Dinge in den zeitgenössischen Dichtungen gewöhnt, ohne weiteres zubilligte.

Dies klargestellt, muß aber ebenso stark betont werden, daß für das eigentliche Verständnis P a r z i v a l s damit noch nichts erreicht ist, denn er sollte doch nach dem Willen des Dichters, wenn auch innerhalb und unter der Märchenkausalität, schuldig werden; der f o r m a l e Charakter der Schuld bleibt noch genau zu analysieren.

Sie wird als Mangel an *triuwe* bezeichnet; darüber läßt uns Wolfram, wie wir sahen, keinen Zweifel. Jedoch worin lag dieser Mangel genau gesehen? Wie kann dem jungen Ritter vorgeworfen werden, er verstoße in sehr ernster Weise gegen die *triuwe* — trotz seiner naturhaften Güte und Hilfsbereitschaft und seines Mitleides, trotz des Bemühens, sich ritterlich zu verhalten, das noch im Augenblick des Fehltrittes rührend hervorgehoben wird, ja trotzdem ihm die entscheidungsvolle Frage fast auf den Lippen brennt und er sie geradezu unterdrücken muß mit dem Gedanken, es sei doch wohl ungehörig, sie auszusprechen? Zum mindesten wird dies klar, daß der Verstoß nicht unmittelbar aus der *untriuwe* selbst hervorging.

Ein Vergehen kann aus verschiedenen unethischen inneren Haltungen kommen; ein Mensch kann zum Mörder werden rein aus Mordlust oder unmittelbar aus Haß, aber auch aus Geldgier, Rachsucht, Ehrgeiz oder aus Angst vor dem Mitwisser eines anderen Verbrechens, sogar nur aus Not, aus irregeleiteten Gefühlen; Karl Mohr oder Michael Kohlhaas stehen nicht auf einer Stufe mit gemeinen Lust- und Raubmördern. Das gleiche Verbrechen, jedesmal eine schwere Verletzung der Liebe zum Nächsten, kann aus ganz verschiedenen Gründen verübt werden, die auf die Beurteilung erheblichsten Einfluß haben.

Wir stellten bereits fest, daß Parzivals erste Verschuldungen gegen die *triuwe* dem unbeherrschten Naturtrieb des sich rücksichtslos entfaltenden Individuums entsprungen waren, nicht etwa aus der formellen *untriwe.* Das ist aber seit Gurnemanz anders geworden. *Sîn manlîch zuht was im sô ganz, sît in der werde Gurnamanz von sîner tumpheit geschiet* (188, 15—17). Wir beachten aber, daß der Held, später als der *geliuterten triuwe fundamint* gepriesen (mit seinem Halbbruder zusammen 740, 6), vom Dichter das Zeugnis der *triuwe* einstweilen noch nicht erhält. Vor Graharz nennt nur Sigune ihn einmal, wo sein Mitleid mit dem toten Schionatulander so unverhüllt hervorbricht, *geborn von triuwen* (140, 1), und auch das geht im Grunde mehr auf die Mutter als auf ihn selbst, ist eher ein Wort, das ihn auf eine große Verpflichtung aufmerksam macht als eines, das ihm seine Tugend bescheinigt. Erst nach Graharz beginnen die Andeutungen, die erkennen lassen, daß die *triuwe* allmählich in ihm Fuß faßt; Cunneware gewinnt natürlich rasch den Eindruck, daß der Ritter, der ihr seine besiegten Feinde zuschickt, mit *triwen klagt ir nôt* (206, 15), und auch er selbst spürt sich wohl schon im Besitz dieser Tugend (202, 14; 209, 29), während des Dichters eigene Bemerkungen noch vorsichtiger sind und Parzivals *triwe* nur einschlußweise in allgemeineren Rahmen fassen: er behielt die Mutter, die er nicht weiter dauernd im Munde führte, doch im Herzen, *als noch getriwen man geschiht* (173, 10); ferner: *der getriwe staete man wol friwendinne schônen kan* (202, 3). Aber auf Munsalväsche, dessen König ihm übrigens aus der Fischerbarke noch mit *triwen* (225, 23) den rechten Weg weist, versagt er eben doch.

Angesichts dessen, daß es sich darum handelt, die *triuwe,* diese wesentlich auf den andern Menschen gerichtete Tugend zu bewähren, sind alle Erklärungen nichtig, die den Fehler Parzivals in einer Unterdrückung der eigenen Persönlichkeit zugunsten des allgemeinen Gesetzes, der Konvention oder dgl. erblicken[20]. Noch viel weniger ist es erlaubt, auf Selbstsicherheit oder Selbstbehauptung zu raten, wie es geschehen ist; da sein Bemühen ernstlich darauf geht, sich richtig zu verhalten, heißt es schon die Begriffe bedenklich verdrehen, wann man dieses Bemühen selbst deutet als den sträflichen Wunsch, seinem ritterlichen Ansehen nichts zu vergeben[21]. Man kann auch nicht sagen, daß es sich um eine Frage der Reife handelt[22] (wenigstens genügt dies nicht), weil wir mit diesem Begriff eine Vollkommenheit meinen, die sich im Lauf der Jahre von selbst einstellt, deren Mangel vordem aber nicht als Schuld angerechnet werden kann. Auf diese Erklärung kommt letzterdings die Verwechslungshypothese zurück, nach der Parzival statt der geforderten Misericordia unseligerweise die am Orte nicht notwendige Circum-

---

[20] Die allgemein zu hörenden Erklärungen, ein wenig sublimiert bei B e c h e r, Ew. Pz, der meint, Parzival vermöge persönliche Art und allgemeines Gesetz nicht recht zu vereinen; obzwar Sünde insgemein als Verletzung des Gesetzes bezeichnet werde, sei es doch auch eine solche, wenn man in Beachtung eines Gesetzes der Einzelnatur Unrecht tue, denn die allgemeine Norm sei nur dann sittlich, wenn die lebendige Persönlichkeit sie verwirklicht, und nur insofern, als dabei der dem Einzelnen eigentümliche Wert beachtet bleibt! S. im übrigen die Übersicht über die bisherige Behandlung des Schuldproblems bei K e f e r s t e i n, Eth. Weg S. 9—22.

[21] K n o r r, Reichsidee.

[22] R o e t h e, W S. 99 f; S t a p e l, Dt. Christent. u. a.

spectio bekundet[23] und die Schuld in einen rein zufälligen, vor-
ethischen Mißgriff verwandelt wird. Schließlich befriedigt auch
die Meinung nicht ganz, wonach Parzival in den Lehren des
Gurnemanz „nur . . . starre Tugenden und nicht die dahinter
stehende lebendige Ordnung sieht", daß er lieber auf ein ihm
von Gurnemanz gegebenes starres Gesetz hört, als auf die ihm
in der Gestalt des kranken Gralskönigs entgegentretende konkrete Anforderung derselben ethischen Ordnung, die auch hinter
den lebendigen Regeln des Gurnemanz steht"[24]. Die These, daß
die Regeln des Gurnemanz nur Ausfluß einer lebendigen sittlichen Ordnung mit dem Grundprinzip der *triuwe* sind, daß
sie darum durchaus zu Recht bestehen und Parzivals Zweifel an
ihrer Richtigkeit keineswegs auf Wolfram übertragen werden
darf, machen wir uns zu eigen. Die Schuld Parzivals möchten
wir aber so beschreiben, daß er im Augenblick, wo er selbstver-
antwortlich vor eine Entscheidung gestellt wird, es nicht wagt,
eine eigene Erkenntnis über die Situation und ihre Erfordernisse
zu gewinnen, sondern das Bedürfnis hat, das eigene Handeln
mit der Verantwortung anderer zu decken.

Vergegenwärtigen wir uns die Situation, so erlebt Parzival
mit Ergriffenheit und tief seelischer Teilnahme alles, was er
sieht, und es drängt ihn, sich zu erkundigen, *wiez dirre massenîe*
[= Gesellschaft; mfranz. *masnie, maisnie*] *stêt* (239, 17); indes,
statt die Frage zu stellen, zaudert er; *durch zuht,* wie ihm der
Dichter ausdrücklich zugesteht, und unter Berufung vor allem
auf eine empfangene Weisung, entzieht er sich der Notwendigkeit, der Forderung des Augenblicks gemäß zu handeln, in der
ausgesprochenen Erwartung (239, 14—17), die Lösung der Rätsel
werde sich schon von selber einstellen. Das ist die am klarsten
dargestellte *zwîvel*-Situation des Epos[25]: in der Unsicherheit,

[23] N a u m a n n, Höf. Kult. S. 43 f.
[24] K e f e r s t e i n, Eth. Weg S. 51.
[25] Merkwürdigerweise sind diese kurzen, aber höchst wichtigen Verse,
soviel ich sehe, von niemand zur Klärung des Schuldproblems herangezogen
worden. Keferstein nimmt wohl den Wolframschen zwîvel als ethischen
Zweifel hinsichtlich dessen, was man, vor eine Entscheidung gestellt, tun soll
(Eth. Weg S. 26), als Unsicherheit in der Situation des ethischen Handelns
(ebd. S. 27); aber er beachtet nicht, wo sich dieser Begriff verwirklicht (s.
S. 48; vgl. S. 67).

was zu tun sei, tut der Held überhaupt nichts und unterläßt damit die Frage, die nicht allein seine innere *triuwe* durch ihren Inhalt zum Ausdruck gebracht hätte, sondern durch ihre (märchenhafte) hilfeschaffende Kraft auch ein tätiges Werk der *triuwe* gewesen wäre; er unterläßt sie ganz deutlich aus Schüchternheit und Unsicherheit, nicht, weil er aus der Beherrschung der Situation heraus überschaute, daß hier das von Gurnemanz geratene diskrete, aber aufmerksame Schweigen am Platze wäre. *daz muoz der sêle werden sûr* (1, 2), denn bei solchem Zaudern ist ethisches Handeln unmöglich; es kommt bestenfalls zu einem mechanisch unselbständigen Vollziehen fremder Meinungen, wobei man in Kauf nehmen muß, daß man einem Mißverständnis zum Opfer fällt und die fremde Meinung gar nicht trifft. Bei aller dem Fragemotiv anhangenden Märchenhaftigkeit, die unser Empfinden ein wenig stört, hat der Dichter das Formale, daß ein solches Verhalten nicht sittlich schuldfrei ist, genügend verdeutlicht: das von einem Menschen geforderte sittliche Handeln setzt bewußte Selbstverantwortlichkeit voraus; die Zucht, die die Maßlosigkeit des Lebenstriebes bändigen soll, wird schuldhaft, sobald sie den Menschen hindert, in eigenem Namen zu handeln und für seine Taten und Unterlassungen persönlich einzustehen. So ist höfische Zucht bei aller Verbindlichkeit doch nicht gemeint.

Ein neuerer Ethiker spricht über den „grundlegenden Unterschied" zwischen sittlich bewußten und sittlich unbewußten Menschen und sagt von den letzteren, daß ihr „Leben im Ganzen nicht bewußt und ausdrücklich unter das Richtschwert von Gut und Böse gestellt" sei. „Die unbewußten Menschen sind zu der sittlich so entscheidenden Fähigkeit der geistigen Person, frei zu sanktionieren und zu verwerfen, nicht erwacht; sie machen keinen Gebrauch von ihr . . . Der sittlich Unbewußte kann gut, treu, gerecht, wahrheitsliebend sein, aber doch nur im Sinne eines schwachen Abglanzes dieser Tugenden. Der Güte, Treue, Gerechtigkeit und Wahrhaftigkeit des sittlich Unbewußten fehlt der eigentliche sittliche Glanz, das volle, freie Eingehen auf die Werte, auf ihre in sich ruhende Majestät, die wirkliche Unterordnung unter ihr ewiges Gesetz. Der Charakter des Zufälligen,

Blinden, nimmt ihnen den tiefsten, sittlichen Kern."[26] Diese Beschreibung scheint ziemlich genau für Parzivals Verhalten zu stimmen. Man konnte den durch Gurnemanz Gebildeten schon mehrfach in gleicher sittlicher Unselbständigkeit beobachten. Sowohl vor Kondwiramurs (188, 15 ff), wie gegenüber Clamide (213, 29 ff) bewies er, daß er die empfangenen Lehren durchaus noch nicht so sicher in den eigenen Besitz gebracht hat, daß er ohne Schwanken und Ungewißheit als klare, selbständige sittliche Persönlichkeit hätte handeln können. Sein Benehmen in beiden Fällen ist noch nicht sittlich vollwertig, denn im Grunde handelt gar nicht er, der sich gewissermaßen nur als Instrument des Gurnemanz betrachtet. Schlimm jedoch ist, daß er in diesen Fällen nicht gelernt hat und auf Munsalväsche seiner selbst noch genau so unsicher ist; traf er in Pelrapeire mehr oder weniger das Rechte, so mußte es fast zwangsläufig auch einmal kommen, daß er daneben traf — und dies eben ereignete sich auf Munsalväsche, wo es sich (kraft der Märchengesetzlichkeit) um eine höchst entscheidungsvolle Bewährungsprobe handelte.

Wir überschauen nunmehr, wenigstens einigermaßen, wie sich im Komplex der Gralfrage Märchenkausalität und echte sittliche Schuld verflechten, und vermögen damit eine Scheidung zu vollziehen, die den mittelalterlichen Leser wohl wenig anfocht, die aber bei uns Heutigen eine Voraussetzung zum wahren Verständnis der Dichtung Wolframs ist. Statt uns der ungerechtfertigten Klage über das Mißverhältnis von Schuld und Strafe[27] anzuschließen, sehen wir lieber zu, wo der erzieherische Anspruch Wolframs an die realen Ritter seiner Mitwelt einsetzt und — wo wir gewarnt sind, die Dichtung unbesehen in die Wirklichkeit hinaus zu projizieren. Die Gralfrage, in der sich kompositionstechnisch die Berührung des ethischen Weges Parzivals mit der märchenhaften Welt des Grals vollzieht, hat auch Anteil an der Eigenart der beiden Sphären.

Über die Gralwelt und ihre Symbolik wird das nächste Kapitel handeln, hier, wo wir den Weg des Helden nachzugehen haben, wollen wir uns noch kurz über die erreichte Situation klar

---

[26] Dietr. v. Hildebrand, Sittliche Grundhaltungen, 1933, S. 37 f.
[27] Gietmann, Pz S. 122, 141, 207.

zu werden suchen. Die vorgetragene Deutung der Schuld Parzivals ist diejenige, die am unbefangensten einfach aus der Erzählung Wolframs entnommen wird und am schlichtesten das Phänomen beschreibt. Alle anderen arbeiten mit Kategorien, die entweder der Dichtung überhaupt nicht voll gerecht werden (die vielen Schuldloserklärungen Parzivals) oder die erst auf Grund komplizierter Analysen in Zusammenklang mit ihr gebracht werden können. So enthält K e f e r s t e i n s Gegensatz von lebendiger Ordnung und starrer Regel eine Problematik, die erst für die Differenziertheit und Abstraktionskraft modernen Denkens formulierbar ist und darum auch sachlich von einem mittelalterlichen Menschen wohl kaum erspürt worden sein dürfte. Dagegen sind wir in der Lage, das Richtige in den verschiedenen Erklärungen anzuerkennen und ihm seinen Platz in der unsrigen zuzuweisen. Wir verstehen, wieso man berechtigt ist, von Parzivals U n r e i f e zu sprechen: er handelt (freilich nicht ohne Schuld) wie ein sittlich noch nicht selbständiger Mensch; diese Unreife ist die Veranlassung, daß er, b e f a n g e n in der mit sovieler Mühe erworbenen h ö f i s c h e n *m â z e*, deren Begrenztheit nicht mehr sieht und sich blind an ihre b e q u e m e R e g e l glaubt halten zu dürfen, während die l e b e n d i g e O r d n u n g ritterlich-höfischer Sitte hier ganz anders, nämlich viel n a t ü r l i c h - m e n s c h l i c h e r entscheiden würde; so kam es bei ihm zu dem tragischen F e h l u r t e i l über die zu bewährende Tugend, während bei uns der Eindruck entsteht, als lasse er das Gesetz seiner E i g e n p e r s ö n l i c h k e i t von der a l l g e m e i n e n N o r m, im besonderen von der höfischen E t i k e t t e ersticken, sodaß wir uns nur schwer zur Verurteilung des durch so viele mildernde Umstände Begünstigten zu entschließen vermögen (wie ja auch der Dichter) — zumal in keiner Weise die gute Grundanlage seiner Natur zerstört ist, um derentwillen ihm die volle Sympathie erhalten bleibt in der zuversichtlichen Erwartung, daß er sich durch die augenblickliche Verwirrung schließlich siegreich hindurchringen werde.

Zunächst freilich gerät Parzival in die für christliches Denken allerschlimmste Haltung, in den Gotteshaß, da er seine Lage noch nicht übersieht. Hatte ihn anfänglich ein aller Zucht bares Draufgängertum mehrfach zu schweren Verstößen gegen die *triuwe* veranlaßt, so war es jetzo eine unangebrachte und sittlich nicht vollwertige „Zucht", Zurückhaltung, Schüchternheit, die ihm die Kraft zur ethischen Tat lähmte und den Mut zum sittlichen Handeln nahm. Noch versteht er nicht die sittliche Bedeutung des Wolframschen Mutes und die Tiefe, die diesem Begriff gegeben wird; denn derselbe schließt nicht bloß die Feigheit im Kampf, sondern auch das Ausweichen vor der sittlichen Selbstverantwortlichkeit aus. Die *triuwe*, zu der Parzival gelangen soll, kann weder der Zucht noch des Mutes entraten; sie ist nicht identisch mit diesen beiden Tugenden, die in einer gewissen Gegensätzlichkeit zueinander stehen, aber sie kann sich nur entfalten, wo dieselben in ausgeglichener Harmonie miteinander verbunden sind und eine in sich gefestigte, edle Persönlichkeit geschaffen haben[28]. Bislang war sein Mut nur unbeherrschter Naturdrang gewesen, der abgelöst wurde durch eine ebenso wenig bewältigte, nur äußerlich angeeignete Anpassung an die Konvention; der Mensch soll diese beiden Haltungen durch geistige Beherrschung zu ethischen Werten, zu Tugenden erheben und in harmonisches Miteinander bringen.

3. Der Ritter im Gotteshaß

Unter der Wucht der von der Gralbotin erhobenen Anklagen, die mit leidenschaftlicher Erregung vor der gesamten Ritter- und Damenwelt des Artushofes vorgebracht werden, zerreißt Parzival sein Verhältnis zu Gott, denn sein Vertrauen auf ihn, auf seine freundlich helfwillige Macht, von der ihm die Mutter gesprochen hatte, war zusammengebrochen. Von dem uralten Dilemma der griechischen Sophisten: Entweder können die Götter nicht helfen oder sie sind zu tückisch dafür, braucht der deutsche Ritter, ganz in den Kategorien des Gefolgschaftsgedankens stehend, nur den ersten Teil: Er hat keine Macht, sonst hätte er diese Schmach an seinem Diener nicht zugelassen, denn ich diente ihm so treu wie ein Ritter das muß. Verachtung und Ingrimm des Betrogenen sind die Worte: *Wê, waz ist got?* . . . *nu wil i'm dienst widersagn; hât er haz, den wil ich tragn.* In dieser Absage an Gott offenbaren sich zwei Dinge: das

---

[28] Vgl. unsere Ausführungen über das ethische System Ws, unten Kap. V, bes. S. 208 ff.

Wesentliche ist, daß überhaupt die Katastrophe in der weltlichen Laufbahn sich auf das Verhältnis zu Gott auswirkt, und hierbei zeigt sich zweitens, daß das Gottesverhältnis zu schwach war, um die Probe einer solchen Belastung zu ertragen.

Beide Dinge gilt es gebührend zu beachten, vor allem aber das erste, daß überhaupt ein Zusammenbruch der äußeren Ehre, der ritterlichen Werthaftigkeit auf das religiöse Gebiet hinüberschlägt. Gerade daraus geht hervor, welche Bedeutung Gott, bezw. das Verhalten des Menschen zu Gott, nach der Vorstellung des Dichters in der ritterlichen Welt erhält. In der Tatsache, daß Parzival wegen seiner Katastrophe im Bereich von Ehre, ritterlichem Ansehen, erstrebtem Glück sein Verhältnis zu Gott revidiert, wird klar ersichtlich, daß ihm Gott bisher, obzwar kaum sehr klar bewußt, das tragende Fundament für seine Ethik und menschliche Haltung, für sein Rittertum wie für seine Existenzsicherheit war. Bisher mochte die scheinbar „wohltemperierte religiöse Erlebniskraft"[29] der ritterlichen Welt sich wie einen konventionellen Rahmen geben, wie eine durch das Herkommen mitgeschleppte Zutat, nur leicht über die Dichtungswelt hingebreitet, ohne in ihre Geschehnisse und Zusammenhänge tiefer verflochten zu werden. Nun aber, wo ein Ritter, der glanzvollste von allen (vgl. den ersten Teil des sechsten Buches!) öffentlich des Rittertumes unwürdig erklärt ist und damit alles verliert, was ihm wertvoll schien und *vreude*, d. h. Lebensmut und Lebenssicherheit[30] verlieh, und wo er ein solches Schicksal mit einer Dienstaufkündigung an Gott quittiert, erkennt man, daß die Religion das wahre und tiefste Fundament der ritterlich-höfischen Weltkultur war; gerade darin, daß die Tragfähigkeit dieses Fundamentes in Frage gestellt wird, gibt sich seine Bedeutsamkeit kund.

Von hier aus gesehen ist es nicht belanglos, daß die Äußerungen der Religiosität Parzivals sich von denen der übrigen Welt der Dichtung, wie wir oben feststellen konnten[31], in keiner Weise unterscheiden, wie besonders, daß gerade Gawan ihn für die zu erwartende außergewöhnliche Schwere und Härte seiner

---

[29] Nach einer Ausdrucksweise von W e b e r , Gottesbegr. S. 15.
[30] K o r n, Freude, passim.
[31] S. oben S. 57 und die vorausgehenden Belege.

Zukunft auf den Helfergott hinweist: Parzival steht in dieser Hinsicht nicht in einer höheren Sphäre von Rittertum, sondern das besonders schwere Leid und die besonders feine Veranlagung seines Gemütes lassen nur gerade ihn an die Grundlagen und Wurzeln des gemeinsamen Existenzbodens rühren.

Kompositionell ist der Ausbruch Parzivals eine vollendete Leistung des Dichters; dem rein Formalen nach fast beiläufig berichtet, indem er innerhalb der bereits stark fallenden Handlung bloß die Antwort auf Gawans Abschiedswort darstellt, wirkt es um so wuchtiger, daß er sich vollkommen unvorbereitet vollzieht und auch, indem niemand darauf zu reagieren vermag, Parzivals letztes Wort bleibt; so erreicht das sechste Buch unmittelbar vor dem Abschluß einen unerwarteten und gewaltigen zweiten Höhepunkt, da der Geächtete in einem unbezwinglichen Lebens- und Siegeswillen die alten und unzulänglichen Grundlagen durch neue ersetzt, um sich allen Schmähungen und allem Unglück zum Trotz als vollwertigen Ritter zu erweisen und den Gral zu erzwingen.

Die neue Grundlage ist von Gott gelöstes und rein auf sich selbst gestelltes Rittertum mit seinen beiden Inhalten *strît* und *wîp*. Die Kühnheit dieser Konzeption hat von jeher erstaunt, und sie kann auch nicht leicht unterschätzt werden. Dieser Kühnheit ist der Dichter sich genau bewußt gewesen: *swer den lîp gein rîterschefte spar, der endenk die wîle niht an in* — wer ein Feigling ist, der soll die nächste Zeit lieber nicht an ihn denken (333, 20 f); das Wort wird bestimmt nicht ausschließlich auf die zwar zunächst gemeinten bevorstehenden Kämpfe bezogen sein. Es handelt sich nicht darum, daß von nun an der Zweifel zum Zentralmotiv der Dichtung würde oder der Held gar als Gottsucher bezeichnet werden könnte; entfernt nicht. Aber wir sehen, wie ernst und wie letzthinig das Problem der Synthese angepackt wird; das eine Element derselben, das Überweltlich-Transzendentale, Gott wird von Parzival verworfen, d. h. vom Dichter regelrecht in Frage gestellt und die Möglichkeit einer rein diesseitigen, säkularisierten Kulturgestaltung allen Ernstes erwogen. Die Möglichkeit der modernen[32] Entscheidung hat das Mittel-

---

[32] „Modern" nicht, um den Gottesglauben als etwas Unmodernes zu bezeichnen, sondern insofern sich die die neueren Zeiten charakterisierende Los-

alter also, wenigstens in Männern wie Wolfram, sehr wohl ins Auge gefaßt und — verworfen; denn Parzival kommt auf seinem kühnen Weg natürlich nicht zum Ziel, all sein Mühen und Streben ist zur Erfolglosigkeit verurteilt, es gibt keine Möglichkeit, ohne Gott, d. h. ohne das richtige Verhältnis zu Gott, ein menschenwürdiges, ritterliches, mit echten Kulturwerten erfülltes Leben zu führen. Aber es ist die Größe Wolframs (der mit seiner Themastellung sicherlich an die Problematik seiner Zeit rührte), daß er diese Verwerfung nicht lehrhaft theoretisch aussprach, indem er seinen Helden vor dem Unglück eines Sturzes in die Gottlosigkeit warnte und bewahrte, sondern daß er ihn auch dieses Mal an der Kollision mit der Wirklichkeit zur Einsicht kommen ließ. Parzival soll den Versuch wagen, ohne Gott den Gral zu erringen, den er einstweilen nur kennt als Inbegriff höchsten Erdenglückes (235, 24; 238, 22) und dessen wesenhafter Zusammenhang mit dem Religiösen ihm noch verborgen ist; und der Dichter läßt den jungen Ritter solange seinen Irrweg verfolgen, bis er die gänzliche Unmöglichkeit seines Unterfangens erkennt. Erst wenn er es erfahren und gespürt hat, daß seine Not nur immer größer wird (441, 4; 442, 6—8), daß er den Gral nicht findet, wenn er ihm auch noch so nahe zu kommen scheint (442, 24; 445, 27—30), wenn seine menschliche Widerstandskraft so erlahmt ist, daß er nichts anderes mehr weiß, als sich willenlos wieder der Führung Gottes zu überlassen (452, 1—12) — die letzten Phasen dieses Zusammenbruches sind bereits bedeutsam unter die Devise gestellt *sîn wolte got dô ruochen* (435, 12) — erst wenn Parzivals Streben auf der Grundlage entgotteten Rittertums wirklich und allseitig gescheitert ist, beginnt der Neuaufbau.

Namentlich beachtet zu werden verdient hierbei, daß der Held in dieser Zeit in allen weltlich-ritterlichen Hinsichten wächst. Seine Kämpfe und Siege tragen ihm ungeheuren Zuwachs an Ruhm und Ansehen ein (434, 11—30); sogar innerlich ethisch, an *schame, kiusche, zuht* (437, 6—13), an Mitleid mit dem Unglück anderer (440, 22), an einem äußerst feinen Emp-

---

lösung der Menschheit von ihren überlieferten Werten in einer seit der Aufklärung unaufhörlich breiter und tiefer gewordenen Diesseitigkeit, Ungläubigkeit, Gottlosigkeit offenbart.

finden für Dinge des Taktes (450, 12 ff) und in der Sicherheit, diese Tugenden zu handhaben, reift er zur Vollendung. Man konnte ja schon früher bemerken, daß der Fehltritt auf der Gralburg seiner sittlichen Entwicklung keineswegs ein Ende gesetzt hatte, daß vielmehr im unmittelbaren Anschluß daran gerade seine *triuwe* mächtig zu bewußter und beherrschter Tugend erstarkte (248, 19—30; 249, 1!). Die harten Schicksalsschläge haben ihn religiös zwar entwurzelt, doch ethisch mächtig vorangebracht. Aber all dieses Wachsen und Reifen nützt nichts ohne den Rückgriff auf den, von dem er sich losgesagt hatte.

Auf den gleichen Gott! Das ist sehr wichtig. Denn die Lossagung von ihm kann nicht mit einer objektiven Unzulänglichkeit des zeitgenössischen Gottesbegriffes, der ritterlichen Gottesvorstellung begründet werden. Es verschiebt den Fragepunkt, wenn man etwas anderes als die zwar vorbildhaft typische, aber eben darum persönliche Entwicklung Parzivals als das Anliegen des Romans ansieht. Wie in allen bisherigen Fällen kann auch diesmal Parzivals Schuld nicht auf Mängel in den objektiven Gegebenheiten zurückgeführt werden. Er selbst wird seinen Gotteshaß vor Trevrizent als seine erste und hauptsächlichste Schuld angeben (456, 30 u. 461); das dürfte aber weder der Einsiedler noch der Dichter gelten lassen, wenn es darum ginge, in dem Epos das augustinisch-anselmianische Gottesbild zu stürzen, dann eben wäre es keine Schuld, sich nicht „in bedingungsloser Demut dem göttlichen Willen zu unterwerfen, auch dann, und gerade dann, wenn dies Überwindung, Niederzwingung des eigenen Ich, vor allem des eigenen Verstehenkönnens, erfordert"[33], sondern das Benehmen Parzivals müßte, zum mindesten teilweise, als sachlich berechtigt dargetan werden. Davon kann jedoch keine Rede sein; das einzige Moment, das hierfür angeführt werden könnte, die große und gütige Kühnheit, womit Wolfram seinen Helden durch die Periode haßerfüllter Abwendung von Gott hindurchgeleitet, ist voll bedingt durch das beharrlich durchgeführte Prinzip, das den Reifungsprozeß Parzivals leitet, durch das Prinzip des Lernens aus dem Zusammenstoß mit den Dingen; wenn es als ein Beweis Wolframschen Mutes bezeichnet werden muß, diesem Grundsatz bis zum Ver-

---

[33] W e b e r, Gottesbegr. S. 19. S. oben S. 70 f.

such eines Lebens ohne Gott treu zu bleiben, so zeigt der Dichter hiermit, daß er seine Probleme konsequent bis auf den Grund verfolgt, um seine Synthese solid von unten an aufzubauen, um vielleicht auch — wir dürfen seinen kräftig geäußerten erzieherischen Willen nie vergessen — den Menschen seiner Zeit Entwicklungen zu ersparen, deren Aussichtslosigkeit in seinem Epos mit aller der Dichtung zu Gebote stehenden Kühnheit gestaltet ist[34].

4. Das neunte Buch

a) Vorbereitung

Von den drei Episoden, die die Wendung im Leben des erfolglos unentwegten Gralsuchers einleiten, der dritten Siguneszene (435, 2 ff), dem Kampf mit dem Gralritter (443, 6 ff), der Begegnung mit Kahenis (446, 6 ff), fällt die letzte bereits auf jenen Karfreitag, der, als der große Gnadentag Gottes für die Menschheit — er wird auch in der Gralsymbolik eine bedeutende Rolle spielen — auch Parzivals Gnadentag werden soll; mit Worten voll religiöser Erlebnistiefe weist der alte Fürst den jungen Gotteshasser auf das tief trostvolle Glaubensmysterium des Tages, dessen beglückende Kraft er selbst mit Frau und Töchtern samt seinen Rittern und Knappen soeben erst wieder in einer bußfertigen Beichte erfahren hat. Aus der Heilsfülle dieses Tages, der für Wolfram die ganze Frömmigkeit des Christentums in sich konzentriert, wird auch für Parzival das Heil kommen.

Von diesem Gespräch an gewinnt alles eine, wenn auch zunächst noch sehr zart, positive Note, was bisher nur dazu diente, das Irrige seines Unterfangens hervortreten zu lassen. Das Gefühl für den Abstand von den freundlich frommen Leuten (450, 12 ff) zeigt, wie tief und reif sein sittliches Empfinden inzwischen geworden ist, und die Fülle des Tugendbesitzes, die der Dichter ihm nunmehr zuspricht (451, 4 ff), macht ihn, wenn noch nicht gleich, fähig zum Erwerb des Grales, wenigstens be-

---

[34] Es überrascht, daß man sich allgemein mit der Bewunderung für den Stolz und die Kühnheit des Helden und seines Schöpfers begnügt und daß man nicht sehr gewillt scheint (einige Deutungen wie die von Weber abgerechnet), der Funktion der Parzivalschen Gottlosigkeit gerecht zu werden, die eine negative ist.

reit für eine erneute Hinwendung zu den religiösen Dingen; die Unschlüssigkeit, in der er sich von Kahenis verabschiedet (451, 23 ff), gibt ihm die Möglichkeit zu der elegisch kontemplativen Stunde im winterlichen Wald (451, 8 ff), die zu dem fast willenlosen, doch von Gott geleiteten Ritt in die Klause[34a] Trevrizents führt (452, 1—15).

Es ist reine Willkür, vor einer Überbewertung des neunten Buches zu warnen, wie es geschehen ist, wohl gar zu behaupten, Wolfram sei durch die „innere Hochspannung" desselben „verführt" worden, die Wertakzente ganz anders zu verteilen, als er es sonst tue[35]. Mit vollem Recht nennt Ehrismann es „das geistige Zentrum des Gedichts"[36]; allein die Ausführlichkeit, zu der Wolfram sich hier Zeit nimmt (den 2100 Versen stehen bekanntlich nur 302 der kristianschen Vorlage gegenüber), entscheidet für die hohe Bedeutung der hier geschilderten Vorgänge.

Doch muß man genau analysieren, worin ihre Bedeutsamkeit liegt. Wenn das religiöse Element einen sehr beherrschenden Raum einnimmt und ihm auch die dichterisch stärksten Verse gewidmet sind (vergl. besonders Parzivals letzten Ausbruch gegen Gott 461), so kreist doch das Buch in erster Linie um den Gral und nicht um Gott; dies wird vom Dichter eindeutig ausgesprochen, wenn er die Unterhaltungen mit Trevrizent einleitet mit dem Wort: *an dem ervert nu Parzivâl diu verholnen* [=geheimen] *maere umben grâl* (452, 39 f). Ehrismann bemerkt, daß die Gralidee selbst für die Komposition von ausschlaggebender Bedeutung war: „auf je einen in sich abgeschlossenen Gedankenkreis über Parzival folgt einer über den Gral"[37], wenn man auch dieses Urteil nicht im streng systematischen Sinn wird annehmen müssen. Obzwar das ganze Gefüge durchgehends von religiösen Gedanken durchstrahlt wird, ist es darum im Grunde doch nur ein Abschnitt, der sich ausdrücklich mit Gott und mit Parzivals Verhältnis zu ihm beschäftigt, ein Abschnitt freilich, der der

---

[34a] S t a p e l s Kombinationen von Höhle—Mutterleib—Wiedergeburt fruchten nichts (Übtr. S. 265). Es handelt sich um eine K l a u s e. Zum Verständnis genügt, was S. B e h n, Schönheit und Magie, 1932, über das Höhlenerlebnis sagt S. 27 f.

[35] B o e s t f l e i s c h, Minneged. S. 51.

[36] E h r i s m a n n, Ethik S. 423.   [37] Ebd. S. 422.

erste in der Unterhaltung und das Kernstück des ganzen Buches, des ganzen Epos ist (461, 3—467, 18).

Er ist, nach den zur Fühlungnahme, zur Orientierung und Vertrauensgewinnung vorausgehenden Einleitungsgesprächen (456—460), der erste mit Ernst und Ausführlichkeit behandelte Punkt in der Belehrung, die Parzival zuteil wird, und dies zu Recht aus zwei Gründen. Einmal wegen der objektiven Zusammenhänge: ehe nicht das richtige Verhältnis zu Gott wiederhergestellt ist, würden alle anderen Bemühungen Trevrizents zwecklos sein, weil sie auf keiner Grundlage aufbauen könnten; wenn dieses hingegen in Ordnung gekommen ist, wird sich auch alles übrige bewältigen lassen. Sodann erforderte auch der psychische Zustand Parzivals dringend, daß vor allem sein Mißverhältnis zu Gott ins reine kam, denn der Gotteshaß war nicht allein von einem gänzlichen Fehlschlagen seines Strebens begleitet gewesen, er hatte nachgerade eine ungeheure, eine geradezu unerträgliche Bitterkeit in seine Seele gebracht. Schon die Absage an Gott war ja nicht durch ein Überwuchertwerden der religiösen Anlage von weltlichen Interessen vorbereitet oder verursacht, noch war sie aus ruhiger Überlegung und mit geistiger Beherrschtheit vollzogen worden, sondern mit vulkanartiger Plötzlichkeit aus der Leidenschaft eines starken Willens herausgeschleudert als eine Explosion von Schmerz und Grimm; sie hatte damals mit einem Schlag eine Seelenlandschaft geschaffen, aus der alles Freundlich-Heitere und Gelöste ausgetilgt war. Es gab nur noch das ewige Kämpfen, das ermüdend ziellose Fahren, die *wilden aventiure* bei ununterbrochener innerer Spannung, aber keinerlei Geborgenheit, kein Ausruhen, keinen Augenblick des *gemaches* oder des *geniezens;* selbst die Minne zu Kondwiramurs hatte bloß Zehrendes und Sehrendes, weil er sich bei seiner grenzenlosen Sehnsucht nach ihr als Geächteter doch nicht in ihre Nähe wagen konnte. Die ganze Härte seiner heroischen Einsamkeit hatte er zu ertragen ohne irgendwelchen Ausblick auf das Ziel, das ihn eher noch zu narren schien (vgl. die verlorene Spur Cundriens 442, 11—30; nach dem Entkommen des besiegten Gralritters wendet sich gar der Dichter mit feindseliger Ironie gegen den Gral zugunsten seines Schützlings 445, 10—12). Damit wuchs die von Anfang an vorhandene Freudlosigkeit ins Ungemessene

(441, 4—17; 460, 29—461, 2), ins Übermenschliche (442, 6—8; ferner 447, 26 f und den schmerzvollen Rückblick auf die einst besessene „Ehre" 460, 13—15), und dies bei einer zarten, fein empfindenden Seelenstruktur, sodaß wir verstehen, wenn er durch eine Expektoration, wie sie einem mittelalterlichen Seelenführer vielleicht nicht häufig begegnet ist, den greisen Einsiedler zwang, zu allererst das Thema von Gott ausgiebig zu behandeln. Seit der Begegnung mit Sigune, die ganz vor Gott ihrer mystischen Minne lebte (438, 1. 15; 440, 8. 14), und auch ihn an Gott wies (442, 9 f), und erst recht seit der mit Kahenis, der ihm schon eine ans Herz gehende Apologie Gottes vorgetragen hatte (448), war diese Frage wahrlich brennend geworden.

Trevrizent in seiner gereiften Frömmigkeit eines alten Mannes sieht natürlich ganz klar, was Parzival nur schmerzhaft spürt, daß hier die untersten Grundlagen nicht nur des ritterlichen, sondern des menschlichen (462, 14) Seins zerstört sind. Er, der es vermocht hatte, sein Rittertum zu opfern aus höherem Beweggrund, ohne sich ihm irgend zu entfremden, war ja gerade dem menschlichen Sein so besonders nahe gekommen (457, 30), und der Ausdruck *mennisch* gehört zu den wichtigsten seines speziellen Wortschatzes. Der Alte kennt einerseits den oft so rätselhaft hervortretenden Unverstand dieses geistigen und vernünftigen Wesens (489, 5 u. ff), die große Unzulänglichkeit all seiner Bildung und Seelenkultur im Angesichte religiöser Forderungen und metaphysischer Gegebenheiten (467, 1—3), die wahre Harmlosigkeit des scheinbar gefährlichen oder sich selbst gefährlich bedünkenden Menschen (457, 29), faßt demnach den Menschen, was das Natürliche angeht, ohne alle Überheblichkeit für die eigene Person (462, 1) stark von der Seite seiner Schwächen und seiner Kleinheit; er weiß anderseits, daß ihm seine wahre Größe aus der Liebe Gottes kommt, denn nachdem seine Erschaffung schon irgendwie auf die Verwerfung der bösen Engel hin erfolgt war (463, 15 f), hat Gott ihm trotz seiner Sünde das größte Erbarmen zugewendet, indem er seine Gestalt annahm (462, 24), ja in seine *sippe* einging (465, 3) und als ein Glied der Menschheit für sie den Kampf gegen die Hölle aufnahm (465, 9 f). Für Trevrizent ist darum auch der Mensch nicht mehr allein der Ritter, die Welt nicht mehr bloß die ritterliche

Gesellschaft, er sieht vielmehr in der Welt die große Gemeinschaft des gesamten Menschengeschlechtes, das auf die Erbarmung und Hilfe Gottes angewiesen ist (448, 8 — Kahenis spricht
die Gedanken des Trevrizent) und sie annehmen muß, wenn es
nicht seinen Untergang will (466, 8), das zwar hohe, auch vor
Gott anerkannte Werte in sich birgt (z. B. lautere Jungfräulichkeit 464, 23), aber doch in rätselvoller Weise seine einzelnen
Mitglieder in Sündennot verstrickt (475, 13 ff).

Dieses Bild vom Menschen hat Wolfram dem Manne in den
Geist gezeichnet, dem er seinen unglücklichen jungen Gotteshasser anvertraut; wenn derselbe schon bereit war, dem Rat-
suchenden zu helfen (467, 3), so mußte er ihn, doch auch einen
Menschen, vor allen Dingen mit Gott aussöhnen, zumal er die
Überzeugung in sich trug, daß ihm seine Aufgabe an Parzival
von Gott gestellt war (489, 21).

So wird also der junge Ritter durch eine verständige Hand
von seiner schwersten und unseligsten Sünde geschieden, dem
Zorn auf seinen Schöpfer. Das geht freilich für unsere Begriffe
erstaunlich, ja unpsychologisch leicht: ohne jede Unterbrechung
kann der Alte seine Gedanken entwickeln, und am Ende wird
sein Zuhörer voll Freude seine Umwandlung bekennen; von
innerseelischen Vorgängen bekommen wir gar nichts mitgeteilt,
dürfen nur der schlichten Darlegung der objektiven Wirklichkeiten folgen. Noch stärker überrascht, daß der Einsiedler mit
keinem Wort auf die konkrete Lage seines Neffen eingeht; über
seine Bitte, zu erzählen, wie der Gotteshaß angefangen habe
(462, 4—6), redet er sich selbst hinweg und legt ihm in zwar
wundervoll gütigem Tonfall (zu ihm hinabsteigend 462, 1. 11 ff;
an seine Einsicht appellierend 461, 28; 463, 7; 467, 1—8, vgl.
das dreifache *nu prüevt* 463, 4; 464, 25; 466, 10; versichernd
461, 30; 462, 10. 19 f. 25 f. 28;bittend und beschwörend 462,
18. 29 f; 465, 11—14; 467, 9 f), jedoch auch mit einer gewissen
strengen Unerbittlichkeit (463, 1. 2 f) die Tatsachen der Gottes-
wirklichkeit dar: in sie wird Parzival, ohne seine persönlichen
Erlebnisse im einzelnen in die Diskussion hereinzuziehen, wie
sehr sie im ganzen den Anlaß zu ihr bieten, sich einzufügen
haben, — oder er muß die Konsequenzen tragen (466, 7—15,
bes. 10; 467, 1—10, bes. 5—8).

Widerspruchslos läßt Parzival sich leiten und erfährt dadurch die grundlegende segensvolle Wendung in seinem Leben;
nicht bloß erfüllt sich bereits mit diesem ersten Teil der langen
Unterhaltungen die Bitte, mit der er vor den Einsiedler hinge-
treten war (*hêr, nu gebt mir rât, ich bin ein man, der sünde hât*
456, 29 f) und die ihm der alte Kahenis auf die Zunge gelegt
hatte (448, 23—26), zugleich lösen sich, wie aus seinem schlicht
einfachen, doch unendlich beglückten, echt parzivalschen Dankes-
wort (467, 11) hervorgeht, die bitteren *sorgen* und die schwere
riwe, in die er sich immer tiefer verstrickt hatte und wofür er
noch unmittelbar zuvor (461, 22 ff) Gott angeklagt hatte; es
lichtet sich das Dumpf-Schicksalmäßige, das seit der Verfluchung
am Plimizoel seinen Lebensweg umdunkelte, und er findet für
sein ritterliches Streben wieder eine Grundlage, auf die er sich,
seinem Führer etwas zu ungestüm, sofort mit beiden Füßen
stellt (477, 1—11).

b) Das Gespräch um Gott — Zur Form

Wir versuchen nunmehr die genauere Analyse der kleinen
Theodizee (im leibnizschen Sinne der Rechtfertigung Gottes)
des Trevrizent.

Wenn man ihr ganz schlicht zu folgen bemüht ist, ergibt sich
ein etwas anderes Bild, als E h r i s m a n n es gefunden hat, der
zu starke Parallelität mit der gleichzeitigen Summentheologie
vermutete[38]. Der Kritik M i s c h s läßt sich die Berechtigung
nicht absprechen; etwas unklar, doch wohl richtig begründet sie
das Verfehlte bei Ehrismann aus der „falschen rationalen Ansicht von innerer Folgerichtigkeit"[39]. Es handelt sich bei Wolfram um etwas völlig anderes als bei den gleichzeitigen Schola-
stikern: der Dichter will seinen Helden zu Gott, den er verlassen hat, zurückführen, d. h. ihn in einem höchst konkreten
h i s t o r i s c h e n Augenblick seines Lebens, dem klaren Endpunkt seines Irrweges, auf eine neue Basis stellen, während es
den Theologen um eine erreichbar vollkommene Systematisierung des gesamten Glaubensgutes geht, die streng spekulativ
und unhistorisch ist. Wolfram hatte ein echt und unmittelbar
religiöses Ziel im Auge, die Theologie ein ausgesprochen wissen-

---

[38] Ebd. S. 433.   [39] M i s c h, Pz S. 282 f Fußnote.

schaftliches[40]. Vielleicht hat der Dichter wenigstens äußerlich das Bauschema einer Summa dem Aufriß seiner Trevrizentrede zugrunde gelegt? Nicht einmal das ist der Fall. Parzival erhält nicht eine kurze Zusammenfassung der christlichen Theologie vorgelegt, die nach dem Muster einer Summa gegliedert wäre, sondern es werden ihm einige Wahrheiten zu bedenken gegeben, die geeignet sind, ihn zu dem verlassenen Gott zurückzuführen, und zwar auch in einer Abfolge, die von diesem Ziel bestimmt ist, damit er sich ihrer Eindringlichkeit nicht entziehen könne.

Gleich zum ersten Satz Trevrizents: *habt ir sin, sô schult ir got getrûwen wol* (461, 28 f) lautet Ehrismanns Kommentar: „Das ist der Grundgedanke der christlichen Philosophie: Vernunft und Glaube sind identisch"[41]. Schon die Formulierung ist äußerst unglücklich für ein scholastisch gebildetes Ohr, denn der Begriff Identität ist hier vollkommen irreführend, und das Wort christliche Philosophie würde besser durch christliche Theologie ersetzt; indem letztere das Verhältnis zwischen Glauben und Vernunft i n i h r e m e i g e n e n I n t e r e s s e zu einem ihrer Fundamentalanliegen macht, schafft sie freilich mit der Lösung, die sie gibt, die Voraussetzung für die Entstehung einer christlichen Philosophie — wenn anders eine solche überhaupt möglich ist, worüber gerade augenblicklich wieder eine heftige Diskussion entbrannt ist[42]. Um Wolfram in diese Problematik hineinziehen zu können, übersetzt E h r i s m a n n das Wort *getrûwen* mit „an Gott glauben und ihm vertrauen"[43] und berücksichtigt bei der weiteren Interpretation allein noch das an die erste Stelle gesetzte Glauben, und zwar im streng verstandesmäßigen Sinn; aber das Gemüthafte und Willentliche, das dem vom Dichter gewählten Wort aus sich heraus eignet und im nhd. „vertrauen" noch voll erhalten ist, ist ja gerade für Parzivals Situation höchst wesentlich: bei ihm ist nicht die V e r -

---

[40] Eingehender über die Unterschiede zwischen W und der scholastischen Grundhaltung S. 229 ff.

[41] E h r i s m a n n, aaO S. 427.

[42] Paul W y s e r, Theologie als Wissenschaft, 1938, und die dort angegebene reiche Literatur S. 210 ff, bes. unter den Namen A d a m, B a u - h o f e r, C h e n u, E s c h w e i l e r, M a r i t a i n, P o s c h m a n n, S ö h n - g e n, sowie B a r t h, B r u n s t ä d t, G o g a r t e n, S c h o l z.

[43] E h r i s m a n n, aaO.

n u n f t mit einem Satz des Glaubensbekenntnisses in Kollision geraten, sicher nicht primär, sondern weil Gott ihm in einem bestimmten Augenblick seines Lebens trotz treuen „Dienstes" nicht „geholfen" hat, darum ist sein V e r t r a u e n zu ihm zugrunde gegangen und in Gegnerschaft, Verachtung und Haß umgeschlagen. Auch das *habt ir sin* geht nicht auf die n a t ü r- l i c h e Vernunft (im Gegensatz zu der vom Glauben erleuchte- ten), die mit möglichst zwingender Logik die Notwendigkeit zu g l a u b e n erzwingen möchte, es ist vielmehr aus der Vor- aussetzung der Glaubenswirklichkeiten gesprochen und sieht es in einer schlichten, menschlich-gläubigen Gesamthaltung als eine Torheit an, Gott nicht zu vertrauen. Und entsprechend steht es mit dem dreifach wiederkehrenden *nu prüevt*.

Die innere Form, nämlich die Abfolge der Gedanken, wird durchaus verkannt, wenn man sie einfach an das rational-logi- sche Schema der Summen anlehnt[44]. Die Gliederung, die wir vorschlagen, ist folgende:

Der erste Teil (461, 27—462, 30) erschöpft sich ganz damit, dem religiös Entwurzelten in immer neuen Formulierungen, und zwar zunächst ohne alle Begründung (462, 22—24 ist die einzige Ausnahme), klarzumachen, was ihm nottut, es wird ihm geradezu eingehämmert: *ir solt got getrûwen*, der die reinste, unwandelbare *triuwe* ist. Die Überleitung vom ersten zum zwei- ten Teil (463, 1—14) enthält den Gedanken: trotzige Aufleh- nung, die sich selbst erzwingen will, was Gott allein geben kann, ist ganz aussichtslos, wie der Sturz Luzifers und seiner Genossen dartut, und ist sehr geschickt eingeschoben: in der Zielstrebig- keit der Rede sucht sie einen Einwand zu erledigen, der sich auf die ausgesprochenen Forderungen hin in Parzivals gottabge- wandter Seele erheben könnte und von vornherein die Be- mühungen des alten Einsiedlers paralysieren würde, während sie sich inhaltlich ausnimmt wie das himmlische Vorspiel zu der im Kommenden behandelten menschlichen Heilsgeschichte, die den Beweis für die These des ersten Teiles bringen soll: ihr könnt ihm vertrauen.

Der zweite Teil (463, 15—465, 10) spricht demnach über die

---

[44] Zur Gliederung der Trevrizentszene vgl. auch B ö t t i c h e r , Trevr. und N o l t e , Komposition.

Heilsgeschichte, konkret über die Sündhaftigkeit, in der die Menschheit von ihren Stammeltern her liegt, die diese ihren Kindern weitergegeben haben, daß sie fortan durch das ganze Geschlecht sich vererbt, bis Gott ihr Einhalt gebietet, indem er selbst Mensch wird aus einer reinen Jungfrau und das Werk seiner höchsten *triuwe* vollbringt. [Es überrascht vielleicht auf den ersten Blick, daß der Kreuzestod des Herrn an dieser Stelle nicht mehr als angedeutet wird; aber er ist, wenn man näher zusieht, aus ihr nur herauskomponiert und von Kahenis vorweggenommen (448, 2—20), damit das ganze Geschehen in der Klause unter dieses Gnadensymbol gestellt sei, dem vor allem auch das Gedächtnis des Tages selber gewidmet ist (447, 14 ff; 448, 4—9; 456, 6 ff), sodaß selbst die äußere Zurüstung der Trevrizentschen Klause beständig daran erinnert (459, 23).]

Der dritte Teil (465, 11—466, 30) zieht in drei Abschnitten die Konsequenzen, die sich für Parzival ergeben; zunächst (465, 11—30) mahnt ihn Trevrizent in allgemeiner Form, sein Verhältnis zu Gott wieder einzurenken, sonst verscherze er das angebotene Heil, wie schon die heidnischen Propheten Plato und Sibylle *sunder fâlierens misse* [= ohne das Mißgeschick eines Irrtums] geweissagt hatten: die *unkiuschen liez er dinne;* sodann (466, 1—14) dem Einwurf begegnend, als wäre unter diesen Umständen Gottes Liebe doch nicht vollständig, und deshalb das Wort von seiner wahren und unwandelbaren Minne durch zehn Verse hindurch festhaltend, beschwört er ihn, dieser Minne sich durch Buße zu versichern, denn der *schuldige âne riuwe fliuht die gotlîchen triuwe: swer ab wandelt sünden schulde, der dient nâch werder hulde;* und schließlich (466, 15—30) sucht er mit breiter Entfaltung der Wahrheit, daß Gott selbst die geheimsten Gedanken vom frühesten Augenblick ihres Entstehens an durchdringt (hier scheint die Mystik schon ganz nahe), seinen Schützling nachdrücklichst vom Weg der bösen Werke abzubringen: *sît* [=seit, da] *got g e d a n k e speht* [=erspäht, durchschaut] *sô wol, ôwê der broeden* [=schwach, bes. in moral. Sinn, schlecht] *w e r k e dol* [=das Erdulden, Ertragen, Zulassen].

Ohne merklichen Einschnitt gehen die Worte des Greises nun in die zusammenfassenden Schlußsätze (467, 1—10) über, Sätze

von packender Eindringlichkeit und gewaltiger Wucht: Von
wem die Gottheit sich zurückziehen muß, was nützt dem all
seine menschliche *zuht,* seine höfische Bildung, seine weltliche
Kultur? Stellst du dich gegen Gott, so bist du der Verlorene.
Und in zwei Versen, die den Grundgehalt der ganzen Rede in
sich sammeln und mit einer gewinnenden, nach menschlichem
Empfinden der Würde Gottes fast zu nahe tretenden Freund-
lichkeit dem jugendlichen Tor ein neues frohes Vertrauen zu
Gott geradezu abzwingen möchten: *nu kêret iwer gemüete, daz
er iu danke güete,* schwingt das kleine rhetorische, aus heiliger
Seelsorge gestaltete Meisterwerk aus.

Die Wirkung ist, wie man sie erwarten darf: im Innersten
getroffen, spricht Parzival sein neues Bekenntnis zu dem, *der
nihtes ungelônet lât, der missewende noch der tugent,* und
schließt mit einem letzten Abschiedsblick seine sorgenvolle, nunmehr zu Ende geführte Jugendentwicklung ab (467, 11—18).

Dies ist der Aufriß der Bekehrungsrede Trevrizents, zu deren
Verständnis die gleichzeitigen Summen der Theologen offensichtlich wenig beisteuern; viel eher als an deren, dem Parzivaldichter sicher unzugängliche Literatur wird man an die ihm
unmöglich fremd gebliebene Predigt zu denken haben. Zwar
verrät sich keine unmittelbare Vertrautheit mit der zeitgenössischen Homiletik, wie sie etwa von A l a n u s a b I n s u l i s
oder von G u i b e r t v o n N o g e n t vorgetragen wurde, aber
in den Worten Trevrizents steckt ein gut Teil starker und nicht
unbewußter Beredsamkeit; es macht durchaus den Eindruck, als
habe sich der Dichter, sei es unter dem Eindruck guter, sei es
unter dem unbefriedigender Predigten, seine Gedanken über den
Sinn und die Anlage einer Predigt gemacht. Wohl hat Trevrizent nur einen einzigen Zuhörer, und dieser befindet sich in
einer Problematik, die für die damalige Predigt wohl kaum im
Blickfeld stand, doch was ihm in den Mund gelegt wird, ist in
bewunderungswürdiger Weise auf lebendig-rhetorischen, für das
erstrebte Ziel gewinnenden Vortrag angelegt. Auch für die
äußere Form gilt dies. Selbst ein oberflächlicher Blick bemerkt,
daß es sich nicht um einen nüchtern sachlichen Vortrag über die
Glaubenslehre handelt, sondern um eine Rede, die bis in die
Kleinigkeiten auf den Zuhörer abgestellt ist, um seine Aufmerk-

samkeit zu fesseln und seine Zustimmung zu erringen. Es wurde schon berührt[45], wie der Greis einen persönlich-menschlichen Kontakt mit dem Jüngling herzustellen sucht. Große Abschnitte, der ganze erste Teil (461, 28 ff), Sätze in der Mitte (465, 11—14) und der wirkungsvolle Schluß (467, 5 ff) sind in unmittelbarer Anrede gehalten; auch innerhalb der mehr darlegenden Stücke sucht die sachlich gar nicht bedingte Anredeform die persönliche Verbindung mit dem Zuhörer mehrfach aufzufrischen (463, 7; 465, 19 f; 466, 10); das *ir* wird bevorzugt, wo das ruhigere *man* leicht hätte stehen können (463, 1 ff), wird hinwieder ersetzt, wo der sachlich-objektiven Formulierung die größere psychologische Wirkkraft zu eignen schien (462, 14; 467, 1—4). Fragen machen den Vortrag lebendig, sie brauchen nicht ernst gemeint (462, 2—6), können gar rein rhetorisch sein (463, 7—9); unentbehrlich sind sie, wenn es darauf ankommt, einem Gedanken seine stärkste Wirkkraft abzugewinnen (467, 3 f). Eingestreute Rätsel aus dem Volksmund werden nicht verschmäht (463, 26), die wohl den Gedanken weiterführen sollen (in einer freilich wolframschen Weise: die Idee des Magdtums ist nur die Brücke von der biblischen Urgeschichte auf Christus (464, 23 ff), aber doch zuvor eine breite Abschweifung verlangen, in der übrigens auch Parzival einmal eine thematisch zwar belanglose, doch sein lebhaftes Interesse bekundende Frage stellen darf (464, 2 ff).

Wenn schließlich Wolfram den Helden mit so beglückter Erleichterung seine innere Umwandlung auf diese kleine Musterpredigt hin bekennen läßt, so spricht er damit aus, welche Bedeutung und Kraft er einer wohldurchdachten und gut gestalteten Predigt beimißt; vielleicht schafft sich auch altes Bluterbe hier Ausdruck, denn wir besitzen mehrfache Zeugnisse dafür, daß die Redegabe und Überzeugungsmacht bei den Germanen geschätzte Mannestugenden waren (z. B. I r i n g bei Widukind, Rer. gest. Saxonic. lib. I. cap. 9 ... Erat autem Iring vir ... facilis ad suadendum quae vellet).

c) Fortsetzung — Zum Gehalt

Was wird dem jungen Ritter an geistig-religiöser Substanz vermittelt?

---

[45] S. oben S. 90.

Obwohl ein ausdrücklicher Beleg nicht vorhanden ist, ist der biblische Gedanke, den später Thomas v. Aquin zum leitenden Prinzip seiner Untersuchung über das moralische Bild des Menschen macht, daß nämlich der Mensch nach dem Bilde Gottes geschaffen sei[46], auch schon für Wolfram bestimmend gewesen, mit einer verstärkten Wendung jedoch ins Ethisch-Fordernde und unter Zurückstellung des Ontologisch-Seinsmäßigen sowie, im Zusammenhang damit, mit besonderer Betonung eines p e r - s ö n l i c h e n Verhältnisses zwischen Mensch und Gott. Daß der Mensch treu sein soll gegenüber Gott, wird begründet mit der Wahrheit, daß Gott dem Menschen gegenüber getreu ist ohne Wanken (462, 18 f; vgl. ferner 461, 29 f; 462, 8. 10. 15 f. 21 f. 25—28). Als ein zweiseitiges Treuverhältnis wird demnach die Frömmigkeit verstanden (vgl. für Gott noch 465, 9 f; 466, 12; 467, 10; auch die *triuwe* des Pelikans 482, 15, die aus der Symbolik des für uns gestorbenen Erlösers stammt — für den Menschen auch 465, 20 und 499, 17) und ist demnach, wie jeder ethische Wert, wesensmäßig darauf angelegt, sich in der Tat zu bewähren und zu erfüllen. Letzteres geschieht seitens Gottes durch *helfe* (461, 30; 462, 1. 10. 15 f; schon 451, 13—22; 452, 5—8) und soll beim Menschen geschehen durch *dienst* (462, 15, hier beide Termini neben einander; 466, 14), der natürlich auch *lôn* erwartet (451, 16; 465, 17; 466, 8. 14; 467, 10. 14). Der Begriff Religion oder Frömmigkeit, den Wolfram hat, wird durch das Wort *triuwe* dargestellt und meint ein auf Erfüllung im tätigen Werk drängendes Dienst-Lohnverhältnis, das weiterhin bei Gott auf der Liebe zum Dienstmann, beim Menschen auf dem Vertrauen zum Dienstherren als auf den beiderseits entsprechenden inneren Haltungen beruht. In vier Begriffen beruht der Komplex der *triuwe* als religiöser Wert, in *minne* und *helfe* auf seiten Gottes, in *trûwen* und *dienst* auf seiten des Menschen, und im *lôn* vollendet sie sich; beide Male drückt der erste Terminus das innere Verhalten, der zweite die äußere Verwirklichung aus, nur wird für Gott die Tatsache festgestellt, für den

---

[46] Summa Theolog., Prolog zur 1a 2ae: „Quia . . . homo factus ad imaginem Dei . . . postquam praedictum est de exemplari, scil. de Deo . . . restat ut consideremus de eius imagine. idest de homine... (Editio Leonina, VI. S. 5).

Menschen die Forderung erhoben. Außerdem aber stellt die *triuwe* kraft der ihr innewohnenden *staete* (462, 16) dieses ganze Gefüge unter die Form des *âne wanc,* der unwandelbaren Beständigkeit (462, 10 *immer;* 462, 20 u. 26 *ie;* 462, 28. 30; 466, 4).

Es ist klar, daß man die gewählten Ausdrücke, wie stets bei Wolfram, nicht in ihrem engsten Sinn, sondern prägnant zu fassen hat. *trûwen* meint mehr als das nhd. Vertrauen, nämlich darüber hinaus alles, was zum Innerseelischen der Religion gehört, als Glauben, Hoffen, demütige Unterwürfigkeit usw., wie *dienst* alles zusammenfaßt, worin sich die menschliche Frömmigkeit äußern kann; was im einzelnen, zählt Wolfram nicht auf, aber die Betätigung kirchlich-kultischer Übungen gehört ohne Zweifel in erster Linie dazu (461, 4—7).

Diese Auffassung der Religion ist geistesgeschichtlich bedeutsam; ein auf Vertrauen gegründetes Dienstmannenverhältnis, also Vorstellungsformen, die aus einer stark von den germanischen Quellen gespeisten Sphäre des mittelalterlichen Rittertumes stammen, verdeutlichen unserm Dichter ihr Wesen. Aus dem Ministerialenverhältnis, aus innerweltlichem Erfahrungsbereich sind die Ausdrücke genommen, die zur Umschreibung unseres Verhältnisses zu Gott verwandt werden. Es ist menschlich verständlich, wenn eine so aufgefaßte Religion zu flacher Lohndienerei ausartet. Das war offenbar bei Parzival geschehen, und diese Frömmigkeit mußte natürlich versagen, als trotz treu geübten „Dienstes“ (332, 5; 447, 25) das Unglück über ihn hereinbrach; daß er nun, statt seine Frömmigkeit zu berichtigen, sie gänzlich abschüttelte, war sein schwerwiegendster Irrtum gewesen, der sich in den Jahren des *wîselôsen varens* selbst ad absurdum führte und jetzt von Trevrizent behoben werden soll.

Trevrizents Bemühen geht nun nicht etwa dahin, das germanisch-ritterliche Auffassungsschema durch ein anderes zu ersetzen, etwa eines, das sich stärker an den Wortgebrauch der (ausdrücklich angezogenen! 462, 11) Hl. Schrift oder der kirchlichen Tradition, bezw. Theologie anlehnte: dessen bedarf es nicht; derartiges kommt ihm überhaupt nicht in den Sinn, denn er spricht rein aus dem frommen Gemüt eines ritterlichen „Laien“. Aber er vertieft es, und zwar mit den urchristlichen

Gedanken von der unfaßbaren Erlöserliebe Gottes und dem strengen Gericht, sowie mit einer diesen Offenbarungstatsachen entsprechenden menschlichen Haltung.

Unser Verständnis bliebe an der Oberfläche haften, wenn wir es uns genügen ließen, die Kategorien, mittels deren die Dinge ausgedrückt werden, zu benennen, ohne auf die Dimensionenunterschiede zu achten, wenn Trevrizent sie aus der irdischen und profanen Sphäre in die religiöse überträgt[48]. Es ist geistes- und kulturgeschichtlich von Wichtigkeit, aus welchen Bereichen die Begriffe für das Religiöse genommen werden; die Frömmigkeitsgeschichte hat ein noch größeres Interesse an der Frage, ob und wie weit die damit gegebene Gefahr der Vermenschlichung der göttlichen Dinge gesehen und überwunden wurde, bezw. wie weit sie überwucherte. Die Bedeutung der Parzivaldichtung liegt offensichtlich großenteils in dem Bemühen, die Religion von anthropomorphistischen Schlacken zu läutern, die sie in der stark auf Konvention, äußeren Glanz, vorteilhafte gesellschaftliche Stellung ausgerichteten höfischen Kultur bedrohen mußten: für den Helden ist es wesentlich, zu lernen, daß der Anwendungsbereich und vor allem die Anwendungstiefe der aus dem ritterlichen Dasein vertrauten Ausdrücke sich erheblich ändert, sobald sie auf die religiösen Dinge übertragen werden, und daß man mit Gott eben doch nicht verfahren kann, wie mit einem menschlichen Dienstherren.

Nur unter dieser Voraussetzung läßt sich eine echte und schicksalfeste Synthese aufbauen.

War dem Germanen einmal sein Vertrauen auf den göttlichen Helferfreund, den *fulltrui*, zersprungen, so gab es wohl kein Mittel mehr, dasselbe wiederherzustellen; daß die Saga nicht lehrhaft ist, kann nicht der einzige Grund dafür sein, daß es im Altgermanischen kein Beispiel zu solcher Wiederherstellung gibt[49]. Die Wahrheiten des christlichen Glaubens dagegen,

---

[48] E h r i s m a n n hat kaum recht, wenn er, Ethik S. 429, schreibt: „In der Auffassung, welche hier von der T r e u e gilt, empfindet man, wie naiv die Denkart des mittelalterlichen Rittertums noch war. Parzival stellt sich die Treue zu Gott wie ein rein menschliches Verhältnis vor, wie das zwischen dem Herrn und dem Gefolgsmann, die sich gegenseitig durch ein Treubündnis verpflichtet sind."
[49] Wie N a u m a n n, St. Ritter S. 85 annehmen möchte.

die Tatsachen der Menschwerdung und Erlösung auf der einen Seite, des Gerichts auf der anderen, vermögen, wenn sie ernst genommen werden, auch heillos zerstörtes Vertrauen wieder aufzurichten, denn in diesen Tatsachen erweist Gott eine Liebe und Hilfsbereitschaft, die weit Höheres im Auge hat, als ein rein diesseitiges Glück und Wohlergehen, die viel Erschütternderes leistet und viel Ernsteres fordert, als sich im Rahmen einer allzu billig verstandenen Gefolgsmanns„religion" unterbringen läßt.

Die Dinge liegen von vornherein gar nicht so, als ob der Mensch zuerst Gott diente und dafür dessen Hilfe erwarten dürfte, vielmehr bietet grundsätzlich stets Gottes Liebe zuerst dem Menschen ihre Hilfe — was in einem ganz besonders großen und tiefen Sinn, und zwar für das ganze Menschengeschlecht im Erlösungswerk geschehen ist — und deshalb ist im Grunde genommen des Menschen Religion nur Ausdruck eines dankerfüllten, demütigen Herzens (462, 21 ff). Wenn gelegentlich, wie wir sahen, auch wohl gesagt werden kann: *nu kêret iwer gemüete, daz er iu danke güete* (467, 9 f), so ist das zum Teil durch das Gesetz der Redekunst geboten, die um des Zieles willen, besonders in der Peroratio, auch vor kühnen Formulierungen nicht zurückschreckt, zum größeren Teil jedoch aus der Tatsache, daß Gott zugleich Richter ist, der in seiner Liebe (466, 1 ff) auch unser rechtes Verhalten belohnen möchte, während er trotzige Auflehnung — nicht eigentlich zur Höllenstrafe verurteilt, sondern viel eher, wie Wolfram sich ausdrückt, in der von der Sippe verwirkten Hölle beläßt (465, 30; vgl. 466, 12).

Trotzige Auflehnung steht gegen den vertrauengeborenen „Dienst", und die Vertiefung, die Trevrizent erstrebt, betrifft nicht nur den Gottesbegriff, sondern vor allem auch den entsprechenden dieses menschlichen Dienstes. Er darf sich nicht erschöpfen im rein äußerlichen, gewohnheitsmäßigen Vollzug bestimmter Gebote, sondern er hat seine innerliche und wesentliche Seite in aufrichtiger *dêmuot* vor Gott. Dieses Wort wird von Wolfram zwar selten gebraucht, es kommt nur neunmal im Parzival vor; das darf nicht darüber hinwegtäuschen, daß es einen der wesentlichsten Begriffe in der Frömmigkeit der Dichtung bezeichnet. Der Dichter gebraucht stets die den etymologischen Ursprung noch deutlicher wahrende Form *diemuot* oder *diemüete,* Dienstwilligkeit, Dienstbereitschaft (nur 479, 1 hat Lachmann *dêmuot* vorgezogen, die Hss sind nicht einheitlich); das Wort zieht den zuständlichen Begriff humilitas (eigl. Niedrigkeit), den es wiedergeben will, wie die deutschen Prägungen so oft, stark ins Dynamische, jedoch nicht so sehr, daß es des Charakters der unterwürfigen Bescheidenheit gegenüber Gott ermangelte; dies läßt sich aus der Nähe zu dem Begriff *kiusche* und aus der Gegensätzlichkeit zu *hôchverte-unkiusche* leicht dartun. Die *diemüete* ist ein Grundzug im Wesen des *kiuschen* Trevrizent und sie durchwaltet unausgesprochen seine ganze Rede, während ihr Gegenteil, die germanische Hybris, nach der zutreffenden Beobachtung Webers von ihm „mit außerordentlich starken Wesens- und Wertakzenten"[50] gekennzeichnet wird (vgl. besonders 465, 14—18. 30; 472, 13—17; 473, 4); schon in den ersten Worten zu dem noch nicht vom Pferd gestiegenen Gast entschlüpfte ihm der Terminus *hôchverte* mit eigentümlicher Schärfe (456, 12), und ganz zum Schluß des Epos bleibt seine letzte Äußerung, sein Vermächtnis an Parzival, das Gültigkeit behält, wie sehr er sich im übrigen hinsichtlich der göttlichen Geheimnisse des Grals und hinsichtlich der Auserwählung Parzivals getäuscht hat, die Mahnung: *nu kêrt an diemuot iwern sin* (798, 30). Dienst, der Gott geleistet wird, ist also mehr als Dienst aus Gefolgschaftstreue, es ist Dienst aus Demut. Und ein neues, demütiges und dienstfrohes Gottvertrauen läßt sich wirklich auf den christlichen Grundwahrheiten aufbauen, sobald nur einmal der eng ins persönliche Unglück befangene Blick frei und gläubig auf sie gerichtet werden kann.

Dies ist somit die Wolframsche Religionsbegründung: Gottes ist die erste und die letzte Liebe, für den Menschen bleibt nur Gegenliebe, bleibt nur dankend und hoffend der Urliebe zu antworten, falls er nicht in freier Entscheidung den Haß Gottes und sein ewiges Verderben vorzieht (466, 8—10 u. ff). Ganz aus Gott und aus seinen Heilswerken wird mit andern Worten die Religion begründet, streng objektiv und in keiner Weise mit einem Bedürfnis der menschlichen Seele; für eine immanentistische Religionsbegründung, sei sie psychologischer, sei sie

---

[50] W e b e r, Gottesbegr. S. 24. Es ist, wie wir sahen, der Sinn der Geduld des Dichters mit dem Gotteshasser, daß die Hybris gebrochen werde.

ethischer Art, findet sich bei diesem mittelalterlichen Dichter noch keinerlei Ansatz[51]. Gott ist die *triuwe, er heizt und ist diu wârheit, ern kan an niemen wenken,* er ist der *wâre minnaere* — also muß auch der Mensch sich entsprechend verhalten; unwandelbare Liebe auf seiten Gottes, die sich in nie versagender Hilfe äußert, erfordert beim Menschen, daß er ihm mit einem Zutrauen ohne Schwanken in ständiger Dienstwilligkeit ergeben sei.

Was hier noch an Anthropomorphismus übrig bleibt, betrifft — wenn man nicht überhaupt ein persönlich-lebendiges ernsthaftes Verhältnis zu Gott als solchen bezeichnen mag — ausschließlich das Wortmaterial und wird im Schlußkapitel noch kurz zu behandeln sein[52].

d) Parzivals übrige Sünden

Obwohl nach Klärung der religiösen Fragen der Gral ganz in den Vordergrund des Gespräches tritt, wird doch noch verschiedentlich auf Parzivals Vergangenheit zurückgegriffen, und bei diesen Gelegenheiten offenbart sich, daß dessen frühere Mißgriffe als Schuld nicht bloß im ethischen, sondern im religiösen Sinn, als Schuld vor Gott, als Sünde, betrachtet werden. Zwei *grôze sünde* hat er auf sich geladen (499, 20), den Mord an Ither, bei dessen Behandlung der religiöse Charakter besonders hervorgehoben wird (*wiltu f ü r g o t die schulde tragn* 475, 20), und den Tod seiner Mutter; dafür soll er Buße tun, auf daß sein Ende gut werde und einstens auch die Seele Ruhe finde (499, 26—30). Noch einmal kommt das auf Gott bezogene Wesen der Sünde in Trevrizents letztem Wort an den scheidenden Neffen klar zum Ausdruck: *gip mir dîn s ü n d e her, vor g o t e ich bin dîn wandels wer* [= Bürge deiner Änderung, Besserung] (502, 25 f).

Nun hatte es sich zwar bei Parzivals Handlungen um eigentliche Schuld gehandelt, wie wir erkannten, jedoch nicht um

---

[51] Hier scheint ein grundlegender Unterschied Ws zu modernem, nämlich wissenschaft-rationalem Denken zu stecken; letzteres begründet immer die Religion irgendwie vom Menschen her und baut dann auf: die natürliche — die offenbarte — die christliche Religion, während W unmittelbar von der am Kreuz offenbar gewordenen Liebe Gottes als dem Zentrum der christlichen Religion sich ergreifen läßt.

[52] S. unten S. 266 ff.

direkt gegen Gott gerichtete Verstöße; dagegen wird vom Einsiedler, zunächst überraschend für den Leser, des jungen Ritters Haß gegen Gott nirgends mit dem Ausdruck Sünde bezeichnet. Gewiß kann kein Zweifel aufkommen, Kahenis hatte deutlich genug gesprochen (448, 26 kann mit *sünden* nur der zur Schau getragene Gotteshaß gemeint sein), und Parzival selbst hatte nichts anderes gemeint, wenn er sich Trevrizent als sündebeladenen Mann vorstellte (456, 30); aber dieser Haß war mehr als Sünde im gewöhnlichen Sinn, er war nicht so fast eine sündhafte Tat als die Sündhaftigkeit selber in reiner Wesenheit, und solange Parzival in ihm befangen war, konnte er den sündhaften Charakter seiner andern Fehltritte eigentlich nicht anerkennen — der denselben indes zweifellos eignet, da alle Übertretungen der sittlichen Ordnung vor Gott verantwortlich sind. Hier haben wir den Blick auf die Synthese von ihrer negativen Seite her: der Gotteshaß macht sie f u n d a m e n t a l unmöglich, da er ihren einen Pol aufhebt, während die andern Sünden sich als schwere Störungen i n n e r h a l b ihrer erweisen, die von ihnen vorausgesetzt wird.

ε) Die Lösung von der Sünde

Ein letztes und für die Stellung des Parzival in der deutschen Frömmigkeit recht wichtiges Problem, das durch das 9. Buch gestellt ist, betrifft die Lösung des Helden von der Sünde. An drei hervorgehobenen Stellen wird von ihr gesprochen; des Kahenis letzter Satz an den jungen Ritter hatte verheißend gelautet: *er scheidet iuch von sünden* (448, 26), und dieser Satz wird am Schluß des Buches rückschauend wieder aufgenommen: Parzival ertrug das entbehrungsreiche Leben in der Klause gern, *wand in der wirt von sünden schiet* = weil ihn der Gastgeber von seinen Sünden geschieden hatte (501, 17); der Gedanke umrahmt somit das ganze Geschehen in der Einsiedelei und gibt seinen eigentlichen Sinn an. Ganz zum Schluß, beim Abschied, spricht der Alte noch: *gip mir dîn sünde her, vor gote ich bin dîn wandels wer* = gib mir deine Sünde her, überlaß sie mir, ohne dich weiter darum zu kümmern, ich will sie in mein Büßerleben mit hineinnehmen und dich vor Gott vertreten — man hört heraus: so wie ich bereits für meinen Bruder stellvertretende Buße leiste. Du tu, wie ich dir gesagt habe: *belîp des willen unverzagt,* bleibe ein wackerer Rittersmann. Zwischendurch aber hatte er sich, in einer Form, die beim ersten Lesen grammatisch merkwürdig und unklar anmutet, den Anschein eines Laien, eines Nichtpriesters gegeben: *doch ich ein leie waere, der wâren buoche* [=der Hl. Schrift]*maere kunde ich lesen unde schrîben.* Gibt also Trevrizent, ohne Priester zu sein, seinem Neffen eine Absolution? und hat Wolfram die Gewalt, Sünden nachzulassen, dem Priestertum genommen und in die Hände des Laien gelegt? Oder was hätte der Dichter sonst im Auge?

Der Frage ist viel philologischer, theologischer und auch polemischer Scharfsinn zugewendet worden. Man vermochte lange Zeit der scheinbaren Unklarheit in Trevrizents Ausdrucksweise nicht recht Herr zu werden, und manche Wolframinterpreten nahmen für die Deutung ihre persönlichen religiös-theologischen Überzeugungen zu Hilfe. So gab es nebeneinander die Meinung, hier bekenne sich Trevrizent klar und deutlich als Laien, wie auch hier rücke er sich ganz unzweideutig vom Laientum ab. Obwohl nicht beabsichtigt ist, die ganze Geschichte der Frage darzulegen, anderseits auch die heute wohl allgemeine Übereinstimmung den Eindruck erweckt, daß man sie als abgeschlossen betrachten darf, müssen wir uns doch, unseres theologischen Zieles halber, genau auf die Worte Wolframs einlassen, selbst auf die Gefahr hin, etwas umständlich zu erscheinen, um die Textgrundlage für die Interpretation sicherzustellen.

Im Jahr 1895 erschien die Untersuchung S a t t l e r s[53], der sich entschieden hatte, B ö t t i c h e r s, in dessen Parzivalübersetzung niedergelegter, Ansicht zu folgen:

> Wär ich auch ein Laie,
> Des heil'gen Buchs wahrhafte Mär
> Könnt ich doch durchaus verstehn[54].

Danach handelte es sich im ersten Satzglied um eine irreale Hypothese: Trevrizent wäre Priester, der nur mit dem Gedanken des Laien spielt, und in den Worten über Loslösung von der Sünde handelt es sich um wirkliche, kirchlich-sakramentale Ab-

---

[53] S a t t l e r, Rel. Ansch. S. 81.
[54] S a t t l e r lag die 2. Aufl. von 1893 vor; hier ist nach der 1. Aufl. 1885, verglichen, da mir die zweite nicht zugänglich war.

solution. In den Rezensionen der S a t t l e r schen Arbeit hatten sich die namhaftesten Germanisten fast einmütig, unter Vorbehalt geringfügiger Modifikationen, der vorgetragenen Deutung angeschlossen. Es wird nicht zwecklos sein, das Wesentliche heute noch einmal kurz zusammenzustellen.

K. Z w i e r z w i n a bestreitet, daß das „*doch*" hypothetisch aufgefaßt werden könne, es sei konzessiv, und übersetzen könne man nur: „obgleich ich ein Laie bin, oder: obgleich ich ein Laie war." Er fährt fort: „Und daß Trevrizent vor seiner Einsiedlerzeit ein ritterliches Leben geführt hat, steht doch fest."[55] M. R o e d i g e r ist grammatisch zurückhaltender, inhaltlich noch bestimmter: „Wie man auch übersetzen möge, und ob man Vs 13 den Ind. *kunde* oder den Konj. *künde* schreibe, immer wird Vergangenes oder Unwirkliches ausgesagt. Man kann nur vermissen, daß Wolfram nicht ausdrücklich erzählt, Trevrizent habe dem bußfertigen Ritter und den Seinen sowie Parzival das Sakrament gespendet, was die sichere Bestätigung seines Priestertums wäre."[56] J. M i n o r gibt zu: „Für die Frage nach Trevrizents Priestertum besagt die Stelle nur wenig." Er meint, der Einsiedler stelle sein eigenes Verhalten als Ritter in Gegensatz zu dem Parzivals[57], während es V. M i c h e l s indes für sinnlos hält, „Trevrizent einen rein fiktiven Fall annehmen zu lassen, da er von rechts wegen sagen müßte: da ich ein Geistlicher bin, kann ich natürlich auch die Bibel lesen. Oder sollte die Stelle einen Vorwurf gegen Parzival enthalten? Das wäre doch abgeschmackt." Doch auch er entscheidet sich dafür, daß „die Stelle nicht das Eingeständnis enthält, daß Trevrizent noch gegenwärtig Laie ist ... In dem *waere* liegt nun freilich noch nicht ohne weiteres, daß Trevrizent Laie jetzt nicht mehr ist, ebenso wenig wie in dem *kunde*, daß er die Bibel jetzt nicht mehr versteht; aber immerhin dürfte die Verbindung eines Präteritums, das einen Zustand andeutet (*waere*), mit einem Präteritum, das eine Tatsache enthüllt (*kunde*), die von S a t t l e r vertretene Auffassung empfehlen."[58]

---

[55] Z w i e r z w i n a (üb. Sattler) S. 50.
[56] R o e d i g e r (üb. Sattler) S. 155.
[57] M i n o r (üb. Sattler) Sp. 707.
[58] M i c h e l s (üb. Sattler) S. 744; geht genauer auf die Grammatik der Stelle ein.

Heute dagegen scheint die entgegengesetzte Ansicht, nämlich daß Trevrizent sich hier als einen Laien und nicht als Priester bezeichne, allgemeine Anerkennung errungen zu haben. W. G o l t h e r schreibt 1925 kurz und kommentarlos: „Wolfram ist sonst nicht gerade sehr geistlich gesinnt, sein Trevrizent ist Laie, nicht Priester."[59] Ähnlich sagen z. B. B. N a u m a n n, G. W e b e r, H a n k a m e r, S t a p e l, B ä u m e r[60] u. a. Und auch wir werden uns dafür entscheiden, daß zum mindesten diese Interpretation die weitaus größere Wahrscheinlichkeit beansprucht. Denn Wolfram hat hier allem nach eine mundartliche Möglichkeit zunächst des ostmitteldeutschen Raumes (die aber heute weit über das deutsche Sprachgebiet verbreitet ist) gebraucht, einen sehr schönen Konjunktiv der Diskretion und auch der überlegenen Sicherheit oder der Selbstverständlichkeit an Stelle des korrekten Indikativ. So sagt man am Ende einer Arbeit etwa: „Dies wäre geschafft"; so sagte seinerzeit der abgedankte König von Sachsen den ihm zujubelnden Scharen mit einem bekannt gewordenen Wort: „Ihr wärt mir schöne Republikaner" = „ihr seid . . ."— aber mit einem gewissen Nebenton. Ebenso können wir heute noch die Wolframstelle übersetzen: Obgleich ich (ja nun eigentlich, mag man breiter hinzusetzen) ein Laie wäre (= bin), ich hab's doch gelernt, die Hl. Schrift zu lesen. Etwaige Einwände gegen diese Deutung, warum Wolfram diesen Konjunktiv nur an dieser Stelle gebrauche und daß der Indikativ Prät. im Nachsatz (*kunde*) trotzdem eigentümlich bleibe, haben keine ernste Bedeutung. Dagegen wird der philologische Beweisgrund noch gestützt durch den Vergleich mit der Vorlage; dort war neben dem Einsiedler noch ein Priester in der Höhle zugegen für den Vollzug des Gottesdienstes und für die Absolution und Kommunion des Helden. Wolfram läßt den Priester weg, und gibt natürlich

---

[59] G o l t h e r, Pz/Gr S. 178.

[60] H a n k a m e r, LG, S. 51; N a u m a n n, St. Ritter, S. 79; W e b e r, Gottesbegr. S. 44; B ä u m e r, W, S. 73; S t a p e l, Übtr. S. 291, vgl. S. 266; s. auch B u r d a c h, Gral S. 528; S. 515 Anm. 9. Die im folgenden gegebene sprachl. Begründung verdanke ich der liebenswürdigen brieflichen Belehrung von Herrn Prof. H. Naumann; vgl. auch für *doch c. conj.* trotz Tatsächlichkeit des berichteten Vorganges H. P a u l, Mhd. Grammatik, 12. Aufl., 1929, S. 223 (Hinweis Naumann) sowie M i c h e l s (üb. Sattler) S. 744.

nicht dessen Würde und Funktion dem Trevrizent, welcher ja auch dem Parzival nicht die Kommunion reicht und ebenso wenig — die „Absolution" erteilt. In den drei zu Eingang dieses Abschnittes angeführten Worten, die auf die Lösung Parzivals aus der Sünde durch den Einsiedler hindeuten, ist nämlich keineswegs von der förmlichen, vor Gott gültigen „Lossprechung von Sünden" die Rede; die Abschiedsworte des Greises zumal lauten nicht, als ob auf eine erfolgte Lossprechung angespielt werden sollte: Du bist nun wieder von Sünden frei, darum geh frohgemut deinen ritterlichen Aufgaben nach, sondern wie wir sahen, nur: gib mir deine Sünden her, damit ich auch für sie mit Buße leiste und vor Gott Bürge sein kann, daß du ein neues Leben begonnen hast; und auch das „von Sünden scheiden" hat in diesem psychologischen Roman einen psychologischen Sinn. Es ging Wolfram nicht darum, einem Ritter die Sünden durch Absolution hinwegzunehmen, es ging vielmehr um die innerseelische und willensmäßige Überwindung der Sünde, um die Abkehr des Menschen von ihr, um die psychologische Loslösung aus ihrer Verstrickung als einem psychologischen Zustand. Darum ist alles abgestellt nicht auf das Liturgisch-Sakramentale, sondern eben auf das Psychologische; nicht als Priester soll Trevrizent zu Parzival sprechen, sondern als Mensch zum Menschen, als Ritter zum Ritter; er soll nicht kraft der Absolutionsgewalt ihm die Sünden nachlassen, sondern mit dem pädagogischen Geschick eines erleuchteten Seelenführers die sündhafte Willensrichtung umwandeln. Persönliches Verstehen und Vertrauen sind die Grundlage der Unterhaltung, und R a t s p e n d e r will der Einsiedler sein, wie er dreimal betont (457, 3; 467, 23; 489, 21; an letzter Stelle sogar dies als seinen Auftrag von Gott bezeichnend). Und darum legt er ihm auch gar keine Buße auf, er rät ihm nur dazu; *nu volge mîner raete, nim buoz für missewende* (499, 26 f); vielleicht liegt h i e r i n eine Mahnung, was er jetzt hinter sich hat, auch noch kirchlich in Ordnung zu bringen, es wäre aber mit einer überzarten Andeutung eher verhüllt als ausgesprochen und jedenfalls — darum geht es ja nicht.

Übrigens müssen selbst diejenigen, die unsern Gründen für Trevrizents Laientum nicht folgen möchten, zugeben, daß der Einsiedler, wennschon Priester, sein Priestertum nirgends hervorkehrt, dagegen gewiß nicht aus bedeutungslosem Anlaß sich getrieben fühlt, das Wort *leie* an sich heranzubringen; wenn es ihnen immerhin scheint, daß Wolfram aus irgendwelchem Grund gehindert war, seinen Klausner klar und rundheraus als Laien zu bezeichnen — sei es bloß als Konsequenz, weil er ihm schon einen Altarstein in die Klause gestellt hatte und ihn von Kahenis auf regelmäßiger *bihteverte* [=Beichtfahrt] aufsuchen ließ — so ist es nur umso auffälliger, daß er mit dem Wort *leie* für ihn spielt, wenn selbst mit einer sprachlichen Härte (denn welchen Sinn geben sie den Versen g e n a u?), die ein Gotfrid nicht geduldet hätte, die einen Wolfram aber nach ihrer Meinung weniger beschwerte. Und darum mag man so oder so interpretieren, das, worauf es Wolfram ankam, bleibt in jedem Falle gewahrt, sprechender und kühner indes und Wolframs würdiger, wenn Trevrizent nicht sein Priestertum nur zurücktreten läßt, sondern überhaupt kein Priester ist.

Aus dem gleichen Grund scheint uns aber auch umgekehrt die Frage nach Laienbeichte[61] und Laienabsolution, die man hier aufgeworfen hat und immer wieder aufwirft, vom Thema wegzuführen; und ebensowenig besteht ein Anlaß zu der häufig gehörten Behauptung, als ob hier der Mensch ohne alles Mittlertum, ohne das Dazwischentreten von Dritten, die sich von göttlicher Sendung erfüllt glaubten, allein zu seinem Gott finde[62]: dann hätte Wolfram seinen Trevrizent überhaupt nicht zu konzipieren brauchen, der doch wohl weiß, wie notwendig er dem rat- und helfelosen Parzival ist (467, 24); freilich denkt man dabei stets an kirchlich-priesterliches Mittlertum, aber Führer, Mittler und Helfer zu Gott hin ist der Einsiedler für seinen Neffen ganz zweifellos.

---

[61] Dieselbe wurde von S a n M a r t e, Germ. 8, S. 421 ff und S e e b e r, Laienbeicht (vgl. hierzu noch die Akzeptierung S a n M a r t e in ZfdPh 17, S. 174) erledigt — ohne für das Verständnis des Parzival viel beizutragen. Nach S e e b e r läßt Trevrizent seinem Neffen nicht eigentlich die Sünde nach, er will f ü r und m i t ihm Buße tun, wie er es für seine und des Amfortas Sünden tut. S. auch ders., Ideen, S. 191 Fußnote. An Laienbeicht und Laienabsolution glaubt auch S c h e r e r, Vorsehung S. 739.

[62] N a u m a n n, St. Ritter S. 79 u. viele andere. Dagegen B u r d a c h, Gral: „Trevrizent bietet sich noch einmal als Mittler zwischen Gott und seinem Gast an." S. 514 f.

Hier war nur das Phänomen zu analysieren; die religiöse und theologische Beurteilung wird Gegenstand des Schlußkapitels sein.

f) Rückschau und Ausblick

Wir haben Parzival nun bis zu dem Punkt begleitet, wo die Grundlagen der erstrebten Synthese neu gelegt und gesichtert sind. Erwägen wir noch einmal den Weg, den der Dichter seinen Helden bis hierher geführt hat, so ergibt sich folgendes: Das Waldkind, edlen Geblütes, ausgestattet mit den besten Anlagen des Körpers und der Seele, doch bar der segensvollen Bildungswerte höfischer Kultur, wird mit dem äußeren Glanz des Rittertums bekannt und will sich, einzig dem ungestümen Drang seines Herzens folgend, unbekümmert um das Unheil, das er dabei anrichtet, den Weg zu ihm erzwingen — bis den jugendlich formlosen Unband der edle Gurnemanz in seine bildende Hand nimmt und ihm die Werte der ritterlichen Zucht, der äußeren wie der inneren, vermittelt. Gott hatte der Knabe schon frühzeitig kennen gelernt, von ihm hatte er gehört, daß er der Welt in Hilfsbereitschaft zugetan sei, und ihm dienten, so vernahm er (122, 30), auch die Ritter. Als er von Gurnemanz schied, dessen Unterweisung ganz aus der Synthese von Gott und Rittertum geschöpft war, erfüllte diese Idee bereits ihn selbst: *in dûhte, wert gedinge* [=Hoffnung, Anwartschaft], *daz waere ein hôhiu linge* [=Gelingen, Glück] *ze disem lîbe hie und dort,* was der Dichter mit ergriffenem Nachdruck bestätigt: *daz sint noch ungelogeniu wort* (177, 5—8). Es leuchtet ihm auf, daß dieses Ideal mit aller Kraft als Ziel festzuhalten und zu erstreben sei; aber was seine Verwirklichung bedeutet, das wird von ihm erst erfahren werden müssen.

Er reift weiter, erringt nach mannhaften Taten Kondwiramurs, erlebt die Wunder auf der Gralburg und den merkwürdigen Abschied von dort, über den Sigunens Rede ihm erschreckenden Aufschluß gibt — das bisherige Ideal reift mit, sodaß es von ihm gar als Traggrund seiner Existenz empfunden wird: um den erzürnten Orilus von Jeschutens Unschuld zu überzeugen, verschwört er Rittertum und Ritterehre, seine höchsten Güter, und ruft G o t t s e l b s t zum Vollstrecker dafür an (269, 4—17), *er wil flüsteclîchen* [=verlustbringenden] *spot ze bêden lîben immer hân von sîner krefte* (ebd. 18—20). Aber im Grunde versteht er noch nicht, was er sagt, seine Synthese ist vorschnell und allzu leichthin vollzogen, nämlich mit einem Gottesbegriff, der unter Einbuße an Wahrheit und Tiefe zu sehr auf das gesellschafts- und zeitgebundene Weltkulturideal eines vollendeten Ritters abgestimmt ist; tags darauf gibt er sie preis unter der Wucht der öffentlichen Anklagen, er sagt sich los von ihrem einen Pol, dem überweltlichen, um sich nur noch, ohne allen „Dualismus", an den diesseitigen, das Rittertum mit seinen Inhalten zu klammern. Auch diese Lebensform ist kein tragfähiger Grund; Trevrizent führt ihn zu Gott zurück, indem er ihm einen tiefen und wahren Begriff von ihm vermittelt, den der vollen christlichen Heilsverkündigung, und dann läßt sich die Synthese aufbauen.

Wie sieht diese Synthese aus, m. a. W. wie ist nach alledem die Religion in das Leben des Ritters eingeordnet? Daß sie nicht das Einzige ist, womit dasselbe ausgefüllt wird, und neben dem alles andere zur Belanglosigkeit herabsinkt, nur soweit zugelassen, als es unumgänglich notwendig erscheint, liegt im Wesen der Synthese, der organischen Einheit aller Werte, denen ein positiver Sinn zuerkannt werden kann; dieser genügt jedoch auch nicht ein unverbundenes Nebeneinander der verschiedenen Wertbereiche, und wenn es dem Dichter auch nicht auf wissenschaftliche Systematisierung ankommen kann, so muß er sich doch wohl um ein Ordnungsgefüge bemühen. Dies tut Wolfram in der Tat, indem er die Religion — nicht etwa zur überhöhenden Krönung des Ganzen macht, auf die alles übrige ausgerichtet wäre und worin es seine Sinnerfüllung fände, sondern zum t r a g e n d e n U n t e r g r u n d, auf dem allein es sicher aufruht, auf dem es zuversichtlich aufbauen kann, aus dem es die nährenden und stärkenden Kräfte bezieht.

Grundlage, nicht Krönung. Wir befinden uns im Roman tatsächlich an der Stelle, wo nach dem Scheitern des Parzivalschen Versuches ganz von unten an mit dem Neubau einer Lebensgestaltung begonnen werden soll, und hier werden ganz ausgiebig und ausführlich die Fragen der Religion erörtert; dies ist aber auch die einzige größere Stelle, die recht ausschließlich religiös gehalten ist; nie wieder begegnet ein so ernstes religiöses

Pathos, schon im neunten Buch selbst wird es bald um einige Grade nachlassen; alle Frömmigkeit wird in die Fundamente eingesenkt. Auch von Parzival hat man mit Recht gesagt: er „taucht wieder auf dem Schauplatz des Rittertums auf — nichts von jener religiösen Atmosphäre ist mehr um ihn. Er strebt weiter unverzagt — dies Streben äußert sich nicht anders als vor dem Verkehr mit Trevrizent . . . der Werthorizont ist wieder durch das allgemeine ritterliche Lebensideal abgeschlossen."[63] Alle religiöse Äußerung in Gebärde und Wort kehrt im Roman auf die Stufe jener scheinbaren Flachheit und leichten Selbstverständlichkeit zurück, die im II. Kapitel beschrieben und belegt wurde, und scheint bei Parzival ganz zu verschwinden, dem von nun an nicht einmal mehr die geläufigen Formeln in den Mund gelegt werden. Die Fundamente eines Hauses liegen im Erdboden vergraben und entziehen sich dem schauenden Auge — aber ob sie tragfest sind, das zeigt sich, wenn das Gebäude die Erschütterungen von Stürmen und Erdbeben überdauern soll. Unverändert ist deshalb Parzival nicht; der Verzug, den er nach seiner Bekehrung noch erfahren muß, bis er zu dem von Gott ihm zugedachten Ziel zugelassen wird, ist nicht bedeutungslos: er wird in einige Situationen kommen, in denen sich zeigen kann, ob er reagiert wie jemand, der im Grunde religiös und fromm ist. Bei aller Kampfeshärte und strahlenden Sieghaftigkeit offenbart er gegenüber Schicksalsfügungen einen Zug des nach außen anscheinend Elegischen, des stillen ergebenen Ertragens, der früher nicht an ihm zu beobachten war und sich nicht allein aus seiner angeborenen Feinfühligkeit (*schame*) entwickelt haben kann, sondern der offenbar auf das tiefer gewordene Verhältnis zu Gott, dem Lenker seiner Schicksale, zurückgeht.

Gewiß wäre die Erkennungsszene im Kampf mit Gawan ohne die voraufgegangene Umwandlung anders gehalten gewesen; wie, das ist natürlich schwer zu sagen; leichthin oder auch in salopper Weise wäre womöglich der Name Gottes hereingezogen worden, der nun, vor so vielen Zeugen, verschwiegen bleibt, und ein Wort wie *schuldec ich mich geben wil* (688, 28) wäre kaum gefallen. In stiller Einsamkeit dagegen, wenn, aus festlich froher Umgebung sich entfernend, Parzival über sein

---

[63] M i s c h , Pz S. 299.

schweres Los nachsinnt, leidend unter der Unerreichbarkeit des Grals und vor allem auch unter der Trennung von Kondwiramurs, da spricht er ein Wort aus, ohne Zorn und doch voll Bitternis, das auch uns an die Seele geht: *got wil mîner freude niht* (733, 8). Die Schlußzeilen dieses Monologes: *got gebe freude al disen scharn, ich wil ûz disen freuden varn* mag man etwa den inhaltlich sehr ähnlichen Worten Gotfrids v. Str. gegenüber halten: *die lâze ouch got mit fröuden leben*[64]. Der Abstand ist fast unendlich. Wir glauben in solchem Verhalten fast zu erkennen, daß Parzival die Mahnung seines Oheims zur Buße nicht vergessen hat. Anderseits sind auch einige Verse da, die bezeugen, was das neugewonnene Gottvertrauen positiv für den Helden bedeutet; es gibt ihm Kraft in der Not des härtesten aller seiner Kämpfe:

> 741, 26   *der getoufte wol getrûwet gote*
> *sît er von Trevrizende schiet,*
> *der im sô herzenlîchen riet,*
> *er solte helfe an den gern* [= von dem begehren],
> 30   *der in sorge freude kunde wern* [= gewähren].

Kapitel IV
Gral, Gralreich, Gralrittertum

1. *Gawan und der Gral*

Für den Gral ist Parzival vom Dichter und von seiner Sälde prädestiniert, und keinen Augenblick verliert er ihn aus der Sicht; mit einer Willensstärke, die sich durch keinen Rückschlag und durch keine noch so wohlmeinende Abmahnung beirren läßt, jagt er ihm nach und gelangt endlich auch mit seinem von Gott belohnten *unverzaget mannes muot* zu ihm hin.

Nicht nur durch die ganze Komposition, sondern auch in ausdrücklichen Worten wird der Zielcharakter des Grals aufs stärkste betont. Cundriens Einladungsrede ist ganz von dem Gedanken beherrscht: das erfüllende Ende ist da, die Sorgen sind vorüber und geben der kommenden Freude Raum; leit-

---

[64] Gotfrid v. Str. Tristan 54.

motivisch oft kehrt in ihr die kleine Partikel *nu* wieder (781, 4.
12. 26. 27; 782, 17). Was dieses Ende bedeutet, das besagen die
Schlußworte der Gralsbotin, die das ganze Leben des Helden,
Leistung und Lohn, in zwei Zeilen zusammenballen:
782, 29 *du hâst der sêle ruowe erstriten*
und des lîbes freude in sorge erbiten [=gewartet auf].
Parzival, vor zitternder Freude anfänglich außerstande, in geordneten Sätzen zu sprechen, versteht diese Botschaft: *nu gebt*
ir mir sô hôhen teil, dâ von mîn trûren ende hât (783, 16 f).
Durch das Gegensatzpaar *der sêle ruowe — des lîbes freude* wird
von Cundrien unmittelbar auf die Synthese angespielt. Die vielfältig ausgesprochene Freude des Dichters selbst, den Roman
glücklich zum Abschluß gebracht zu haben (827, 5. 12. 17 f. 19.
28), hat einen besonderen Grund; hier ist mehr als Ausgang und
Lösung einer großen, verwickelten, spannenden Erzählung: hier
ist der Gral errungen. Mit der Erreichung des Grals durch Parzival werden jene programmatischen Schlußverse des ganzen
Werkes, in denen der Grundgehalt desselben sich kondensiert
hat und die wir zum Ausgangspunkt unserer Untersuchung nahmen, in unmittelbare Verbindung gebracht:
827, 17 *Parzivâls, den ich hân brâht*
dar sîn doch saelde het erdâht.
swes lebn sich sô verendet usw.
In den Besitz des Gralkönigtums, des Zieles seiner säldenhaften
Bestimmung und seines eigenen unablässigen Strebens gelangt,
steht Parzival nunmehr in der Huld Gottes sowohl wie auch der
Welt: d e r   G r a l   i s t   d i e   S y n t h e s e.
    Darum schließt sich organisch an die Analyse des Entwick-
lungsganges Parzivals diejenige der Gralsymbolik an.
    Doch zwingt uns der Dichter vorerst noch zur Erledigung
einer Vorfrage, nämlich nach der Funktion Gawans. Wolfram
hat durch die Behandlung dieses Ritters in ganz eigenartiger
Weise, obschon er damit der Vorlage folgt, den Parzivalroman
erbreitert. „Wie ein Doppelgestirn kreisen (die beiden Freunde)
umeinander. Gawans eigner Roman zieht sich quer durch Parzivals Roman hindurch."[1] Zwei ganz verschiedene Naturen, in
großer Freundschaft verbunden, haben sie doch immer wieder
Anlaß gegeben zu fragen, ob nicht das Gesetz der Einheit des

---

[1] N a u m a n n, St. Ritter S. 69.

Kunstwerks gestört sei. Am schärfsten kommt das Problem heraus, wenn man fragt: warum gelangt Gawan nicht nach Munsalväsche?

Das klingt ein wenig neugierig. Wollte der Dichter eine Antwort darauf geben? Oder wollte er den ritterlichen Hörern seines Epos die Möglichkeit zu eigenen Reflexionen lassen?

Stellt der Gral Bedingungen, die noch über ein so glanzvoll repräsentiertes und auch so stark von *triuwe* beherrschtes Rittertum wie dasjenige des Herrn Gawan[2] hinausgehen?[3] Soll Gawan demonstrieren, woran die Erringung des Grales scheitern kann, und ein Mahnzeichen sein?[4] Soll man es bedauern, daß das Höchste stets nur den ganz Erlesenen sich gibt?[5] Doch sicher steht Gawan nicht tiefer als Feirefiz, der mit seinem Halbbruder hinaufsteigt, hat zum mindesten die Zugehörigkeit zum Christentum voraus, die jener erst erwerben muß. Oder soll man sich darein ergeben, daß die Gnade eben nicht jeden auserwählt, und daß Parzival berufen wurde, Gawan aber nicht?[6] Oder ist es überhaupt nicht notwendig, daß alle zum Gral gelangen, und genügt es für die vielen, wenn einer das Höchste erringt, nachdem er das Schwerste geleistet hat?[7] Oder gar, bleibt Gawan

---

[2] Über Gawans triuwe s. K e f e r s t e i n, Gawanhdlg, bes. S. 266 ff.

[3] Die sog. Gradustheorie E h r i s m a n n s, bes. in Tugends. herausgearbeitet; schon Wolframpr. S. 672. Es schichten sich übereinander die Wertgebiete des utile, honestum, summum bonum, die je in verschiedenen Vertretern für sich bestehen können. Vgl. S. 128.

[4] Bes. von der älteren Parzivalinterpretation, S a n M a r t e, D o m a - n i g, S e e b e r usw., vorgetragen.

[5] Die durch Zuhilfenahme der Begriffe Saelde und Vorherbestimmung (eigens zur Erklärung des Parzival?) ausgebildete Gradustheorie.

[6] Ungefähr nach B ö t t i c h e r s Motivierung der Gawangeschichte, der zu 338, 5—7 sagt: „Seine Dichtung, meint der Dichter, wisse auch andere Helden zu schätzen neben dem eigentlichen Herrn der Märe." (B ö t t i c h e r, Hl S. 70; der andere Gedanke B.s, daß Gawans Abenteuer um der Überlieferung willen miterzählt werden mußten, scheint dem Vorwurf auf Verstoß gegen das Gesetz der Einheit im Parzival noch eine leise Berechtigung zuzugestehen: diese Annahme allerdings würde unser ganzes Bemühen gegenstandslos machen. Aber man sieht wieder, daß man Kunstwerke nicht mit Kunstmaßstäben anderer Epochen und Anschauungen messen darf. So zB S c h w i e t e r i n g [üb. Schneider] S. 25 f. Irgendeinen künstlerischen Sinn muß Gawan haben.)

[7] K n o r r, Dicht. S. 523.

wirklich vom Gral ausgeschlossen? Steigt er nicht vielleicht als das gespaltene Ich Parzivals, als das er ausgegeben wurde, zwar nicht in eigener, aber doch in dessen Gestalt zur Gralburg empor?[8] Oder ist es schließlich so, daß er bloß nicht zum äußeren Symbol des Grals gelangt, während er das, was der Gral symbolisiert, wohl verwirklicht, m. a. W. tut er dar, innerhalb des Romanes, aber außerhalb der Gralsymbolik bleibend, in welcher Weise die konkreten Ritter der wirklichen Welt dem mit den Mitteln dichterischer Symbolik aufgerichteten und von einer symbolischen Rittergestalt erreichten Ideal nacheifern können — zugleich andeutend, daß immer die Wirklichkeit um einige Längen hinter dem Ideal zurückbleibt?[9] Je nach Geist und Laune kann man solcherlei Fragen vermehren, und es war vielleicht für einen Ritter des 13. Jahrhunderts nicht zwecklos, es zu tun, aber wer will sich anheischig machen, eine Antwort zu geben, die der Dichter als die richtige anerkennen „müßte"? Gleichwohl kommen wir, obzwar eine eindeutig klare Antwort, wie so oft bei diesem Dichter, nicht gegeben werden kann, an dem Problem nicht ganz vorbei.

Falsch ist es sicher, die beiden Freunde und die durch sie vertretenen Sphären in einen scharfen Kontrast zu bringen; allzu viele Verbindungen gehen hinüber und herüber (vgl. bes. das 6. und das 14/15. Buch); ausdrückliche Versicherungen des Dichters treten hinzu (Prolog der Gawanhandlung 338, 1. 4; die oft gebrauchte ehrende Formel *mîn hêr Gâwân* usw); es gibt keinerlei bewußte Auseinandersetzung, dafür aber wichtige Parallelen und Verflechtungen (Gawan führt Parzival beidemal am Artushof ein, die gemeinsame Entehrung am Plimizoel, die Komplikationen um Gramoflanz usw). Deutungen wie die von S a n M a r t e und D o m a n i g sind darum unhaltbar. Irregeleitet von einer ungerechtfertigten Theologisierung der Dichtung suchten sie in einer „mehr oder weniger allegorischen Darstellung der christlichen Heilsentwicklung in der Persönlichkeit Parzivals"[10] die Leitidee des Werkes und mußten darum irgendwie Gawan zum inneren Gegensatz Parzivals[11], des Erlösers, des

---

[8] M i s c h, Pz S. 273 ff.
[9] Annähernd an K e f e r s t e i n, Gawanhdlg S. 261 ff u. 273 f.
[10] B ö t t i c h e r, Hl S. 3.
[11] Diese u. die folg. Formulierungen nach S e e b e r, Ideen, bes. S. 194 f.

Wiederherstellers der paradiesischen Ordnung machen, „denn auch die Abenteuer Gawans haben ihre theologische Seite"; es handelt sich um den Gegensatz, wenn nicht gerade zwischen dem göttlichen und bösen, so zwischen dem göttlichen und weltlichen Prinzip. „Artus und die Templeisen befinden sich in einem vollkommen bewußten Zwiespalt mit einander, wenn sie auch nicht auf ein wechselseitiges Verderben ausgehn." Der Artushof ist der „Mittelpunkt des höfisch vollendeten, aber ganz verflachten Lebens" und Gawan als „der eigentliche Vertreter höfischer Zucht und ritterlicher Kunst, oberflächlich wie diese ... jagt nach dem Scheinglücke der Welt ... (ist) Vertreter aller jener, die wie er nicht nach dem höchsten Ziele, sondern nach einer scheinbaren Befriedigung ihrer Seele streben."

Gemildert, aber noch tief genug ist diese Gegensätzlichkeit bei E h r i s m a n n: „Gegenüber dem Guten steht nicht das Böse, sondern nur ein minder Gutes. Diese Abstufung ist ausgedrückt durch das höhere Rittertum Parzivals und das niedere Gaweins mit der Artusfamilie. Neben dem Reich der Gnade steht das Reich der Natur; diese, das natürliche Sein, ist jenem, der geistigen Erleuchtung, untergeordnet."[12] Gawan wäre dem rein Natürlichen, dem Wertgebiet des honestum zugeordnet, Parzival, durch Gurnemanz auf diese Stufe gehoben, findet seine Beruhigung erst auf der seiner Anlage gemäßen übernatürlichen Stufe des summum bonum.

Demgegenüber hatte B ö t t i c h e r schon 1886 gemeint, „daß der so oft betonte Gegensatz zwischen Gawan, als dem Manne der Welt, und Parzival, als dem Manne des Glaubens, von Wolfram weder beabsichtigt noch empfunden ist"[13]; er faßte den Unterschied der beiden hauptsächlich in drei Momente: Gawan trete als fertiger Charakter auf, während Parzival nur langsam und unter trüben Erfahrungen zur sittlichen Reife komme, die Minne sei für Gawan eine rein sinnliche Angelegenheit, während der gemütstiefere Parzival wahrhaft sittlich liebe; religiös betrachtet sei Gawan im wohlgesicherten Besitz der gewohnheitsmäßigen Durchschnittsfrömmigkeit seiner Zeit, während Parzival durch Zweifel und Auflehnung gegen Gott hindurch

[12] E h r i s m a n n, Wpr. S. 672.
[13] B ö t t i c h e r, Hl S. 76; für das Folg. ebd. S. 78—80.

zu innerlich befestigter, sittlich vertiefter religiöser Erfahrung gelange.

Den Weg B ö t t i c h e r s weitergehend sucht K e f e r s t e i n das Verhältnis noch tiefer zu fassen. Gegen E h r i s m a n n betont er stark: in beiden Helden „verkörpern sich nicht antithetisch eine höfisch-weltliche und eine christliche Lebensform, sondern beide Helden sind Ausprägungen der einen und einzigen Lebensform des christlichen Ritters . . . Freilich sind es sehr verschiedene Ausprägungen."[14] Um diese zu bezeichnen, wählt Keferstein die Ausdrücke Heiliger („nicht in dem engen Sinn der katholischen Kirche") und Repräsentant. „Der Repräsentant bejaht die christliche Welt von der hellen und strahlenden Mitte her, in der er steht und von der aus er die Abgründe und Untergründe der christlichen Welt nur in nebelhafter Ferne sieht. Der Heilige aber bejaht die christliche Welt aus dem tiefen und klaren Wissen um diese Abgründe und Untergründe."[15] Das Verhältnis zwischen ihnen wird dahin bestimmt, daß zwar beide der christlichen Ritterwelt zugehören, daß aber Parzival um ihr innerstes und eigentlichstes Wesen ringt, während Gawan ihrer lichten und formenschönen Oberfläche zugewandt ist. Aber diese glänzende Oberfläche ist nur möglich, weil unter ihr jene substantielle Tiefe verborgen ist, um die Parzival ringt. Und auch Parzivals tieferer Kampf dient dazu, die ritterliche Formenwelt vom christlichen Gewissen her zu bestätigen, so wie auch das dunkle und in Sünde verstrickte Ringen des großen Heiligen in stellvertretendem Leiden und in stellvertretender Schuld der jeweiligen christlichen Lebensordnung positiv dient.

Abgesehen davon, daß die Bestimmung des „Heiligen", der ungescheut mit dem Begriff der „notwendigen Schuld" belastet wird, als willkürliche und darum Verwirrung stiftende Veränderung eines eindeutig festliegenden Wortsinnes abgelehnt werden muß, ist es auch im übrigen schwer, dieser gewiß nicht seichten Interpretation sich anzuschließen. Richtig ist an ihr, daß beide Koryphäen Teilhaber an derselben höfisch-ritterlichen Welt als Ganzem und nicht nur an graduell unterschiedenen Wertgebieten derselben sind; sie berücksichtigt aber zu wenig den offenkundi-

---

[14] K e f e r s t e i n, Gawandhdlg S. 261.   [15] Ebd. S. 262.

gen Wertunterschied, der zwischen ihnen aufgelassen ist. Wir müssen näher zusehen.

Unverkennbar sind mehrere Distanzierungen zwischen Parzival und Gawan, z. B. im Verhalten zu Orgeluse (für Parzival 618, 21—619, 24 u. 697, 16—24) und zu den Frauen überhaupt, zu Schastelmarveil, das von Parzival überhaupt nicht erblickt wird (559, 20—26); anderseits, während Parzival in wirklicher Schuld auf Munsalväsche versagt hat, war Gawan nur durch ein Mißverständnis in den Schein der Schuld geraten (503, 16—18); bis in die umgebende Landschaft hinein spiegelt Wolfram ihre Unterschiede, wie N a u m a n n schön ausführt[16]. Und diese Distanzierungen gehen auf die durch beide vertretenen Kreise über. Der Dichter stellt sie, ohne viel dazu zu sagen, nebeneinander und läßt sie nebeneinander wirken. Man wird Parzival unbedingt gegen den Hintergrund des Artusrittertums betrachten müssen, erst dann gewinnt man einen Maßstab dafür, was seine Erscheinung in der ritterlichen Welt überhaupt bedeutet. H a r t m a n n v o n A u e hatte die Artusepik in Deutschland eingeführt und in sie die Normen und Ideale alles Rittertums hineingedichtet[17]. Wolfram erinnert sich ausdrücklich, daß es die Welt Hartmanns ist, in die er seinen Helden zunächst bringt, wenn er ihn an den Artushof führt (143, 21 ff); er kommt ja nicht daran vorbei, ihn dort einzuführen, weil dies nun einmal die gültige dichterische Verkörperung des Rittertums war, die von dem Eschenbacher selbst in keiner Weise angezweifelt, sondern voll anerkannt ist[18]. Jedoch verraten die gelegentlichen Wortgeplänkel, die die Grenze des Scherzhaften doch recht merklich berühren, daß unser Dichter noch nicht zufrieden war mit Hartmann. Indem er Gawan und die Artussphäre in sein Epos aufnimmt, der Vorlage entsprechend, tut er es nicht, ohne merken zu lassen, was noch vertieft werden kann und muß. Hartmann persönlich wird zwar gezaust, jedoch die schöne edle

---

[16] N a u m a n n, St. Ritter S. 70.

[17] Über Hartmann s. E h r i s m a n n, LG S. 141 ff, wo auch die nötige Literatur. Noch N a u m a n n, Hartmanns Erek und Iwein (=Höf. Epik Band 3 in der Sammlung „Deutsche Literatur"), Einführung, S. 5 f, mit kurzer Bibliogr. S. 23.

[18] Über W als Vollender Hartmannscher Ansätze auch geistig s. die kurzen und energischen Sätze S c h w i e t e r i n g s (üb. Schneider S. 39).

und geistige Form, die von ihm dem Rittertum verliehen worden war, wird übernommen, um in ihrem Positiven anerkannt und in ihren Mängeln überboten zu werden.

Also muß Freundschaft, und nur Freundschaft bestehen zwischen den beiden Koryphäen und ihren Kreisen; denn Gawans Ideale sind durchaus für Parzival verbindlich, es sind überhaupt dessen Werte, keiner fehlt, auch nicht die Religion; nur jene Tiefe, die die echte Synthese ermöglicht, ist nicht da; es scheint kein Zufall zu sein, daß in dem Epos keinem Vertreter des Artusbereiches eine originär geprägte Formel für die Synthese in den Mund gelegt wird. Im Weltlichen, nämlich vor allem der Minne, die viel unverhaltener sinnlichen Charakter zeigt, wie im Religiösen, das ohne Konflikt, ohne Sünde und ohne Reue bleibt, ist Gawan flacher als Parzival, wofür er freilich gewandter und selbstsicherer auftreten kann. Gewiß, auch bei dem zu Gott zurückgekehrten Parzival ragt, wie wir gesehen haben, die Frömmigkeit fast nur im Rahmen und in den Formen des durch die Konvention Erlaubten bis in den Bereich der sichtbaren Äußerungen hinein, jedoch bei Gawan bleibt es u n k l a r , wie tief und vor allem wie fest die Frömmigkeit gegründet ist. Diese Unklarheit ist eigentlich alles: um ihretwillen kann Gawan nicht für die Gestaltung der Synthese in Frage kommen, — während allerdings seine ungerügte Einbeziehung in den Roman wie eine ins Soziologische übergreifende Erbreiterung der Parzivalschen Synthese wirkt. Aber diese Unklarheit ist keineswegs Grund, ihn zu verurteilen. In seinem Bild hat Wolfram das Ideal vieler Ritter seiner Zeit geformt; der Dichter, der sie alle liebt, verbindet sie in Freundschaft mit dem höheren Ideal, mit Parzival — in feiner Psychologie, denn jede Überheblichkeit hätte den Weg zu ihm nur versperrt.

Hiermit kommen wir zu einem weiteren Gedanken, der pädagogischen Absicht unseres Dichters, dieses Erziehers des Rittertums. Seinen Parzival konnte er wohl aus dem puren Nichts des Waldlebens kommen lassen, um das ritterliche Ideal von unten her aufzubauen; da aber die Ritterwelt, die das Epos lesen würde, bereits in einer geprägten Kultur von nicht geringem Range lebte, eben der Artusritterlichkeit, wirkt deren Aufnahme in die Dichtung wie eine Vermittlung, ein Weg vom Ritter des

13. Jahrhunderts zur Parzivalschen Höhe hin; sie ist in gewisser Weise eine Brücke zwischen Ideal und Wirklichkeit, als solche fast handgreiflich in dem Nachruf Trevrizents auf Ither (475, 27 ff). Nichts scheint verkehrter, als daß man Gawans Geschichte und die Artussphäre nur der Kurzweil halber einbezogen glaubt; wie das ganze Gedicht (1, 1—4, 22, bes. deutlich 2, 8. 17 ff. 25; 3, 25 f) dient auch diese Erweiterung hoher ritterlicher Erziehung; wohl ist ein Unterschied des Grades da, aber der Sinn dieser eigenartigen Komposition erschöpft sich weder darin, daß die Stufen eines graduellen Systems bloß geschildert werden sollten, noch darin, daß ihnen allenfalls im Rahmen ihrer relativen Abgegrenztheit ein erzieherischer Anspruch zugebilligt würde. Stufen sind schließlich da, daß man über sie zur Höhe emporsteige, und mit einem r e i n s t a t i s c h aufgefaßten Stufenbau von Welt und Gesellschaft begnügte sich das Mittelalter keineswegs, schon gar nicht das rastlos nach höheren Zielen strebende Rittertum. Gawan ist nicht nur Stufe u n t e r, sondern eben dadurch auch Vorstufe z u Parzival. Denn es bleibt dabei, daß Parzival, trotz 338, 5 f, *des maeres hêrre* (ebd. 7; auch 140, 13) und sein *rehter stam* (678, 30) ist, schon lange vor seiner Geburt als höchste Zier des Rittertums gefeiert (4, 12—26, bes. 19. 24) und alsbald nach ihr mit dem freudigsten Jubel begrüßt als *des maeres sachewalte* (112, 9—12. 17), am Ziel allein noch den Augen sichtbar und Gawan mit seiner ganzen Sphäre wortlos hinter sich zurücklassend.

Sachlich ausgedrückt ist es also mildern und vermitteln zugleich, kontrastieren und ergänzen, was die Gawanhandlung leistet, die sich ästhetisch gewertet als Rahmen, Hintergrund und Vorhang für die Parzivalhandlung gibt, während sie, was auch nicht übersehen werden darf, romantechnisch im Großen der Gesamtkomposition die Funktion des Wolframschen Humors ausübt, der, ohne auflösend oder zersetzend zu wirken, doch stets lösend und herzhaft erfrischend zur Stelle ist, wo feierlicher Ernst in die Nähe bestimmter Grenzen des Ertragbaren gerät.

Mit diesen Ausführungen sind wir an die Frage der Einzigkeit Parzivals gekommen, die neuestens in die Diskussion geworfen wurde[19]. Wir erblicken sie nicht darin, daß er allein

---

[19] K n o r r in seinen verschiedenen Aufsätzen.

zur höchsten Würde und zum höchsten Amte in der Christenheit berufen ist und darum nur für einen Einzigen, den Kaiser des gesamten Reiches, Vorbild sein kann, sondern umgekehrt darin, daß er allein das letzte und höchste Vorbild allen Rittertums ist. Wie der Kaiser an der Spitze des Reiches ein Parzival sein müßte, soll und kann ein jeder Ritter, der nur aufrichtig zu erfahren bemüht ist, *welher stiure disiu maere gernt und waz si guoter lêre wernt* (2, 7 f), den Gral erringen und in seinem Bereich dessen Segnungen erfahren und vermitteln. Wird denn nicht tatsächlich selbst Gawan auf die Gralsuche geschickt (428, 24—26), und reitet er nicht allen Ernstes aus so wie es notwendig ist, *al ein gein wunders nôt* (432, 30)? Das ist gewiß etwas anderes als ein purer Scherz, den sich der Dichter mit diesem edlen Ritter erlaubt, so schalkhaft es zweifellos wirkt. Und dementsprechend müssen die Schlußverse des großen Werkes, die seinen Grundgehalt zusammenfassen, ganz allgemein gehalten sein: *s w e s lebn sich sô verendet* — w e r i m m e r so sein Leben zu Ende führt . . .

Jedem ist in Parzival ein höchstes Ideal vor die Augen gerückt, wer nur bereit ist, aus Wolframs Dichtung zu lernen. Jedem — natürlich der ein Ritter ist. Denn die Bemühung dieses ritterlichen Dichters, der sein Werk nicht als literarische Leistung, sondern als ritterliche Tat gewertet wissen will (115, 11— 116, 4), gilt selbstverständlich nur dem Rittertum; mit einer Exklusivität, die trotz des abschätzigen Urteils über nicht ritterliche Menschen doch mit modernen sozialen Gegensätzen nicht verglichen werden kann. Denn diese Exklusivität darf sich darauf berufen, daß von einer andern Seite bisher noch gar kein Anspruch erhoben wird, die Aufgabe einer weltlichen Kultur im vollen Umfang in die Hand zu nehmen, und daß anderseits das Rittertum selbst von einer weitgreifenden soziologischen Breite war, sich spannte vom „guten kleinen deutschen Ritter"[20] bis empor zum Kaiser des römischen Reiches, in der Sprache unseres Romans von Plippalinot etwa bis Parzival. Auch die Behand-

---

[20] Anlehnend an N a u m a n n, Der Hardegger S. 11 (in Festgabe für Fr. S c h u l t z: Beiträge z. Geistes- u. Kulturgesch. d. Oberrheinlande, Schriften d. wissensch. Inst. der Elsaß-Lothringer im Reich a. d. Univ. Frankfurt, NF Bd. 18).

lung des sogenannten Gralgeschlechtes (333, 30; 455, 2—22) ist
nicht darauf angetan, Parzival auch innerhalb des Rittertums
als jenen unnahbar Einzigen erscheinen zu lassen, denn *sîn hôch
geslehte* (827, 15) ist durch seine zahllosen Bluts-, Schwäger-
schafts-, Freundschaftsverbindungen zu dem unendlich großen
Sippengefüge ausgeweitet, das den Roman ausfüllt, das an der
biologischen Grundlage des adligen Rittertums streng festhält,
aber im übrigen, mehr *volc* als Geschlecht (455, 6), die ganze
abendländisch christliche Ritterschaft in dem Kunstwerk vertritt.
Denn um seiner vorbildhaften Funktion willen soll Parzival
nicht einem esoterisch abgeschlossenen Rittergeschlecht angehören: im Zentrum der Dichtung stehend, steht er auch in der Mitte
der Genealogien, er vereinigt in sich das Blut des Artus- und des
Amfortaskreises und schließt so die ganze Breite des Rittertums
in sich zusammen.

2. Das Symbol

Der erste Abschnitt dieses Kapitels hatte im Grunde den
Gral schon unmittelbarer im Auge als das Gralrittertum; indem
wir aber nun fragen, wie der Gral die ihm angedichtete Symbolik, als Synthese Ziel des höchsten ritterlichen Strebens zu
sein, erfüllt, dringen wir damit geradenwegs in sein Wesen ein
— das innerhalb unserer Dichtung nicht so dunkel sein kann
wie die noch immer nicht restlos aufgehellte Geschichte seines
literarischen Werdegangs und Bedeutungswandels. Der Grál
muß in Wolframs Kunstwerk eine aus und in diesem selbst ver-
stehbare künstlerische Funktion haben, und diese allein ist es,
worauf es uns hier ankommt, mag sie der Dichter dem Symbol
in schöpferischer Ursprünglichkeit erstmalig verliehen oder aus
seiner Vorlage mit übernommen und für seine Neuschöpfung
nur neu bestätigt haben.

Motivgeschichtliche Quellenstudien fördern nicht ohne weiteres die funktionale Wesenserkenntnis eines literarischen Motivs[21]; nur soweit sie zu erkennen geben, wie der Dichter mit
dem ihm vorliegenden Material umgegangen ist und seine umformende Arbeit ersehen lassen, können sie zur Verdeutlichung

---

[21] Vgl. Wilh. S c h n e i d e r s nicht unberechtigte Warnung vor den
Literaturwissenschaftlern! (Ehrfurcht vor dem deutschen Wort², 1939).

derselben Wichtiges beitragen. Deshalb ist für unsere Zwecke
wohl danach zu fragen, woher Wolframs gegenüber der Kristianschen so stark veränderte Gralvorstellung stammt, während die
Geschichte der Gralsage an sich samt allen um sie gruppierten
Problemen (der Name Gral z. B.) außerhalb unseres Blickpunk-
tes liegt. Auch Motive der Sage, die in religiösen Ursprüngen
wurzeln, ohne daß dies indes unserm deutschen Dichter bekannt
gewesen und von ihm verwertet worden wäre, sodaß dieselben
bei ihm rein erzählerisch fungieren, bleiben außer Betracht. Ein
Beispiel möge das Gemeinte erläutern: der angelnde Fischer-
könig, den Parzival am See Brumbane trifft (225) geht wohl auf
die hellenistischen und altchristlichen Mysterienmotive um den
Ichthys und Halieus zurück; sie sind in die Graldichtung gelangt
und haben sich bis auf Wolfram erhalten, werden aber von
diesem in ihrem ursprünglichen Wesen weder verwertet noch
überhaupt erkannt, wie die Begründung der Fischertätigkeit
durch Trevrizent (491, 7 f) sicherstellt[22]. Solche Züge sind für
die Frömmigkeit in der Parzivaldichtung belanglos. Die Gestalt
der Sigune hingegen, die von Wolfram mit Elementen aus der
Heiligenlegende ausgestattet wurde[23], werden wir zu beachten
haben.

a) Die W e b e r sche These

Zuletzt wurde die Frage nach der Herkunft des Grales mit
durchdringendem Scharfsinn und in einer alle vorausgehende
Forschung kritisch sichtenden Weise von Gottfried W e b e r
behandelt[24]. Es genügt darum, zu seinen Untersuchungen und
Ergebnissen hier Stellung zu nehmen, soweit unser Thema von
ihm berührt wird.

W e b e r behauptet, „daß der Gral bei Wolfram trotz einiger christlichen Einschläge doch kein eigentlich christliches Heiligtum ist"; dies werde auch von B u r d a c h, sonst am meisten
geneigt, den christlichen Charakter der Gralsage zu betonen,

---

[22] S c h w i e t e r i n g, Fischer. Wie weit das Motiv in der franz. Graldichtung noch lebendig ist (G o l t h e r, Pz/Gr S. 17 f bestreitet es), kann
ich nicht beurteilen.
[23] S c h w i e t e r i n g, Sigune.
[24] W e b e r, Wolfram Kap. 1 Abschn. 4 (u. 5), S. 53 ff (u. 89 ff).

nicht bestritten[24a]; H e i n z e l bemerke mit Recht, daß alle christlichen Vorstellungen nicht ausreichen, sämtliche Gralelemente, selbst bei den weit christlicher eingestellten französischen Graldichtern zu erklären[25]. Diese Annahme scheint ihm so sicher, daß er sie ausdrücklich zur methodischen Arbeitsgrundlage seiner ganzen einschlägigen Forschungen[26] macht. Neben Wolframs eigenen Angaben ist der für ihn anscheinend entscheidende sachliche Grund die allein bei Wolfram sich findende „Steinform des Grals und seine Bezeichnung als *lapsit exillis* (lapis elixir)"[27]: „am unglaubhaftesten dünkt, daß der christliche Heilskelch nachträglich in einen nichtchristlichen Stein umgebildet worden sei."[28]

Neben dem Gral s t e i n mit seinem alchemistischen Namen sind es dann „weiterhin die Bemerkungen über den Phönix, über Flegetanis aus Salomos Geschlecht, seine Offenbarung aus den Sternen, die Engel als erste Gralhüter, das Strahlende des Grals, die Eigenschaft des Lebensverlängernden, die des Speisespendenden, die Inschriften auf dem Gral, die Vorherbestimmung der Gralhüter, die Forderung der Reinheit und Demut, das Motiv, daß der Gral nur unbewußt gefunden werden kann, endlich die Dialogform (Trevrizent—Parzival)"[29], welche W e b e r als nicht spezifisch christliche Elemente herausstellt und auf arabische Vorstellungen zurückzuführen sucht. Er beläßt als christlich nur die folgenden Züge: die Berufung der Christenheit, und zwar eines besonderen Gralgeschlechtes zu Hütern des Symbols, während die ungetauften Heiden niemals zu seiner vollen Erkenntnis gelangen, insonderheit ihn nicht zu sehen vermögen; die als *templeisen* [= Tempelherren, Templer; franz. *templiers*] bezeichneten Ritter, die der Gralkönig als Helfer um sich sammelt; schließlich die alljährlich am Karfreitag durch eine Taube vom Himmel gebrachte Oblate, von der der Gral seine speisespendende Kraft habe, samt der blutenden Lanze und der feierlichen Gralprozession[30]).

[24a] Vgl. indessen die Entgegnung hierauf bei B u r d a c h, Gral S. 538.
[25] Ebd. S. 54.
[26] Ebd. S. 55: „Aus diesen Gründen schalte ich daher zunächst die eigentlich christlichen Elemente in Wolframs Mitteilungen aus."
[27] Ebd. S. 120.   [28] Ebd. S. 55 Anm. 67.   [29] Ebd.
[30] Ergibt sich aus dem Vergleich der beiden Listen auf ebd. S. 54 u. 55.

Nun werden wir gewiß durch diese letztgenannten Beweis-
stücke in die Nähe der Eucharistie, also des Zentralmysteriums
des christlichen Kultes, versetzt, und von ihm aus hatte man
vielfach, unter dem Einfluß einer romantischen Literaturbetrachtung, geglaubt, das ganze Gralmotiv verstehen und deuten zu
dürfen; es läßt sich nicht leugnen, daß unter diesem Blickpunkt
auch viele der von Weber als nicht spezifisch christlich bezeichneten Elemente unmittelbar verständlich sind, z. B. das Speisespendende und Lebenerhaltende, das Strahlende, die Forderung
von Reinheit und Demut, die Engel; des weiteren hat im christlichen Denken auch Salomon als Vorfahr und Typ des Erlösers
eine große Bedeutung, die Idee der Vorherbestimmung soll nach
W e b e r s eigener Darstellung erst vom Christentum her in die
arabische Alchemie eingedrungen sein[31], und auch der Phönix
ist nicht ganz unbekannt in der christlichen Symbolik[32]. Doch
wenn man selbst noch das Unbewußt-Finden als einen märchen-
stilistischen, nicht spezifisch heidnisch-arabischen Zug und die
Dialogform überhaupt nur als eine erzähltechnische Angelegenheit betrachtet, so bleiben trotzdem noch immer einige anscheinend „heidnische" Elemente, der Name Flegetanis und seine
Sternvision, die Steinnatur des Grals und sein vorgeblicher
Name, sowie auch die ausdrückliche Versicherung Wolframs[33],
und diesen Rest heidnischer Vorstellungen können auch B u r -
d a c h s interessante Bemühungen, die Gralgeschichte vor allem
wegen der blutenden Lanze und der feierlichen Prozession (ganz
abgesehen von dem Abendmahlskelch der französischen Graldichtung und der Hereinbeziehung des Josef von Arimathäa)
in der christlichen Welt, im besonderen der byzantinischen Meßliturgie zu verwurzeln[34], nicht eliminieren. Und da Wolfram

---

[31] Ebd. S. 81.
[32] J. S a u e r in LfThK Bd. 8, 1936, Sp. 251 f. S. auch M. S c h u s t e r,
Der Phönix und der Phönixmythos in der Dichtung des Laktantius in Com-
mentationes Vindobonenses 2 (1936) S. 55—70, sowie jetzt bes. B u r d a c h,
Gral, S. 550—556.
[33] Wolframs Bericht in 453 u. 454.
[34] B u r d a c h, Vorsp. S. 161 ff und 165 ff; eine Darlegung, wie wir
uns die Abhängigkeit Wolframs von den vorausgehenden angeblichen Ent-
wicklungsphasen der Gralidee, beispielsweise gerade von der byzantinischen
Liturgie, vorzustellen haben, wird leider auch in B u r d a c h s großem Gral-

ohnehin dem Motiv des Heidentums ein höchst positives Interesse entgegenbrachte, so mochte es wohl annehmbar erscheinen, daß er, auf eine Sonderquelle (Kyot) gestützt, die ursprünglich heidnische Herkunft des Grals wieder in ihr Recht eingesetzt hätte.

So scheint nicht viel daran gelegen, ob die straff geführten und reich dokumentierten Argumentationen W e b e r s bis in jede kleine Einzelheit stimmen; die aus der Quellenlage sich ergebenden Beweislücken waren so gut wie nur irgend möglich geschlossen. Übrigens steht dieser Forscher, wo es sich um das künstlerisch-funktionale Verständnis handelt, nicht an, im Gral „ein spezifisch christliches Heiligtum"[35] zu erblicken; in seiner Graldichtung unternehme Wolfram es, „in dichterischer Schau die gewaltigste Aufgabe der Zeit ihrer positiven Lösung entgegenzuläutern: die Zurückführung des in den Grundfesten erzitternden Hochmittelalters zum Primat des Religiösen, und, da der Stifter der christlichen Religiosität in den Mittelpunkt gestellt wird, zu einem mittelalterlichen ‚omnia instaurare in Christo'"[36].

Indes, die Beweislücken sind da, und sie sind natürlich für den strengen Wahrheitsbegriff der Wissenschaft lästig. Sie betreffen in erster Linie den als Beleg leider noch immer einfach ausfallenden Kyot, und diesen Mangel vermag keine noch so geniale Rekonstruktion zu ersetzen, solange sie nicht nachprüfbar ist. Über ihn „müssen" eben jene erwähnten heidnischen Elemente zu Wolfram gelangt sein, die von W e b e r zu einer einheitlichen mystisch-alchemistischen Vorstellungsgruppe zusammengefaßt werden. Kyot soll gegenüber dem Kristianschen Werk vor allem zweierlei geleistet haben, eine E r g ä n z u n g der sehr mageren und blassen Gralschilderung, für die er Anregungen aus einer bereits bestehenden christlichen Umbildung der Gralgeschichte (dem französischen Urgral) benützte, vor allem aber eine B e r i c h t i g u n g durch die „Erhaltung der Steinform des Grals und der sich um diese gruppierenden Elemente" aus einer arabisch-gnostisch-alchemistischen Erzählung

---

buch nicht gegeben. Wohl geht auch er den heidnisch-arabischen Wurzeln der Mythe nach, s. seinen Index.

[35] W e b e r , Gottesbegr. S. 22.   [36] Ebd. S. 21.

vom „lapis elixir"[37]. Für eine Reihe dieser Elemente ist es W e b e r gelungen, mehr oder weniger zutreffende Entsprechungen in der alchemistisch-mystischen Literatur zu finden, nämlich die Verbindung des lapis philosophorum mit Astrologie, Medizin, Angelo- oder Dämonologie, ferner die Rolle des Salomo, die Forderung körperlicher und seelischer Reinheit und auch die Vorherbestimmung. Wir stellen allerdings fest, daß diese Elemente nicht originäre Alchemie sind, sondern Ansetzungen aus anderen Gebieten; nur mit der Astrologie sind die Beziehungen enger, wie schon aus der Namengleichheit der Planeten mit den Hauptmetallen hervorgeht, doch beschränkt sich Wolfram gerade in diesem Punkt auf die Angabe, Flegetanis besitze seine Kenntnisse vom Gral aus den Sternen. Für die meisten übrigen Stücke kann er nicht einmal dürftige Ansätze belegen, nämlich für das Unbewußt-Finden, die Einwirkung des Steines auf den Phönix, das Strahlend-Leuchtende, die Inschriften, das Speisespenden; bei all diesen im Gralbericht Wolframs doch recht erheblichen Zügen begnügt er sich mit z. T. äußerst unbestimmten Allgemeinheiten[38].

Am wenigsten befriedigt ist man, wenn man liest, daß der Schritt von der nur schwer und unter besonderen Bedingungen glückenden H e r s t e l l u n g des Wundersteins der Alchemisten (die sich in der gesamten, d. h. nach einer von W e b e r für besonders wichtig gehaltenen Unterscheidung sowohl in der technisch praktischen wie auch in der mystisch theoretischen Alchemistenliteratur findet) zu der bei Wolfram (und der gesamten Graldichtung) berichteten, nur *unwizzende* möglichen A u f f i n d u n g „ein verschwindend geringer" gewesen sein soll, „der sich beim Übergang in die Dichtung (natürlich nicht erst Wolframs, fügt W e b e r noch hinzu!) gewissermaßen von selbst ergeben haben mag"[39]. Für diesen Übergang ermangeln wir nicht nur jedweden Zwischengliedes — das Zitat aus der Einleitung des Morienus, daß „das alchemistische Mysterium niemals mit Gewalt oder durch Zorn gewonnen werden könne, sondern nur durch geduldige Demut", kann in keiner Weise als solches gelten — sondern mit ihm geht auch rundweg alles von Alchemie ver-

---

[37] W e b e r, Wolfram S. 142.
[38] Vgl. in erster Linie ebd. S. 82—84.   [39] Ebd. S. 82.

loren — von der wir tatsächlich im Parzival nichts haben als den vorgeblichen Namen des Steines „lapis elixir", der aber bekanntlich in der Wolframschen Dichtung nicht einmal so lautet, sondern *lapsit exillis* (bzw. *exillix, erillis*, vgl. den Apparat zu 469, 7), sowie die Steinnatur; diese letztere jedoch wieder nur in Verbindung mit dem Namen, denn es gibt im Mittelalter auch reichlich viel ganz alchemiefreie Steinmystik[40]; sämtliche andern Züge sind nicht spezifisch alchemistisch, sodaß die W e - b e r sche Konstruktion letzten Endes ganz an dem Namen *lapsit exillis*, vielmehr an seiner Deutung als lapis elixir hängt.

Nun hat es aber auch mit diesem berichtigten Namen noch eine besondere, nämlich rein historische Bewandtnis. Wie ist Wolfram an ihn gekommen? Natürlich auch durch Kyot. Daß dieser ihn hinwieder nicht selbst gebildet, sondern in der alten „aus der Alchemie und der Gnosis erwachsenen religiös-synkretistischen Sage um den lapis elixir" vorgefunden habe, sagt W e - b e r ausdrücklich[41]; es besteht auch kaum eine andere Möglichkeit, da Kyot selbst der ursprünglich alchemistische Charakter des Grals bereits unbekannt gewesen sein muß, sonst hätte er natürlich mit der Steinform auch das Motiv der Herstellung bewahrt. Demgegenüber aber zeigt der Forscher selbst, „daß die Verbindung ‚lapis elixir‘ eine Tautologie darstellt und keinen rechten Sinn hat", daß sie dementsprechend in der technisch-praktischen Alchemie niemals vorkommt, solange diese überhaupt noch als Alchemie erkennbar ist"[42], womit, unbemerkt?, zugegeben wird, daß im Parzival außer diesem Namen nichts mehr von Alchemie erkennbar wäre. Und dazu paßt recht gut, daß sich der früheste Beleg für diesen Ausdruck (außer in der problematischen Lautform unserer Parzivalstelle) erst ein halbes Jahrhundert nach Parzival nachweisen läßt, nämlich im Speculum naturale des Vincentius Bellovacensis, wo er sich zudem als eine originale Bildung dieses Autors erweist[43]. Bei die-

---

[40] Durch die Edelsteinkataloge der Hl. Schrift, bes. der Geh. Offb. veranlaßt; auch in der naturwissenschaftlichen Steinkunde des Mittelalters zB bei M a r b o d v. Rennes, Lapidarius, und bei H i l d e g a r d von Bingen, Physica, Liber IV, ist keine Alchemie (vgl. C r e u t z in Studien u. Mitteilungen z. Gesch. des Benediktinerordens 49 [1931] S. 291 ff).

[41] AaO S. 88; vgl. die Kyotrekonstruktion S. 144.

[42] Ebd. S. 70.   [43] Ebd. S. auch B u r d a c h, Gral S. 540 f.

ser Lage der Dinge ist es wahrlich ein schlechter Trost, wenn
W e b e r seine Beweisführung mit dem Satz abschließen muß:
„Auf eine ähnliche Art mag auch bei den Arabern zuerst der
Begriff ‚lapis elixir' gebildet worden sein."[44]

Der Beweisgang, der auf den Beobachtungen und Arbeiten
von B u r d a c h[45], K a m p e r s[46] und P a l g e n[47] fußt und sie
kritisch vollendet, enthält also im Ganzen noch so viele Schwächen, daß man ernsthaft nach weiteren Erklärungsmöglichkeiten
Ausschau halten muß.

b) Der neue Vorschlag

Alle Graldichtung, eingeschlossen zum mindesten durch das
Tauben-Oblatenmotiv auch diejenige Wolframs, bringt den Gral
in unmittelbare Nähe zur hl. Eucharistie. Einzig unser deutscher
Dichter ersetzt dabei den christlichen Heilskelch durch den anscheinend nicht christlichen, sondern heidnisch arabischen, und
zwar alchemistischen Stein.

Es ist nun gewiß höchst überraschend, wenn man auf der
Suche nach einer Erklärung für das Wolframsche Gralsymbol
auf einen Typ eucharistischer Legenden des Mittelalters stößt,
in dem das Steinmotiv eine sehr bedeutende Rolle spielt. Diese
Legenden sind in der Studie „Pie Jesu. Das Schmerzensmannbild
und sein Einfluß auf die mittelalterliche Frömmigkeit" von R.
B a u e r r e i ß behandelt[48]. Es ist eine Legendengruppe, die in
der Volkstradition mit sogenannten Hostienkirchen in Verbindung gebracht werden, d. h. mit wirklichen, in der überwiegen-
den Mehrzahl heute noch bestehenden Kirchen, die über der
Stelle eines eucharistischen Wunders errichtet sein sollen. Bei
B a u e r r e i ß findet sich folgende Zusammenstellung über das
Steinmotiv in ihnen: „Die Frevler lassen die Hostien mit den
Wunderzeichen nicht einfach liegen und fliehen erschreckt, wie
zu erwarten wäre; dem Frevel folgt vielmehr fast immer ein
umständliches ‚Verbergen' oder ‚Vergraben' der Hostie. Dabei
benützen sie meist einen S t e i n. In L a u d a wird ausdrücklich
bemerkt, daß die Hostie auf dem Mist u n t e r e i n e m S t e i n

---

[44] Ebd. S. 71.   [45] S. Note 34 zu S. 125.
[46] K a m p e r s, Lichtland; ders., Gnostisches.
[47] P a l g e n, Stein.
[48] Ersch. 1931. Im folg. zitiert mit B a u e r r e i ß.

verborgen wird; in St. Salvator bei Donaustauf wird die Hostie gerade auf einem G r o ß e n S t e i n gefunden; in Zlabing ganz unmotiviert unter einem S t e i n h a u f e n; in Wolfsberg schwammen drei Hostien d u r c h e i n e n S t e i n (Judenstein); in Benningen war die Hostie unter einem M ü h l s t e i n; in Walldürn unter einem S t e i n an der Altarmensa, der eigens entfernt wird; in Bologna tropfte das Blut auf eine S t e i n - p l a t t e; in Wörth bei Kelheim seien Blut und Öl aus einem S t e i n geflossen; in Sonntagsberg ist noch der S t e i n mit dem Brot erhalten. Geradezu unverständlich ist der in der Legende oft hervorgehobene Umstand, daß die Frevler die Hostie meist auf einen s t e i n e r n e n T i s c h (marmornen) warfen. Die Tischplatte wird oft noch aufbewahrt (Passau, Sternberg). Leider sind wohl manchmal einzelne Sagenteile verloren gegangen und lassen nicht überall das a n s c h e i n e n d w e s e n t l i c h e (diese Sperrung einzig nicht von Bauerreiß) Motiv des Steines erkennen."[49] B a u e r r e i ß hat in der zitierten Stelle nur die frappanteren Beispiele seines Materials zusammengefaßt. Er hätte noch hinweisen können auf Kleve, wo die blutende Hostie in den Altar (=Stein) eingemauert wird[50], ferner auf die Heiligblutkapelle im Dom zu Erfurt[51], auf Heiligenstatt (Oberdonau[52]), Heiligstatt in Murau[53], Korneuburg[54], Münzenberg[55], Georgenberg[56], auf Doraka[57] in Aragonien und Gaeta[58]; er hätte bei einigen weiteren seiner angegebenen Orte hinzufügen können, daß der Stein noch heute aufbewahrt wird (Zlabing[59], Bolsena[60], Gaeta[61]); es scheint auch nicht unbeachtlich, daß mancherorts eine bestimmte Vertiefung gerade durch eine Steinplatte verdeckt ist (Erding[62]; in Pulkau ist es eine rote Marmorplatte[63]), oder daß die Grube sich im Steinpflaster befindet (Unserherrn in Oberbayern[64]). Bei Bettbrunn[65] ist die Beschreibung sehr schwer verständlich, aber das Steinmotiv scheint heute noch dreifach aufzutreten, in einem ganz aus dunkelgelbem Marmor ge-

---

[49] B a u e r r e i ß S. 89 f.
[50] Ebd. S. 66.   [51] Ebd. S. 55.   [52] Ebd. S. 69.
[53] Ebd. S. 71.   [54] Ebd. S. 69.   [55] Ebd. S. 56.
[56] Ebd. S. 67.   [57] Ebd. S. 78.   [58] Ebd. S. 73.
[59] Ebd. S. 78.   [60] Ebd. S. 78.   [61] Ebd. S. 28.
[62] Ebd. S. 70.   [63] Ebd. S. 35.   [64] Ebd. S. 43.
[65] Für das Folg. ist B a u e r r e i ß S. 84 frei benutzt.

fertigten Altar, in einem Steinfliese darunter und in dem erwähnten Jurafelsen.

Das überraschend oft, in vielen Fällen sachlich ganz unbegründete Auftreten eines Steins in Hostienlegenden, wobei dieser fast immer dazu dient, daß die Hostie auf ihn gelegt oder unter ihm verborgen wird, macht uns aufmerksam. Auch im Parzival wird die Hostie auf den Gralstein gelegt. Wir haben also Anlaß, diesen Hostienlegenden unsere Beachtung zu schenken, obschon B a u e r r e i ß auf diese Parallele nicht hingewiesen hat.

Die Natur des Legendenmaterials bringt es mit sich, daß man sie nur selten in der frühesten Form festlegen kann, meist nur in späten Aufzeichnungen; als Erzählgut des Volkes, dem keine literarische Fixierung feste Form gegeben hat, besitzt es eine äußerst variable Struktur, weit stärker noch als das Volkslied etwa, dem Rhythmus und Melodie eine begrenzte Festigkeit und Stetigkeit verleihen. Die Legende ist noch größeren Veränderungen unterworfen: hier gehen bestimmte Züge verloren, dort kommen aus lokalen Verhältnissen neue hinzu, es gibt Vermengungen verschiedener und Verdopplungen identischer Motive; gewisse Teile aus andern, ähnlichen oder auch andersartigen Legenden, aus Glaubensüberzeugungen oder auch mißverstandenen Glaubenssätzen, aus Geschichte, Sage, Märchen und Leben können sich hineinverweben. Die Behutsamkeit, mit der man infolgedessen an sie herantreten muß, darf auf der andern Seite aber auch ganz bedeutsame Wahrheitskriterien erwarten; wenn z. B. ein Motiv ganz unverbunden und zusammenhanglos, recht eigentlich unlogisch in einer Legende erzählt wird, dem aber eine genaue Parallele in einer andern Legendenform ähnlichen Typs entspricht, so wird es sich meist um altes Gut handeln, das sich durch die Zerstörungen und Verwitterungen hindurch ruinenhaft erhalten hat.

Unter Beachtung dieser Gedanken ergibt sich folgendes Grundschema der Hostienlegenden[65]. Eine Verunehrung der heiligen Hostie, die außerordentlich häufig durch ein „Martern", also Stechen mit Nadeln, Dornen, Dolchen u. dgl., Schlagen mit Ruten oder Hämmern, ferner Werfen in einen Ofen, in siedendes Wasser usw. geschieht, hat ein wunderbares Bluten derselben zur Folge. Nicht selten teilt sich das Bluten unabwaschbar auch andern Gegenständen mit. Darob wird die Wunderhostie zu verbergen gesucht, wobei das Steinmotiv seine Rolle spielt. (Man trifft auch die umgekehrte Anordnung, die Hostie fällt dem, der sie verunehrt, infolge plötzlichen Schwererwerdens zu Boden, versinkt möglichst in einer Grube, unter einem Stein, und wird später blutbefleckt oder in Blut bzw. blutiges Fleisch verwandelt wiedergefunden.) Dann folgt das Moment der Auffindung, wozu vor allem ein Leuchten, sei es der Hostie selbst, sei es benachbarter Gegenstände, manchmal das Licht brennender Kerzen führt, in einigen Fällen auch klagendes Singen, feine Musik. Nun wird das Heiligtum eingeholt, was fast stets in feierlicher, kirchlich-liturgischer Prozession vor sich geht, und zwar läßt es sich dabei oft nur von bestimmten Personen, dem Bischof oder höchstens dem Pfarrer, tragen, andere vermögen es nicht zu erheben.

Die Variationen der Legende sind sehr reich und phantasievoll; lokal bedingte Züge, die sich schon dadurch zu erkennen geben, daß sie nur vereinzelt vorkommen (hin und wieder wird z. B. die Auffindung der wunderbaren Hostie durch ein besonderes Verhalten von Tieren herbeigeführt), brauchen uns hier nicht zu interessieren.

B a u e r r e i ß hat nun in der eingehenden Bearbeitung seines Materials nachweisen können[66], daß die ganze Legende sich an einer im Mittelalter weit verbreiteten und sehr verehrten Darstellung des leidenden Herrn, der sog. Imago Pietatis oder dem Erbärmdechristus, entwickelt hat. Der typische Inhalt der Darstellung zeigt den Herrn im Zustand des Leidens, lebend (selbst im Sarkophag immer stehend oder wenigstens aufrecht sitzend), jedoch mit den Wundmalen und dem Ausdruck des Schmerzes, meist umgeben von den „arma Christi", den Leidenswerkzeugen; eine häufig zu treffende Erweiterung des Bildinhaltes ist die sog. Gregoriusmesse, in der Christus in der beschriebenen Gestalt dem Papst Gregor während der Meßfeier in der Heiligkreuzkirche zu Rom erscheint. In eben dieser Kirche, einer der berühmtesten und von den Pilgern meistbesuchten Roms, befand sich übrigens der abendländische Urtyp

---

[66] Für das Folg. ebd. S. 87—100.

des Pietasbildes[67]. Fügen wir noch hinzu, daß in dieser Kirche der feierliche päpstliche Karfreitagsgottesdienst begangen wurde[68], so haben wir schon fast alle Elemente beisammen, die zur Erklärung der Legende etwas beitragen können.

Wenn nämlich von heimgekehrten Pilgern eine Nachbildung der Pietas Christi in irgendeiner Kirche aufgestellt wurde, so brauchte sie nur Ziel einer Wallfahrt zu werden, daß irgend ein hinzutretender Umstand ihre legendenbildende Kraft auslösen konnte. Als legendenbildende Anlässe, die zugleich zur Aufstellung des Bildes und zur Entwicklung einer Wallfahrt führen konnten, kommen etwa in Frage: wirklich begangene Hostien- oder andere Kirchenfrevel, Hinrichtungen, Naturkatastrophen, auch altverehrte Kultstätten, eine schon vorhandene Heiligblutreliquie u. a. Die Legende stellt nichts anderes dar als eine Verquickung des durch das Bild gegebenen Leidensmotivs mit dem in der Eucharistie real gegenwärtig geglaubten Christus passus.

Nunmehr wird für einige an den betreffenden Kirchen haftenden Tatsachen der Wesenszusammenhang mit der Legende durchsichtig.

1. Zunächst[69] befindet sich in sehr vielen der fraglichen Kirchen, bzw. in der Nähe der Hostienfundstellen, das Bild des Schmerzensmannes, bald in Plastik, bald in Malerei, bald mehr dem Urtyp gleichend, bald in erweiterter Auffassung. Zuweilen wird das Bild mit in die Legende verwoben, meist aber erwähnt diese nichts von ihm; vielfach ist es an die Stelle der Hostie — soweit eine solche überhaupt vorhanden war, fügt B a u e r -

---

[67] Nach den Studien von M â l e , M i l l e t , E n d r e s u. B a u e r r e i ß. S. B a u e r r e i ß S. 3. Inzwischen hat A. T h o m a s das Bild in Santa Croce entdeckt; s. seinen Bericht „Das Urbild der Gregoriusmesse" in Rivista di archeologia cristiana 10 (1933) S. 51—70. Allerdings verdient das Alter des Bildes noch eine eingehende Untersuchung; T h o m a s hält es für älter als den Rahmen, den er um 1370 ansetzen kann, im übrigen spricht er sich nur ganz allgemein aus, „weil das Bild stilistisch besser ins Ende des 13. Jahrhunderts paßt, weil es stark eingezwängt erscheint und der Rahmen Spuren einer späteren, derben Nietenarbeit aufweist." AaO S. 55.

[68] Sicher seit dem 10. Jahrhundert. S. Joh. M a b i l l o n, Musaeum Italicum, II, Paris 1724, Comment. S. LXXIIs.

[69] B a u e r r e i ß S. 91 ff.

r e i ß bei — getreten und bildet nunmehr als Gnadenbild das
Ziel der Wallfahrt. Vielfach ist die Bildidee auch nur im
Kirchentitel erhalten: St. Salvator (den Salvator sah das Mittel-
alter vor allem als den Schmerzensmann) oder Sepulcrum Christi
= Grab- oder Gruftkirche.

2. Die Legenden haften stets an Wallfahrtskirchen[70] und
Kapellen, nur selten an einer Pfarrkirche, und wenn, so an
angebauten Nebenkapellen oder an Seitenaltären, fast nie am
Hauptaltar: das ist eine Erinnerung daran, daß die Heimat-
kirche des verehrten Bildes für die Rompilger eben eine Wallfahrtskirche war.

3. In nicht wenigen Fällen wird von der Legende auch die
kirchliche Jahreszeit[71] angegeben, in die das wunderbare Ereignis fällt; es ist hie und da ein Heiligenfest von lokalem Charakter oder sonst ein Termin aus dem Volkskalender, in der
Mehrzahl aber handelt es sich um die Osterzeit und mit Vorzug
entweder um den Tag der Osterkommunion oder die Tage des
Leidens, Gründonnerstag und Karfreitag. Der Gedanke an das
Leiden liegt auch noch darin, daß die an diesen Kirchen blühen-
den Wallfahrten etwa die Freitage der Osterzeit und ein sog.
Speerfest bevorzugen.

4. Das augenfälligste Symbol des Leidens, mit der Vorstellung an den Karfreitag wie mit dem Erbärmdebild aufs lebhafteste verbunden, ist natürlich das Blut, das dementsprechend
einen außerordentlich wichtigen Charakterzug des Komplexes
darstellt. Es tritt mitunter auch ohne Marterung der Hostie
auf[72], für die übrigens nach mittelalterlicher Mentalität gern
Juden als die Urheber des Kreuzestodes Christi verantwortlich
gemacht werden, oft überhaupt nicht an ihr, sondern mehr oder
weniger selbständig[73]; in nicht wenigen Fällen ist das Blutmotiv
nicht in der Legende vorhanden, sondern haftet an der Kirche,
die etwa den Titel „zum hl. Blut" führt oder eine Blutreliquie

---

[70] Ebd. S. 82.   [71] Ebd. S. 79 f.

[72] ZB in Elbach, Neukirchen, Hessenthal, Röttingen, Benningen, Knob-
lauch, Büren, Heiligenstatt (Oberdonau), Rupertsberg, Willisau.

[73] ZB Einsbach, Erding, Umratshausen, Heiligenblut (Mittelfranken),
St. Salvator (Mittelfranken), Burgwindheim, Lauda, Sternberg, Seefeld,
Heiligenblut (Niederdonau).

besitzt[74]. Solche Selbständigkeit ist entweder ein Anzeichen für die Wichtigkeit des Motivs überhaupt oder ein Hinweis darauf, daß irgendein früher vorhandenes Blutmoment (Hinrichtung, Todesfall, alte Blutreliquie) zur Aufstellung des Bildes mit dem blutvergießenden Heiland führte.

5. Wenn das Blutwunder sich am eucharistischen Wein vollzieht, vor oder nach der Konsekration, ist offenbar eine besonders augenfällige Verbindung mit der Eucharistie als der realen Memoria Passionis Ejus hergestellt. Der ganze Komplex ist ja mit Beziehungen zur Eucharistie durchsetzt: Hostie, Osterkommunion, die noch zu erwähnenden eucharistischen Prozessionen der deutschen Liturgie. B a u e r r e i ß möchte sogar dem Erbärmdebild selbst einen eucharistischen und sakrifikalen Charakter zuschreiben[75], den es vielleicht schon von seinem orientalischen Ursprung her habe; für das Abendland wird er mindestens insofern recht haben, als das Bild die Idee der Apparitio in der Gregorius m e s s e sowie die Erinnerung an die Karfreitagsliturgie in Santa Croce wachrief.

6. Nachdem einmal die Vorstellung des Karfreitags lebendig geworden war, wirkten selbstverständlich auch heimatliche Bräuche dieses Tages an der Ausgestaltung der Legende mit. Dies scheint zuzutreffen von dem Grab- und Steinmotiv, das es nach Ausweis der Ordines Romani in der römischen Liturgie nicht gibt, wohl aber schon früh in der deutschen. So spricht der zeitgenössische Biograph des hl. Bischofs Ulrich von Regensburg in dessen Vita von dem B r a u c h, die Eucharistie, die am K a r f r e i t a g übriggeblieben war, zu b e g r a b e n und mit einem S t e i n zu verschließen: s. Christi corpore . . . consuetudinario modo . . . sepulto; die parasceve corpus Christi superposito lapide collocavit[76]. Offenkundig will diese Zeremonie das Begräbnis Christi, von dem die Evangelien berichten, nachahmen, und hierbei ist der Stein der bekannte große Stein des Grabes. Jedoch tritt auch in dem Erbärmdebild die Grabkufe und der Stein häufig auf; der Zusammenhang ist noch nicht genügend geklärt, Bauerreiß meint, vielleicht nicht zu Unrecht, das Se-

---

[74] Besonders beachtlich Erding, s. B a u e r r e i ß S. 101.
[75] Ebd. S. 13 u. 94. Dagegen T h o m a s aaO S. 69.
[76] G e r h a r d u s, Vita S. Oudalrici, Mon. Germ. Script. IV S. 392.

pulcrum mache den wichtigsten Teil der arma Christi aus und der Stein sei nur das verzerrte Schlußbild in der Reihe verschiedener Auffassungen und Darstellungen der Grabkufe des Pietasbildes, deren erste der lithos erythros sein dürfte, auf dem der byzantinische Christus steht[77]. Daß der Stein in manchen Zweigen der Legende nur noch schwach daran erinnert, daß er ursprünglich zum symbolischen Begräbnis des Herrn diente[78], in einigen diese Funktion auch ganz umgewandelt erscheint, ist ebenso wenig überraschend, wie daß er in anderen Formen überhaupt verloren gegangen ist, wo die Hostie bloß vergraben wird, bzw. verschwindet (dann kommt neben dem Erdboden gern ein Baum oder Gesträuch in Frage); oft aber wird gerade der Stein in den Kirchen noch aufbewahrt und mit Ehrfurcht und Andacht betrachtet, oft besitzen die Kirchen in ihrer baulichen Anlage noch eine Nische, Gruft, Vertiefung oder dgl., darin die Wunderhostie gelegen haben soll, tragen zum wenigsten den Namen Grab- oder Gruftkirche, ohne irgendwelche geschichtliche oder bauliche Beziehung zur Jerusalemer Heiliggrabkirche.

7. In dem Motiv des Leuchtens, des Kerzenschimmers, der Lichterprozession haben wir zum Teil wohl Erinnerungen an die Gründonnerstags- und Karfreitagsprozessionen der deutschen Liturgie (die römische kennt derartiges nicht, sicher nicht vor der avignonesischen Zeit[79]), zum Teil auch an die Feierlichkeiten, mit denen die Aufstellung oder Einweihung eines Pietasbildes verbunden war.

8. Wenn dann der Zulauf zu einer Wallfahrtskirche das Ansehen oder auch die Einkünfte der zuständigen Pfarrkirche schädigte, sah sich wohl der Pfarrer veranlaßt, einzugreifen, evtl.

---

[77] B a u e r r e i ß S. 97 ff.

[78] Vielleicht käme auch noch der sog. Salbungsstein der östlichen Ikonographie in Frage; über ihn s. E. R e i n e r s - E r n s t, Das freudvolle Vesperbild und die Anfänge der Pietà-Vorstellung (=Abhandlungen der Bayerischen Benediktiner-Akademie Bd. 2), 1939, S. 27 ff.

[79] I. S c h u s t e r, Liber Sacramentorum Bd. 3, deutsch von Bauersfeld, 1929, S. 25. 222. 232. Die Mitführung der eucharistischen Gaben in der Papstprozession zur Stationskirche, von der der Ordo Rom. X spricht (M a b i l l o n aaO S. 102) ist etwas ganz anderes. Ebenso sparte der römische Karfreitagsgottesdienst mit Lichtern und Weihrauch (ebd. sine luminaribus et incenso).

das Bild zu übertragen, und in einem etwaigen Streitfall mußte sogar die Entscheidung des Bischofs angerufen werden: die Legende erzählt dann, die Hostie habe sich nur von dem Pfarrer bzw. Bischof tragen lassen, oder aber, sie habe sich überhaupt nicht von der Stelle tragen lassen[80].

Es ist ohne weiteres ersichtlich, daß in Wolframs Gralidee eine ganze Fülle von Berührungspunkten mit dieser Legende und ihren geschichtlichen Hintergründen vorliegt. Allerdings, wie sofort betont werden muß, in einer kräftigen Umstilisierung. Gewiß wäre die Behauptung unrichtig, Wolfram habe die eucharistische Legende, die sich am Schmerzensmannbild entwickelte, dichterisch gestalten wollen oder er habe einfachhin durch sie als Ganzes die Kristiansche Gralkonzeption ersetzt. Er hat nur, um die inhaltlich wie symbolisch dürftige Vorlage des Franzosen, die ihm aber das Strukturgerüst blieb, zu bereichern und zu vertiefen, ganz seiner Arbeitsweise entsprechend[81], neben anderen Quellen und Sagen weitgehend auch diese Legende benutzt, wie er es für sein Werk nötig hatte, d. h. mit der Behandlungsfreiheit, die sein dichterischer Genius sich gegenüber allen Quellen wahrte. Scheiden wir zunächst diejenigen Züge aus, die keinerlei Entsprechung in der Legende haben oder mit ihr im Zusammenhang stehen. Dies sind im Grunde nur drei: der Name *lapsit exillis*, die Erzählung vom Phönix, die Verbindung mit der Astrologie durch den Heiden Flegetanis. Alles andere läßt sich, bei selbstverständlicher Voraussetzung der Kristianschen Vorlage, aus der Legende erklären.

Zunächst ist das Erbärmdemotiv selbst, in der Legende Ursprung und Anlaß aller weiteren Ausschmückung, von Wolfram festgehalten, bzw. gegenüber Kristian vertieft, nämlich in der Gestalt des verwundeten und schwer leidenden Gralkönigs; es ist von ihm aufs stärkste hervorgehoben durch die Umwandlung der französischen Neugier- und Zauberfrage in die ausgesprochene Erbärmdefrage[82] Parzivals.

---

[80] B a u e r r e i ß, S. 104.

[81] Über Ws Arbeitsweise s. G o l t h e r Pz/Gr S. 194 ff.

[82] Gegen G e r h a r d, Entwicklungsroman S. 20. S c h w i e t e r i n g zeigt, daß gerade das in der Erbärmdefrage sich bekundende soziale Empfinden es ist, was den Parzival zum „höchsten Ausdruck der Zeitgesinnung"

Ferner hat man die Steinnatur des Grals nicht mehr aus arabisch-alchemistischen Quellen zu erklären, da sie sich erweist als ein originär christliches Motiv aus einer eucharistischen Legende; gerade sie hilft mit, die sepulkrale Idee und die Karfreitagsatmosphäre, die der Legende wesentlich ist und die Wolfram in seiner Dichtung so stark wirken lassen will, mitwachzurufen[83]. Diesen Stein gibt es, wie wir sahen, nicht allein in der mit Karfreitagsgedanken gefüllten Hostienlegende, son-

---

macht (Heldenideal S. 140—42). Naumann, St. Ritter, schildert die Entwicklung dieses Zuges — freilich in mancher Hinsicht stark einseitig — durch die drei Kapitel „Der barmherzige Ritter", „Der Reiter von Bassenheim", „Karitatives Rittertum" bis zu den Sätzen, die nicht allein die Tatsache der Mitleidsfrage, sondern die konstruktive Bedeutsamkeit der Mitleidsidee für den Parzivalroman aufs glücklichste herausarbeiten: „Und so hat Wolfram denn aus eigener Machtvollkommenheit (d. h. gegenüber Kristian) die allerchristlichste Tugend des Mitleids zum Inhalt der Gralsfrage gemacht, die des Helden eigene Erlösung neben der des kranken Königs Amfortas bewirkt. Infolge ihrer Versäumnis hatte — unter der Gnade der Schuld — die Seelenentwicklung Parzivals ihren eigentlichen Anfang genommen, weil nur so das Verhältnis zu Gott, das wiederum Wolframs eigenste Schöpfung ist, aufgerollt werden konnte ... Die höchste Tugend des Christentums erlebte hier im deutschen Rittertum eine ungewöhnliche Herausstellung und Verklärung" (aaO S. 77).

[83] Übrigens ist die Verbindung zwischen Stein und Eucharistie dem christlichen Denken durchaus nicht so fern, wie man in manchen Germanistenkreisen anzunehmen geneigt ist. Der alttestamentliche Psalmvers „Mit Honig aus dem Felsgestein hat er sie gesättigt" (Ps. 80, 17 Vulg.) wurde von jeher eucharistisch gedeutet, denn Honig ist als eucharistisches Symbol altchristlich; er findet in der Messe vom Pfingstmontag Verwendung und ist darum in der mittelalterlichen Predigt viel zitiert worden; wenige Jahrzehnte nach W hat T h o m a s von Aquin diesen Introitus einfach für die neuzuschaffende Fronleichnamsliturgie übernommen (Editio Parm. Bd. 15, 1864, S. 254, Opusc. V.) und auch im Stundengebet des neuen Festes wurde das Wort mehrfach verwendet (ebd. S. 253 f 2. Ant. der 3. Nokt., sowie Terz, Sext, Non). — Auch in der symbolischen Meßerklärung des Mittelalters spielt der Stein eine Rolle. Unter die Werke des hl. B e r n h a r d ist ein Sermo geraten, darin Christus folgendermaßen zu dem zelebrierenden Priester spricht: „Der Altar, an dem du stehst, stellt das Kreuz dar, das ich für dich ertrug, und der Kelch das Grab, darin ich im Tode ruhte, die Patene den davor gelegten S t e i n usw. (M a b i l l o n, S. Bernardi . . . opera, Tom. V., Paris 1667, S. 196, XI). Genau die gleiche Symbolik entnimmt R o b e r t de Boron der Gemma animae des Honorius v. Autun, s. G o l t h e r, Pz/Gr S. 20 u. 23 m. Anm.

dern auch in der süddeutschen Hl.-Grabliturgie des Karfreitags. Auch der Tisch aus Hyazinthengranat, auf dem der Gral niedergesetzt wird, kommt in der Legende so und so oft vor; bei Wolfram sieht er aus wie eine Umwandlung der französischen Elfenbeintafel in eine Reduplikation des Steinmotivs[84].

Wirksam geblieben ist demnach auch bei Wolfram der eucharistische Charakter des Gesamtmotivs, obzwar verschleierter als im französischen Abendmahlskelch — auch für Wolframs Zeitgenossen verschleierter, nicht bloß für uns, denen die Legende ganz entschwunden ist. Aber die „kleine weiße Oblate", die alljährlich auf dem Gral niedergelegt wird, sorgt dafür, daß er nicht völlig verloren geht. Daß dies am Karfreitag geschieht, stimmt zur Legende und ihrem Ursprung. Für die Graltaube findet sich eine unerwartete und begrüßte Parallele in einer Erfurter Legendeform vom Jahre 1191: „eine Taube fliegt herbei und setzt sich auf den Rand (des Kommuniongefäßes), ohne das Gefäß umzukippen", dort ein völlig unverbunden eingeschalteter Zug[85].

Es paßt auch recht wohl, daß Erbärmdegestalt und Gral-

---

[84] Die mehrfach ausgesprochene Vermutung vom Gral als Tragaltar (darüber s. G o l t h e r, Pz/Gr S. 206) wird man also fallen lassen; immerhin verdient Beachtung, daß der Tragaltar stets, aber auch der feststehende Altar seit konstantinischer und besonders seit karolingischer Zeit immer mehr aus Stein gefertigt wurde, nicht allein aus praktischen, sondern auch a u s s y m b o l i s c h e n G r ü n d e n (J. B r a u n in LfThK Bd. 1, 1930, Sp. 295). W kennt sehr wohl den alterstein (459, 23).

[85] Handelt es sich dabei um die eucharistische Taube, das taubengestaltige Gefäß zur Aufbewahrung der hl. Spezies (dies wird für die Graltaube wohl allgemein angenommen, G o l t h e r Pz/Gr S. 204, ders., Pz S. 25 f) oder um die Taube, die nach der Legende den Papst Gregor inspirierte, da die angezogene Erfurter Legende mit dem blutigen Fingerglied im Kelch (s. Bauerreiß S. 55) sehr deutlich auf die früheste Form des Gregoriuswunders hinweist? Dasselbe befindet sich allerdings nicht, wie B a u e r r e i ß in LfThK Bd. 4, 1932, Sp. 689 angibt, bereits in der Gregorbiographie des P a u l u s D i a c o n u s aus dem 8. Jahrh., deren ursprünglicher sehr wunderarmer Text von G r i s a r in ZfkTh 1887, S. 162 ff ediert wurde, sondern in den Einschüben, die in die Gregoriusvita Paul Warnefrieds aus der northumbrischen Vita des Mönches von Whitby frühestens gegen Ende des 9. Jahrhunderts hineingetragen worden sind. (Über Paulus Interpolatus s. S. Brechter, Die Quellen zur Angelsachsenmission Gregors d. Gr. in Beiträge z. Gesch. d. alten Mönchtums u. d. Benediktinerordens, hrsg. v. J. Herwegen H. 22, 1941, S. 157 ff.)

mysterium auseinander komponiert sind, denn in der Volkslegende verfließen das (historische) Pietasbild und das durch es
veranlaßte (legendarisch ausschmückende und umformende) eucharistische Moment im allgemeinen nicht ineinander[86].

Des weiteren ist das Leuchtmotiv erklärt, oft genug kommt
es in der Legende vor; W e b e r gesteht, daß der Lapis philosophorum es nicht zeigt, er findet dies sogar unmöglich wegen
der wechselnden Form (ursprünglich und etymologisch Streu-
pulver!) des geheimnisvollen Lapis und beruhigt sich mit dem
Hinweis, daß sich bei den Arabern eine eigene Lichtmetaphysik
ausgebildet hat, die dann auch einen (Edel)stein erfaßt haben
möge![87]

Für die feierliche Gralliturgie, die Prozession, in der er
gebracht wird, die ihm vorangetragenen Lichter, werden wir
auch nicht mehr mit B u r d a c h auf den „großen Einzug" der
byzantinischen Meßfeier zurückgreifen[88], wir haben dies in der
Legende viel näher; das gleiche gilt von jenem andern Zug, daß
der Gral sich nur von einer bestimmten Person tragen läßt,
Repanse de Schoye (235, 25 ff; 809, 9 ff), und für andere zu
schwer ist (447, 16); daß dies freilich eine Frau ist und nicht ein
Vertreter der kirchlichen Hierarchie, werden wir verstehen, sobald wir die gesamte Umstilisierung, die das Ritterepos erforderte, verstanden haben; daß hinwiederum die von der Gralträgerin zu erfüllende Bedingung Reinheit, und zwar als deren
ausdrucksmächtigste Verwirklichung unberührte Jungfräulichkeit ist, wundert niemand, der mit christlichen Vorstellungen,
und speziell mit solchen über die hl. Eucharistie vertraut ist.

Ebenso wenig kann man die aus der französischen Quelle
belassene, mit dem Blutmotiv verbundene Lanze noch mit B u r-
d a c h aus der fernen griechischen Liturgie herleiten[89], wo sie
zudem recht klein und den Gläubigen kaum sichtbar ist, sogar
nur bei der dem Zuschauen des Volkes entzogenen Proskomidie

---

[86] B a u e r r e i ß S. 92: „Zuweilen wird das Bild mit in die Legende
verwoben, meist aber erwähnt diese nichts von ihm."

[87] W e b e r, Wolfram S. 83.

[88] B u r d a c h, Vorspiel S. 167 f.

[89] Ebd. Höchst wertvoll dagegen die Untersuchungen über die hl. Lanze
in der abendländischen Frömmigkeit bei B u r d a c h, Gral.

gebraucht wird; sie kehrt sowohl auf den Darstellungen des Schmerzensmannbildes wie in den Legendenerzählungen (hier fast stets zur Nadel, Pfrieme oder dgl. verkleinert wegen der kleinen Gestalt der Hostie, aber überall, wo sie auftaucht, das Bluten mitverursachend) als ein Stück der arma Christi wieder; sie hat das gläubige Gemüt derart stark beeindruckt, daß ein liturgisches Speerfest entstand, welches zweimal als vorzugsweiser Wallfahrtstag zu einer Hostienkirche bezeugt ist (Eitensheim und Unserherrn[90]). In unserm Roman ist sie bekanntlich die Ursache für die Wunde des Gralkönigs, und ihr Erscheinen löst die große Trauer und das Wehgeschrei aus.

Selbst ein so kleiner Zug wie das angebliche Mißverständnis des französischen tailleor (= Schneidebrett, Teller) als Messer[91] findet jetzt eine sympathischere Erklärung: zum mindesten nahegelegt wurde es dadurch, daß Messer zu den oft wieder-

---

[90] B a u e r r e i ß S. 26 u. 36; es wird sich um jenes Fest handeln, das 1353 für Deutschland und Böhmen bewilligt wurde (aus Anlaß der Übertragung der zu den deutschen Reichsheiligtümern gehörigen hl. Lanze nach Prag) und am Freitag nach der Osteroktav gefeiert wurde. Unter den Reichsheiligtümern wurde die hl. Lanze zuerst im Verzeichnis der Feste Trifels v. J. 1246 aufgezählt; um 922 soll sie der Burgunderkönig Rudolf II. an Kaiser Konrad geschenkt haben; in den frühmittelalterlichen Quellen wird sie oft als Lanze Konstantins bezeichnet, in die ein Nagel vom hl. Kreuz eingearbeitet worden sei. (S a u e r in LfThK Bd. 6 Sp. 384 u. A h l h a u s ebd. Bd. 8 Sp. 734 sowie die dort angegebene Lit.) Es ist abendländischer Kult der hl. Lanze, was uns in der abendländischen Graldichtung, je nachdem verwandelt, entgegentritt. In diesem Zusammenhang ist beachtlich, was J o l l e s , Lanze über die Verehrung einer Lanzenreliquie in englischen Klöstern berichtet. Der bei W geschilderte Vorgang erinnert unzweifelhaft stark an die Zeremonien, wie sie beim Zeigen von Reliquien um die Mitte des Mittelalters üblich wurden.

[91] Hierüber etwa S i n g e r , Stil, S. 88; G o l t h e r , Pz/Gr S. 156; ders. Pz S. 28. Nicht nur schulmeisterlich, auch sachlich unberechtigt muten zu starke Zweifel an Ws Sprachkenntnissen an. Wozu die oft köstlich humorvollen und klangschönen, gewiß mit Absicht gemachten „Verballhornungen" mit strengem Kopfschütteln bekritteln? Die feine Selbstironie, womit sich der Dichter einem ungefügen Tschampâneys unterlegen erklärt (Willeh. 237, 5 ff), scheint mir, zumal im Zusammenhang, viel eher eine Verbeugung vor der Muttersprache zu sein, sie ist übrigens genügend modifiziert durch den Zusatz: swiech franzoys spreche — wie gut ich immerhin französisch kann! S. auch, was ein Forscher französischer Sprache zur Frage zu sagen hat, W i l m o t t e , Gral, S. 72 Anm. u. S. 52, ferner S t a p e l , Übtr. S. 67.

kehrenden Marterwerkzeugen der Legende gehören, während Teller in ihr keinerlei typische Bedeutung haben.

Die Engel, die nach Wolfram den Gral zuerst auf die Erde gebracht haben, werden zwar in den bei Bauerreiß mitgeteilten Legendeninhalten, die allerdings nur „alle bedeutsamen Einzelheiten"[92] berücksichtigen, nirgends erwähnt, doch auf dem Erbärmdebild sind sie außerordentlich oft dargestellt als die Träger der Leidenswerkzeuge; auf Sakramentshäuschen (!) blieb vielfach „bloß mehr ein Accidens des Bildes, die Engel mit den Arma-Christi zurück"[93]. Für christliches Denken sind sie mit dem Panis angelorum, wie die Eucharistie im Anschluß an Ps. 77, 25 und Weish. 16, 20 auch genannt wird, fast notwendig verbunden. Daß sie zunächst als neutrale Engel angegeben werden, erklärt sich, solange nicht klare Gründe eine andere Erklärung erzwingen, aus der ganzen Umwandlung der Motivik und aus der Zurückhaltung des Dichters, der nirgends die religiösen und heiligen Dinge in zu unmittelbarer Benennung in sein Rittergedicht hineinbringt. Vielleicht hat er sie im Volksglauben vorgefunden, denn sogar der theologisch ganz anders gebildete Dante spricht ungescheut von ihnen[94]. Ihr immer wieder herausgekehrter unkirchlicher Charakter ist gar nicht so ernst zu nehmen: wir wissen, wie unbekümmert sich das Volk oft in bestem Glauben kirchliches Lehrgut nach seinem Verständnis zurechtlegt. Es ist übrigens durchaus nicht undenkbar, daß Trevrizent, wie er es später sagen wird (798, 6), wirklich in 471, 15 ff „gelogen" hätte, und zwar, genau besehen, keineswegs *durch ableitens list* — was sollte denn die Wiederbegnadigung der ursprünglichen Gralhüter, und in ihr bestand doch die Lüge des Einsiedlers, für Parzival Abschreckendes haben — sondern um Wolframs so beliebter Mystifizierung willen.

Schließlich hat sich in dem als Burgkapelle zu betrachtenden, jedoch sehr stark als abgeschlossener und vom Zauber des Geheimnisvollen umwebter Raum erscheinenden Gral„tempel" (816, 15) eine Erinnerung daran bewahrt, daß nie die offizielle

---

[92] Bauerreiß S. 21.   [93] Ebd. S. 5.
[94] Inferno III, 37. Lit. üb. die neutr. Engel bei Zwierzwina (üb. Sattler), wozu wesentlich Neues nicht hinzugekommen ist.

Pfarrkirche, sicher nicht ihr Hauptaltar, Kultort im Sinne der Legende ist.

Befinden wir uns mit alledem, auch mit dem Wolframschen Gral, unzweifelhaft im Bereich eucharistischer Vorstellungen, so stellt sich damit auch heraus, woher das Motiv des Speisespendens (als *höhste kraft* des Grals übrigens ausdrücklich auf die aus dem Himmel gebrachte und auf ihm niedergelegte Hostie zurückgeführt, 469, 30 ff), sowie die lebenverlängernde und gesundheitschenkende Kraft des Steines stammt. Da uns die Eucharistie von ihrem Stifter als Speise zum Leben der Welt, als Brot des ewigen Lebens gegeben ist[95], und von frühester Zeit an als Heilmittel[96] betrachtet wurde, ist es unstatthaft, nach Entsprechungen in alchemistischen Umkreisen zu suchen, zumal wenn sie dort zwar für eines dieser zusammengehörigen Elemente, die Heilwirkung[97], wohl hinreichend vorliegen, für das andere jedoch, das Speisespenden[98], völlig ausfallen. Auch das Märchen vom Tischleindeckdich ist hier nicht anzurufen. Ein leicht zu übersehendes Moment ist hier von besonderer Beweiskraft. Bekanntlich geschieht die Lebenserhaltung und -verlängerung durch den Gral nicht etwa mittels der von ihm gespendeten Speise, sondern einfach durch seinen Anblick (469, 15 ff. 23 f; 480, 27; 501, 29 f; 787, 6; 788, 21—29). Nun ist aber gerade das Schaumotiv für den mittelalterlichen Eucharistiekult und Eucharistieglauben bedeutsam geworden, und zwar gerade im 12. Jahrhundert; es hat u. a. zur Elevation der eben konsekrierten Gestalten in der Messe (später auch zur Verehrung der hl. Eucharistie in Schaugefäßen, Monstranzen) geführt, besonders aber auch zum Kommunionersatz durch bloßes Anschauen der hl. Hostie. Darum hat Anton L. M a y e r recht, wenn er die Sage von den Kräften des Grals in diesen Zusammenhang rückt[99] und als sicher ausspricht, was Ad. Franz einst nur vermutet

---

[95] Die Verheißungsrede bei Joh. 6.

[96] Das Pharmakon athanasias des hl. Ignatius Mart., ep. ad. Eph. 20, 2; die medicinalis operatio u. ä. häufig vorkommende Formeln im Missale Romanum.

[97] W e b e r, Wolfram, S. 72—74.   [98] Ebd. S. 84 f.

[99] Die heilbringende Schau in Sitte und Kult in Heilige Überlieferung, Festgabe für Ildefons Herwegen (=Beiträge z. Gesch. d. alten Mönchtums u. d. Benediktinerordens, Supplbd., 1938, S. 234—62) S. 257 ff.

hatte[100]. Er bringt einige Belege, die unzweifelhaft stark an den Gral erinnern, z. B. daß, wer den Leib des Herrn bei der Wandlung gesehen, am gleichen Tag nicht jählings sterben, oder wer ihn an Weihnachten erblickt, im folgenden Jahr nicht sterben werde, daß die Schau des Leibes Christi für diesen Tag den nötigen Lebensunterhalt gewähre usw. Wenn er von da aus einen Blick auf den Gral wirft und schreibt: „Bei Wolfram ist die Schau als solche geblieben, freilich hat der Gral seinen eucharistischen Charakter verloren[101]", so ist die erste Hälfte dieses Satzes richtig, aber die zweite wird durch vorliegende Untersuchung als verbesserungsbedürftig erwiesen — in welchem Sinn, bleibt später noch genauer zu sehen[102].

Wolframs Rückgriff auf die Volkslegende zur Auffüllung und Vertiefung des Gralberichtes Kristians war geschichtlich und geographisch durchaus möglich, wie zum Schluß noch kurz darzutun ist. Zunächst ergibt die Chronologie der bei Bauerreiß aufgeführten Legenden[103], daß Wolfram diesen Stoff aufgegriffen haben muß, gerade bevor dieser anfing, eine große Geschichte anzutreten und das Gemüt des Volkes stark zu fesseln. In der Zeit vor ihm verteilen sich über die Spanne von gut zwei Jahrhunderten (1004—1210) 7 Fälle; von der Abfassung des Parzival bis zur Jahrhundertmitte (1210—1250) haben wir 9 Belege, dann kommt ein Jahrhundert der Hochblüte (1250—1350) mit 43 Beispielen, während sich von da ab bis 1500 nur noch 36 und danach noch ganze 2 feststellen lassen. Ähnlich günstig liegt der landschaftliche Befund; es ergibt sich, daß der bayerische Raum mit 45, bzw. wenn man die 5 Fälle aus dem unmittelbar anstoßenden Grenzgebiet hinzunimmt, 50, Beispielen von den 103, die im gesamtdeutschen, von der Schweiz bis Ostpreußen, von Kärnten bis zum Niederrhein reichenden Sprachgebiet vorkommen, der weitaus fruchtbarste Boden für

---

[100] Ad. F r a n z, Die Messe im deutschen Mittelalter, 1902, S. 103 f.

[101] Nämlich aus der französ. Gralvorstellung, wofür M a y e r auf W. K e l l e r m a n n, Aufbaustil u. Weltbild Chrestiens v. Troyes im Parzivalroman (Beih. z. rom. Phil. 88 [1936] S. 214 ff) verweist.

[102] S. unten S. 157 f.

[103] B a u e r r e i ß S. 79 u. 81. Bei den Zahlenangaben sind B. eine Reihe merkwürdiger Flüchtigkeiten unterlaufen, die im folgenden stillschweigend berichtigt sind.

die Legende war, obzwar anderseits die 7 erwähnten vorwolf-
ramschen Fälle bereits eine Verbreitung der Legende über ganz
Deutschland und die angrenzenden Niederlande[104] beweisen.
Bei der hier vorgetragenen Deutung würde es befremdlich
sein, wenn die anscheinend allein noch vertretene Erklärung des
Gralnamens *lapsit exillis* als *lapis elixir* zu Recht bestände. Dem
ist in der Tat nicht so. Schon die Verschiedenheit im Klangbild
beider Worte ist härter, als Wolframs Veränderungen der
Fremdwörter sie mit sich zu bringen pflegen[105]. An sich kann
dieser Grund gewiß nicht allzu stark urgiert werden; wenn jedoch ein lautlich glatterer Vorschlag auch sachlich besser emp-
fohlen werden kann, ist er nicht ganz gewichtlos. Dieser neue
Vorschlag ist lapis de coelis oder noch besser lapsit (=lapsus
est) ex coelis, der freilich hier nicht zum erstenmal verfochten
wird[106], und für den nach Weber bisher „niemals die Spur eines
Beweises erbracht worden"[107] ist; indes hat sich uns ergeben, daß
die Deutung auf den alchemistischen lapis elixir, genau besehen,
in keiner besseren Lage ist, während der hier erstmalig vorzu-
legende Beweis nicht nur in sich beachtlich ist, sondern vor allem
auch im ganzen Deutungszusammenhang gut paßt. Es gibt nämlich eine Legende, der zufolge bei einem e u c h a r i s t i s c h e n
Gottesdienst mit f e i e r l i c h e m Zeremoniell ein E d e l s t e i n ,

---

[104] Im Jahr 1004 Einsbach in Oberbayern, 1125 Bettbrunn in der Ober-
pfalz, 1153 Köln a. Rh. und zugleich Braine in Brabant, 1189 Augsburg,
1191 Erfurt (!Nähe Wolframs! Beachte S. 139 Note 85), 1201 Doberan in
Mecklenburg. Als nächstes folgt sodann 1216 Benningen in Bayr. Schwaben.
[105] Ohne Zuständigkeit in der Phonetik zu besitzen, habe ich den Eindruck, daß die Veränderung im Klangbild des zweiten Wortes dieses Lem-
mas über den Rahmen des bei W Üblichen hinausgeht. Die Metathese von
x und l im Wortinnern verbunden mit der Veränderung des Auslauts ir in
is bedeutet für den S p r a c h f l u ß eine recht tiefgreifende Verwandlung,
während derselbe bei Ws Veränderungen im allgemeinen erhalten bleibt;
vgl. die kurze Gegenüberstellung Wolframscher u. Kristianscher Namen-
formen bei O. K ü p p, Die unmittelbaren Quellen des Parzivals von WvE
(ZfdPh 17, 1885, S. 69 ff). Bei den arabischen Namen haben wir dieselbe
Erscheinung, s. zB M a r t i n, Kommentar zu 786, 6 ff.
[106] Schon 1880 durch E. M a r t i n, Zur Gralsage (=Quellen u. Forschungen 42) S. 39 angeregt, allerdings nahm er den Genetiv lapsi an und
hielt den Gral für den Stein des aus dem Himmel gestürzten Luzifer.
[107] W e b e r, Wolfram S. 59 Anm. 81.

dessen s t r a h l e n d e r G l a n z eigens hervorgehoben wird, aus dem H i m m e l in den Meßkelch fällt. Wir lesen im 19. Kapitel der Vita des hl. Lupus, Bischofs von Sens: „*Quodam igitur die dominico, dum ob Ordone praedio eucharistiae sacraret misterium, coram sacerdotali vel levitico choro g e m m a de caelo in calice descendit a Domino inter manus pontificis, commixtionem corporis et sanguinis Domini celebrantis; quae scilicet gemma, radio fulgente pulcherrima, diutius Senonas conservata, regia iubente potentia, inter reliqua sanctorum pignora palatio est deportata. Hinc namque apparet, quantum Christus ipsum dilexerit, inter cuius manus tam praeclarum miraculum monstravit*[108].“ Der Heilige, der um die Wende des 6. zum 7. Jahrhundert lebte, fand im Mittelalter große Verehrung, nicht nur in den nordfranzösischen Diözesen Sens, Paris, Orléans, deren blühendes Rittertum stark nach Deutschland wirkte, sondern in ganz Frankreich[109], auch gerade im 11. und 12. Jahrhundert, wie die Abfassungszeit der Handschriften beweist[110]. Das berichtete Wunder aber galt als so erheblich (beachte den Schlußsatz!), daß das Martyrologium Usuardi von 875 gerade es für das Elogium des Heiligen am 1. September herausgegriffen hat (von wo es später auch in das Römische Martyrologium überging): *Senonis, beati Lupi episcopi et confessoris, de quo refertur, quia quodam die, dum astaret praesente clero sacris altaribus, l a p s a e s t c o e l i t u s gemma in eius sancto calice*[111]. Der Hinweis in dem überaus weit verbreiteten Martyrologium mochte unschwer, vielleicht auf dem Umweg über eine Predigt, die ja gern und reich mit Wunderberichten ausgeschmückt wurde, bis zu unserm Dichter gelangen; die Oberaltacher und Windberger Provenienz zweier Münchener Handschriften mit der ausführlichen Lupusvita aus dem 12. Jahrhundert[112] bezeugt überdies, daß der Heilige zur Zeit Wolframs sogar im süddeutsch-bayerischen Raum bekannt war

---

[108] Mon. Germ. Script. Rer. Merov. IV, S. 184.

[109] Acta Sanctor. Sept. I, S. 248.

[110] Von den in den Mon. Germ. benannten 12 Handschriften entstammen alle mit zwei Ausnahmen dem 11. u. 12. Jahrh. S. aaO S. 177 f.

[111] M i g n e, Patrol. Lat. Bd. 124 Sp. 423/4, zum 1. Sept.

[112] Cod. Mon. n. 22 245 (= Windbergensis N. 45) und Cod. Mon. n. 9506 (= Ober-Alt. n. 6); s. Mon. Germ. aaO S. 178.

und verehrt wurde. Man wird demnach sagen, daß eine lautlich und auch sachlich befriedigendere Erklärung des *lapsit exillis*, als sie von W e b e r vorgetragen wurde, auch durch eine solidere Begründung gestützt werde[113]. Der Name, übrigens nur ein einziges Mal von unserm Dichter gebraucht, spricht in seiner Weise nochmals aus, was verschiedentlich gesagt ist (235, 21; 238, 23 f; 470, 3), daß der Gral mit der himmlischen Welt verknüpft ist, ja aus ihr stammt (vgl. 454, 24).

Auch für das Phönixwunder sind W e b e r s Ausführungen von großer Unzulänglichkeit[114]. Merkwürdig ist, daß von Wolfram der Gral mit dem Tod, nicht mit dem neuen Leben des Vogels in Verbindung gebracht wird: die Kraft des Steines verbrennt das Tier zu Asche, aus der es sich zu neuem Leben erhebt; wenn man im Auge behält, daß hinter dem Gralstein letzthin der Stein des Grabes Christi steckt, so wird die Angabe des Dichters einigermaßen verständlich. In der christlichen Symbolik versinnbildlicht der Phönix in der Tat die Auferstehung Christi aus Tod und Grab; daß er nicht zu ihren häufig verwendeten Motiven gehörte, mochte gerade das Interesse Wolframs auf ihn ziehen.

Schließlich sei noch beigefügt, daß bezüglich der erscheinenden und wieder verschwindenden Schrift auf dem Gral der Hinweis auf Daniel, Kap. 5, sowie besonders auf den „weißen Stein und auf dem Stein geschrieben einen neuen Namen, den niemand weiß als der Empfänger" (Geh. Offbg. 2, 17)[115], bestimmt nicht weniger berechtigt ist als derjenige auf die nicht verständ-

---

[113] S t a p e l s „vernünftige Vermutung" von einem Meteor (Übtr. S. 271) bleibt nur Vermutung, aber sie tastet auf eine brauchbare Spur. Eine recht ansprechende und gut begründete Erklärung des Steinnamens hat letzt noch E h r i s m a n n vorgetragen (ZfdA 65 [1928] S. 62 f); er bietet indes auch nicht mehr als eine Möglichkeit, gegen die wir unsere Erklärung noch nicht fallen lassen können. Ebd. auch die ausführliche Literatur zum Namen des Grals.

[114] W e b e r, Wolfram S. 82 f.

[115] Nach G o l t h e r Pz/Gr S. 206 hat A b s i l diese Erklärung in Tijdschr. voor taal en letteren (1919); insoweit A. den Gral als den heiligen Stein im Tempel Salomons ansieht, hat das mit W o l f r a m s Gralvorstellung unmittelbar natürlich nichts mehr zu tun.

liche Inschrift, die sich auf dem vas tam admirabile des Morienus befand[116].

Hiermit ist das „Heidnische". am Gral von allem Inhaltlichen ausgeschaltet; es bleibt nur noch verflochten in Wolframs Bericht über die Vorgeschichte des Grals, dessen Angaben indes, wie nun klar ist, mit der wirklichen motivgeschichtlichen Herkunft desselben nicht übereinstimmen; es beschränkt sich auf die Rolle, die dem Heiden Flegetanis in der Gralgeschichte zugedacht ist. Daraus, daß der erdichtete Charakter dieses Berichtes feststeht, ergeben sich zwei Einsichten. Zunächst die negative, daß man sich nicht länger auf ihn stützen kann, um die Geschichte der Gralsage aufzuhellen; es entfällt wiederum ein bedeutendes Stück der Last, wenn nicht alles, was man einer verschollenen Kyotdichtung glaubte aufbürden zu dürfen. Kyot, dessen Name in den zuerst veröffentlichten Büchern 1—6 nirgends auftaucht, scheint auch mir erst auf G o t f r i d s Anhieb hin um derentwillen eingeführt, die sich nur durch genaue Quellenangaben zu einem ungestörten literarischen Genuß vermögen ließen. Er ist, unter sicherlich mutwilliger Verwechslung von Provinz und Provence an den altberühmten Guiot angeknüpft, der sich auf dem Mainzer Hoftag von 1184 mit Wolframs „Meister" Heinrich von Veldeke traf[117]. Es ist auch in sich ganz unmöglich und steht in Gegensatz zu Wolframs weiteren Aussagen über den Gral, was uns in dem Vorbericht (453 u. 454) glauben gemacht wird. In heidnischer Schrift soll Kyot die Urfassung der Gralsage in einer Gerümpelecke zu Toledo gefunden haben; er brauchte zu ihrer Entzifferung außer der nötigen Sprach- und Schriftkenntnis auch noch weiße und schwarze Magie — wo in aller Welt findet sich im Parzival ein Anklang daran, besonders an die letztere? Mir scheint hier nur eine stolze Abfertigung Gotfrids vorzuliegen, der von den *swarzen buochen* gefaselt hatte, in denen er nicht die Zeit habe herumzustöbern[118] — und vor allem war es ein Glück, daß er ge-

---

[116] W e b e r, Wolfram S. 84.

[117] G o l t h e r passim; s. im Index von Pz/Gr unter Kyot.

[118] Über die literarische Auseinandersetzung Ws mit Gotfrid s. unten Kap. V, S. 189 ff. Wenn unsere dort vorzulegenden Beweise durchschlagend sind, kann sich Gotfrids Schmähwort nur auf die ersten 6 Bücher beziehen und nicht auf Ws Wort nigromanzî in 453, 17.

tauf war, sonst wäre das Märe überhaupt noch unvernommen; was soll ihm denn die Taufe genützt haben zum Verständnis einer heidnischen Schrift? In geradezu erstaunlich kühnem Widerspruch stehen die Angaben, daß Flegetanis *mit sînen ougen* die verborgenen Geheimnisse des Grals im Gestirne gesehen haben soll, während vorausgeschickt ist, daß *kein heidensch list* uns befähigen könnte, von den Geheimnissen des Grals zu reden und zu erzählen, wie man ihrer inne geworden sei (453, 20—23 u. 454, 17—20). Noch unmöglicher ist, daß sich in arabischer Welt die Vorstellung gebildet haben könnte, die von Wolfram als Inhalt der Schrift des Flegetanis angegeben wird, nämlich daß das Heidentum von aller Beteiligung am Gral ausgeschlossen und seine Hut dem Volk der Christen übertragen sei (454, 27).

Positiv aber ergibt sich, daß Wolfram hier seine Phantasie hat spielen lassen, um den funktionalen Charakter des Grals desto stärker herauszuarbeiten: der deutsche Dichter hat s e l b - s t ä n d i g das Heidentum mit dem Gral in Verbindung gebracht, weil diese Verbindung wesentlich zu dem gehörte, was er durch das Symbol zum Ausdruck gebracht wissen wollte. Damit aber treten wir endlich in die Analyse der dichterischen Funktion des Grals ein.

3. Die Sprache des Symbols

a) Dichtung oder Wirklichkeit?

Grundlegend für diesen Abschnitt ist die Vorfrage: welchen Realitätsanspruch erhebt Wolfram für seine Gralkonzeption? Es ist durchaus nicht belanglos, eine präzise Antwort auf diese Frage zu verlangen; wichtig ist sie nicht nur deshalb, weil theoretisch eine irrige Ansicht über diesen Punkt naturgemäß das richtige Verständnis der Dichtung sehr beeinträchtigen muß, sondern vor allem, weil sie tatsächlich in bedeutenden Interpretationsversuchen falsch beantwortet wurde.

So sagt z. B. W. D i l t h e y, in dem persönlichen, von Rom und seinen Institutionen ganz unabhängigen Christentum der Dichtung mache sich, eben weil in ihr Rom, der Papst, die Organisation der katholischen Kirche keine Rolle spielen, „die Unmöglichkeit geltend, die Phantasie vom Gralkönigtum zum wirklichen Leben der Christenheit in eine innere Beziehung zu bringen". Und wenig später: „Alles, was Wolfram von der Wirklichkeit des Königs und der Ritter des Gral aussagt, ist so unzulänglich, dies geistliche Rittertum in ein wirklich wirkendes Verhältnis zur Welt zu setzen, daß sich schließlich das Ziel Parzivals in leerer Luft verflüchtigt."[119]

Dilthey hat den Warnungen Wolframs vor einem allzu realistischen Verständnis nicht genügend Rechnung getragen. Wolfram hat sie, in seiner Art, deutlich genug ausgesprochen, und zwar gleich im Anfang unserer Bekanntschaft mit dem Gral, nämlich dort, wo er das Speisewunder in rechter Schalkhaftigkeit erzählt (238, 13—17, bes. 15 f), aber nicht ohne zuvor mit köstlich humorvoller Ironie den Glauben daran zerstört zu haben (238, 8—12) und alsbald dem Unglauben an die vorbildlose Kraft des Grals zu begegnen mit einem Hinweis auf sein einzigartiges Wesen (238, 17—20)[120]; laßt euch, so sagt er etwa, das alles doch ruhig erzählen, damit meine Symbolik zustande kommt, kraft der

238, 21   *der gral was der saelden fruht*
der w e r l d e süeze ein sölh genuht
er wac vil nâch gelîche [er wog beinahe gleich]
als man saget von h i m e l r î c h e.

Auf das, was durch den Gral zu sinnfällig faßbarem Ausdruck gebracht werden soll, kommt es an, und das ist an dieser Stelle eine klare Synthese aller weltlichen und himmlischen Wonnen.

Weil die leben- und jugenderhaltende Kraft ebenso wie das Speisewunder in das Reich der symbolschaffenden Phantasie gehört, kann an ihr nach Belieben und Bedürfnis gemodelt werden; damit z. B. der normale Abschluß des Lebens im Tod, dieser für die menschliche und christliche Existenz so bedeutsame Augenblick (471, 12—14; auch 827, 19!) dem Gralritter doch erhalten bleibe, wird die Wirkkraft des Symbols auf jeweils acht Tage beschränkt (469, 16), und das Ergrauen des Haares wird von ihr überhaupt nicht verhindert, obwohl die jugendfrische Hautfarbe bleibt (469, 19 f. 24) — wohl nur um des

---

[119] D i l t h e y, Dichtung S. 127 u. f.

[120] Mit Recht sagt R o s e n h a g e n im Nachwort zur H e r t z schen Übertragung von dieser Stelle: „So spricht doch nur, wer ein Märchen erzählt, das er selbst nicht glaubt."

schönen Anblicks willen, den der alte Titurel bieten soll (vgl. 240, 24—30; 501, 21). Wie es mit dem Tod im Kampfe steht, wird nicht ganz klar; Frimutel verliert das Leben in einer Tjoste (474, 12 f) und auch der Gralritter Lybbeals von Prienlascors (473, 26), ohne daß gesagt wird, ob sie in den letzten acht Tagen den Gral gesehen hätten.

Auch in der feindselig sarkastischen Bemerkung des Dichters gegen den Gral zugunsten seines Schützlings Parzival (445, 10—12) steckt ein kleines Quentchen Skepsis.

In die gleiche Unwirklichkeit ist die Gralburg Munsalväsche hinausgerückt. Sie ist nicht das Paradies, für das man es hat ansprechen wollen[121], weder das adamitische, das für die Menschen des Mittelalters durchaus noch existierte[122], noch auch das himmlische, sondern eben die Gralburg. Die mediterranen Elemente im Landschaftsbild (die Zeder 440, 30; der Brasilwald 821, 12; auch 424, 17 u. 601, 12) erlauben noch nicht, es an einen angebbaren Ort des Mittelmeerraumes, etwa die Pyrenäen zu verlegen[123], sie ist aber auch nicht einfach mit Wildenberg im Odenwald identisch, obgleich ihr Name offenkundig, freilich in mystifizierender Fremdsprachigkeit, nach demjenigen dieser Burg gebildet ist, welche Wolframs Dienstherren gehörte[124]. (Beachte die ausdrückliche Kontrastierung von Munsalväsche und Wildenberg 230, 12 f.) Alle geographischen Situations- und Richtungsangaben werden vermieden (s. bes. 792, 10—15 u. 821, 29 f), nur das wird gesagt, wie im Märchen, daß es dreißig Meilen ab von jeder menschlichen Kultur liege (225, 21; 250, 22), geschützt durch riesige, undurchdringliche Wälder (224, 20; 250, 20; 799, 15 usf.) wie auch durch völlige Unauffindbarkeit für den nicht Berufenen (250, 26 ff; 786, 6. 10—12). Bei der Ausfahrt in die Welt gelangt man immer zuerst in die fabelhafte Artusregion am Plimizöl (273; 497, 6—10; 821, 1 f). Das alles ist Beweis, auch für eine Zeit, in der ein geographi-

---

[121] Munsalväsche als mons salvationis nach Ps. 2, 6, Is. 2, 2 u. a. Schriftstellen gedeutet bei S a n M a r t e Pzst I S. 242 f; D o m a n i g Pzst S. 89.
[122] E. P e t e r s, Quellen u. Charakter der Paradiesvorstellungen i. d. deutschen Dichtung vom 9.—12. Jahrh., 1915; B ä c h t o l d - S t ä u b l i, Handwörterbuch des deutschen Aberglaubens VI, 1400 ff.
[123] Was W i l m o t t e, Gral S. 75 ff möchte; auch R a h n, Kreuzzug u. a.
[124] S c h r e i b e r, Bausteine S. 40.

sches Erdbild noch nicht für Romandichtung verpflichtend, weil kaum ansatzweise vorhanden war, daß die Gralburg nicht irgendwo in der realen Welt lokalisiert werden kann.

Klar ist vor allem auch, daß die sonderbare Art der Lebensführung auf Munsalväsche — Ritter und Damen in höfischer Gemeinschaft, doch alle jungfräulich, allein der König vermählt — alles andere ist als Programm für die Gestaltung wirklichen Lebens: hier ist reine Symboldichtung, die ihrerseits freilich Verklärung, Kraft, Schwung in das reale Leben hineinstrahlen will, worüber wir noch zu sprechen haben werden.

Letztlich gilt die gleiche unreale Symbolwirklichkeit für die große, weltordnende, im eigentlichen Sinn kaiserliche Aufgabe, die dem Gralkönig zugedacht ist. Als eine der erhabensten Ausprägungen der Idee der Synthese, die dem mittelalterlichen Menschen vertraut war, muß das Kaiseramt die Krönung der Gralkonzeption bilden, wenn anders diese wirklich höchstes, erfülltestes Rittertum in sich fassen soll. Sie ist somit dichterisches Ausdrucksmittel und bedeutet einmal, daß ein Gralerringer an sich der Mann dazu ist, jene Ordnungsharmonie, zu der er selbst gelangt ist, jene volle Synthese auch den andern, allen Völkern, ja der ganzen Menschheit zu vermitteln, sie bedeutet weiterhin umgekehrt, daß das Kaisertum, das erste dem abendländischen Rittertum übertragene Amt, nur von dem würdig verwaltet werden kann, der den Gral errungen hat. Aber nichts als ein Irrtum über den Dichtungscharakter des Parzival erlaubt uns, hier eine Forderung nach politischer Reorganisation der Welt, womöglich schon gleich konkrete Vorschläge für sie zu erblicken, wie es Fr. K n o r r in seinen Aufsätzen tut[125]. K n o r r geht zudem weit hinaus über das, was Wolframs Symbolsprache enthält, wie die in Frage kommenden Verse 494, 7—12 dartun. Nur falls irgendwo ein Land herrenlos wird (V. 7), und außerdem das dortige Volk sich einen Herrn aus der Gralgemeinde wünscht (9), und zwar in religiöser Auffassung der Dinge (8), wird eine solche Gnade gewährt (10); behandelt man sodann diesen Fürsten mit der gebührenden Ehrfurcht (11), so waltet Gottes Segen über ihm (12) und natürlich auch über diesem Lande. Es geht also nicht einfach vom Gral eine chaosbändi-

---

[125] Vor allem K n o r r, Reichsidee!

gende, reichsbegründende, politische Ordnung der Erde aus. Später verläßt Loherangrin das Land, in das er vom Gral gesandt wird, wieder, weil das Frageverbot übertreten wurde, und gibt es seinem Schicksal preis. Parzival regiert seine eigenen Königreiche nicht vom Gral aus oder durch einen entsandten Gralritter, sondern er überläßt sie, b e v o r er nach Munsalväsche hinaufsteigt, seinem Sohn Kardeiz, der seine Herrschaft antritt, ohne den Gral gesehen zu haben. Knorr wendet sich gegen D i l t h e y s oben zitierte Sätze; wenn überhaupt eine realistische Interpretation am Platze wäre, hätten diese allerdings mehr Anspruch auf Zustimmung als K n o r r s Übersteigerungen. Wir schließen uns in dieser Frage dem stets so ausgewogenen Urteil S c h w i e t e r i n g s an: „Der Dichter hat es vermieden, der geistlich-weltlichen Herrschaft des Gralreiches als Sinnbild endlicher Gemeinschaft mit Gott durch Angleichung an die Wirklichkeit des Weltkaisertums weltlichere Gestalt zu leihen."[126] Wolfram wird wohl wissen, daß die Dichtung in die reale Welt hinein wirkt — ist doch sein Epos ihm eine ritterliche Tat! —, auch auf die politische Ordnung und deren menschliche Träger; er beabsichtigt diese Wirkung: so gut wie Walther hat auch er auf den Kaiser und auf das gesamte Rittertum einwirken wollen. Aber darum ist doch der Gral kein real gemeintes Heiligtum, nicht Zentrum einer wirklichen, im politisch-öffentlichen Leben existierenden Rittergemeinde, sondern er ist ein dichterisches Symbol, das als solches nur innerhalb der Dichtung Wirklichkeit hat. Alles, was zur konkreten Gestalt des Grals gehört, ist Symbol, Bild, alles, was durch diese Bildhaftigkeit zum Ausdruck gebracht wird, ist der vom Dichter beabsichtigte Wirklichkeitsanspruch[127].

---

[126] S c h w i e t e r i n g , LG S. 167.

[127] In den Versuchen, den Wirklichkeitseindruck, den die Dichtung hervorruft, zu verwischen, bewährt der Dichter Wolfram seine triuwe, seine Verantwortlichkeit dem Leser gegenüber; denn die Problematik Dichtung und Wirklichkeit, Dichtung und Lüge, aus der sich großenteils auch das beständige Bedürfnis nach Quellenangaben für die Erzählungen erklärt, war für die Menschen seiner Zeit offenbar ziemlich ernst. Sie entsprang wohl dem beim einfachen Mann stets wirksamen naiven Realismus, der das eigengeartete Wesen der dichterischen Wahrheit noch nicht zu erfassen vermag. „So fragt auch heute noch das Volk, wenn es die Erzählung in seiner

In der Dichtungswelt ist der Gral genau das, wozu ihn der Dichter gemacht hat, eben dieser wunderbare Stein mit seiner mysteriös allheitlichen Herkunft und seinen außerordentlichen Kräften, der auf Munsalväsche von einer auserlesenen Ritterschar gehütet wird und für die er Lebensmitte ist; wiewohl man ihn indes nicht kurzerhand in die realgeschichtliche Welt projizieren darf, sucht in ihm doch ein tiefes Anliegen Wolframs — der zugleich für seine Zeit und Umwelt spricht — poetische Ausdrucksgestalt. Er ist als das Zentralsymbol, um das sich die der Erringung der Synthese gewidmete Parzivaldichtung aufbaut, die konkret gewordene Synthese selbst oder, da diese durch das Rittertum vollzogen wird, der Kern und Gehalt des Wolframschen Rittertums, den wir nunmehr herausarbeiten können.

b) Der „heilige" Gral

An dem religiösen Grundcharakter des Grals läßt sich nach unsern Ausführungen über seine Beziehungen zur Hostienlegende nicht zweifeln. Es darf als sicher gelten, daß die Zeitgenossen Wolframs die Verwandtschaft recht lebendig spürten und daß, wenn irgendwo, hier ein Fall vorliegt, für den L a c h m a n n s Vermutung zutrifft, wonach „die feinen und scheinbar fernliegenden Beziehungen, welche der Dichter zu nehmen liebt, fast durchaus bequem aus den gangbaren Ansichten, Bildern und Redeweisen der Zeit hervorgingen" und „daß ein Zuhörer, der in denselben Lebensverhältnissen und in ähnlichen Gedanken stand, auch dem rascheren Gange des gewandten und vielseiti-

---

Tageszeitung oder in einem Buche liest, ‚Ob das auch alles passiert ist? Denn es will durchaus, daß es passiert sei, und wenn es dahinter kommt, daß sich ein Bücherschreiber das ausgedacht hat, ist's mit seiner inneren Anteilnahme aus . . . Der psychologische Vorgang, um den es hier geht, ist aber von größter Wichtigkeit im ästhetischen Bereich . . .'" (O. M i l l e r , Der Individualismus als Schicksal = J. M u m b a u e r , Die deutsche Dichtung der neuesten Zeit, Bd. 2, erster Teil, 1933, S. 45). Der stets aufs stärkste betonte Wahrheitscharakter der Glaubenslehren und Glaubensgeheimnisse mußte im Mittelalter den Wunsch nach der Wirklichkeit des Erzählten noch steigern. Zu ästhetizistisch nimmt R o s e n h a g e n unsern Dichter, wenn er ihm den Versuch zuschreibt, „den Zwiespalt zwischen dem Reich der Frau Welt und dem Reiche Gottes, zwischen dem ritterlichen und dem kirchlichen Ideal, i n d e r D i c h t u n g a u s z u g l e i c h e n , w a s i m L e b e n n i c h t m ö g l i c h w a r". (Nachwort zur Hertzschen Übtr. S. 552.)

gen Dichtergeistes hat folgen können"[128]. Es muß angenommen werden, daß die bei den mittelalterlichen Hörern und Lesern notwendig entstehenden Assoziationen (die bei uns als mit der Legende nicht mehr Vertrauten natürlich ausbleiben) vom Dichter beabsichtigt sind — ebenso sehr wie allerdings die durch die Abwandlung der Legendenmotive ins Höfische und Ritterliche bewirkten Vorstellungen auch. Zerstört wird durch Wolfram das religiöse Element keineswegs, es soll sich vielmehr in seiner Dichtung machtvoll wirksam erweisen, jedoch nicht so betont und einseitig hervortreten, daß nicht auch das Weltlich-Ritterliche sich voll und schön entfalten könnte.

Es war ein durch die romantische Literaturauffassung begünstigter, in der französischen Graldichtung des Robert von Boron begründeter und von einem stark am Motivischen haftenden Dichtungspositivismus weitergetragener Irrtum, wenn man die Gralmythe Wolframs als eine Verherrlichung des allerheiligsten Altarsakramentes ansah. Ist es uns geglückt, die neben Kristian wichtigste Quelle der Wolframschen Gralvorstellung aufzuweisen, so gibt die Art ihrer Verwendung uns deren Sinn an.

Der Schmerzensmann des Parzival ist nicht der der Legende, nicht Christus der Herr, sondern ein ritterlicher König namens Amfortas; sein Leiden hat auch keine religiöse Erlösungskraft, es ist Strafe für persönliche Sünde und kann höchstens den erlösungsbedürftigen Betroffenen für das jenseitige Leben läutern (477, 23—25). Seine Wunde hat Amfortas sich zugezogen in höchst ritterlicher Angelegenheit, der am Gral verurteilten höfischen Minne, was auch in der unbefangen drastischen (479, 12), doch stets mit Takt behandelten Wundensymbolik festgehalten wird. Daß der fischende König nicht mehr religiös verstanden wurde, ist oben gesagt (S. 123). Nur insofern der Dichter mit dem erbarmungswürdigen Kranken beabsichtigt, das Gefühl der *triuwe* lebendig werden zu lassen (dies ist seine Aufgabe im Epos), und nur durch die ihn umwebende trauervoll wehmütige Stimmung, wie sie der Christ ähnlich am Karfreitag erlebt, kommt ein religiöser Hauch in die Amfortassphäre: in allem menschlichen Leiden, so rein es menschliches Leiden ist und so

---

[128] L a c h m a n n, Eingang S. 480.

sehr es verschuldet sein mag durch Sünde, leuchtet doch irgendwie das Leiden des Erlösers auf, mit dem es in einer gnadenhaftmystischen Partizipation steht und um deswillen ihm die erbarmende Liebe vonseiten des Mitmenschen zuteil werden soll.

Mittels der Umänderung des Grals in einen Stein erreichte Wolfram, daß der durch das französische Kelchmotiv zu scharf pointierte eucharistische Charakter ein wenig gedämpft und doch lebendig erhalten wurde. Auch der Stein verbindet, wie wir sahen, mit Karfreitagsgedanken. Aber das schon oben (S. 52 u. 110) umrissene Merkmal Wolframscher Ritterfrömmigkeit, daß nämlich das Religiöse nicht allzu sichtbar an die Oberfläche treten soll, muß auch am Gral zum Ausdruck kommen; ein ganz deutliches Beispiel sind die Worte, daß die Taube aus dem Himmel *ein kleine wîze oblât* bringt: selbst für das klarste Zeugnis des eucharistischen Gedankens, das klar genug ist, um jede Zweideutigkeit auszuschließen, wird doch noch eine leicht verschleiernde, umschreibende Ausdrucksform gewählt. Auch das *lapsit exillis* verhüllt fast mehr, als es andeutet.

Das muß so sein, weil Wolframsches Rittertum bei allem religiösen Ernst Weltrittertum in voller, unverengter Breite bleibt, offen für alle weltlichen Belange und Werte. Darum können wir auch die Hauptkräfte des Grals, das Speisespenden, Gesundheitsschenken, Lebenverlängern, die zwar aus dem eucharistischen Gedankenkreis stammen, keineswegs als Sinnbilder für die Wirkungen der hl. Speise in der Seele betrachten, wie man wohl gemeint hat[129]; sie sind sehr real und vital gedacht und deuten darauf hin, daß dem wahren Rittertum auch die Bona fortunae et corporis nicht versagt sein dürfen, deren Mangel der Dichter selbst leidig genug gespürt hat, wie er uns mit goldigem Humor mitteilt (185, 1—8; 242, 29 f). Nur hat man für die volle Erkenntnis der Absichten Wolframs hier wiederum zu beachten, daß seine Synthese nicht aus unverbunden nebeneinander geordneten Elementen besteht: man muß dem Wort, daß in der aus dem Himmel auf den Gralstein niedergelegten Oblate seine *hôhste kraft* (469, 30) liege, die sich in jenen irdisch-weltlichen Wunderkräften entfaltet, seine volle Bedeu-

---

[129] Fast alle, die den christlichen Ursprung der Gralidee vertreten; zB E n g l e r t, Lebensprobl. S. 63 ff.

tung lassen; unausgesprochen bleibt nur, ob diese höchste Kraft mehr in der religiösen Verbundenheit mit dem Himmel oder mehr in der durch dieselbe bewirkten Wunderkraft erblickt wird, indes ist diese scheinbare Unklarheit nur ein Zeichen mehr für die unlösliche Einheit, die ihre klassische Formulierung in den schon zitierten Versen 238, 21 (S. 150) gefunden hat, und die den Grund dafür abgibt, warum der Gral ebenso gut *wunsch von pardîs* (235, 21) heißen kann wie *erden wunsches überwal* [= das Überwallen, Überfluten; Wolframscher Ausdruck: was alle irdischen Wünsche übersteigt] (ebd. 24).

Weltlich ist auch das, was man, weil sich darin Erinnerung an liturgische Prozessionen spiegelt, mit dem religiösen Ausdruck Gral„liturgie" zu bezeichnen pflegt: keinen ausgesprochen religiösen Zug vermag man in ihr mehr zu entdecken. Diese Liturgie wird von höfischen Damen vollzogen und gipfelt in dem rein irdischen Mahl (vgl. 229, 23—240, 30 u. 807, 11—815, 30). Freilich ist das eine Weltlichkeit in den feierlichen Formen einer strengen Pracht und die Freuden des Mahles können sich nur entfalten unter dem trauervollen Karfreitagsernst, der auf der Burg herrscht, solange die erlösende Frage nicht getan ist, und der vor jeder Gralmahlzeit erneut wachgerufen wird durch die weit weniger „weltlich" anmutende Lanzenzeremonie.

Wir sehen es im Zusammenhang damit nicht als einen Zufall, sondern als ein wohlbedachtes Zeichen für das Empfinden des Dichters an, wenn er, obzwar der wunderbare Stein in einem *tempel* aufbewahrt wird (816, 15) und die Gralritter beim Beten sogar zu ihm gewendet niederknien (483, 19; 795, 24—27), im Gegensatz zur französischen Graldichtung (*tant sainte chose est li graals*, Kristian; schon im Titel der Gralerzählungen *Estoire del saint Graal* und *Demanda del sancto grial*), an keiner Stelle vom „heiligen" Gral spricht, was in unserer Gralliteratur seit Lachmann[130] gang und gäbe ist. Sein Sinn für den Unterschied von dichterischen Konzeptionen und Gegebenheiten der religiösen Wirklichkeit hinderte ihn, die Ausdrücke

---

[130] L a c h m a n n s Übersetzung des Verses der stein ist immer reine (471, 22) mit „der Stein ist immer heilig" (Eingang S. 488) ist nicht treffend, obzwar das Wort reine bei W stark religiösen Sinn hat. S. auch L a c h - m a n n, Inhalt S. 292.

heilig bzw. Heiligtum zu gebrauchen, wenn sie in irgendwelcher Weise säkularisiert werden mußten. Nun sehen wir auch den tieferen Grund, warum die mit dem Gral in Beziehung gebrachten Engel als neutrale ausgegeben werden: die „heiligen" Engel (die verdammten kommen selbstredend überhaupt nicht in Frage) haben eben dafür in der christlichen Überzeugung zu unmittelbar heilige, zu rein religiöse Aufgaben. Wolfram baut seine Synthese nicht mittels der Profanation des Heiligen auf und vermeidet um deswillen auch für das (unwirkliche) Symbol der das Heilige und Weltliche zusammenschließenden Synthese das Wort heilig.

Anderseits ist das religiöse Element im Gral in jeder möglichen Weise betont. Vor allem mit dem Gedanken, daß der um den Gral am meisten Besorgte Gott selber ist: er bestimmt und beruft die Ritter zu seinem Schutz (471, 27; 472, 9; 786, 7 usf.), denen er auch seine Engel sendet (471, 22) und die er gegebenenfalls auf geheimnisvolle Weise zu herrenlosen Völkern schafft, sie mit seinem Segen begleitend (494, 12. 13); er muß wohl auch die Schrift auf dem Stein entstehen lassen, jedenfalls ist er es, welcher der Gralfrage ihre wunderwirkende Kraft verleiht (484, 5 f; 795, 30 ff). Dazu kommen die in so überaus vielgestaltiger Form in das Gralmysterium hineingewirkten Gedanken an Eucharistie und Karfreitag, die das Religiöse, bei aller Scheu zu laut zu sprechen, mit nachdrücklichem Ernst in die Mitte unserer Dichtung rücken, und zwar das Religiöse nicht in irgendwelchen verwaschenen Vorstellungen, sondern bei aller märchenhaften Mystifikation doch im genuin christlichen Sinn, d. h. nicht nach einer rein ethischen Auffassung, sondern gemäß dem formalreligiösen Betracht des Christentums, der im Kultischen liegt. Denn seit je war Kern und Lebensmitte des Christentums das Erlösungsmysterium auf Golgotha, das im Kultmysterium der Eucharistie seine ständige Gegenwärtigsetzung erfährt. Der Zusammenhang zwischen eucharistischem und Kreuzopfer ist auch bei Wolfram sehr fein zum Ausdruck gebracht: an sich ist nämlich der Gründonnerstag in besonderer Weise dem Gedenken an die an diesem Tag eingesetzte Eucharistie geweiht, und es wäre ein leichtes gewesen, Trevrizent sagen zu lassen: gestern erst kam die Taube wieder, um die Kraft des Grals zu erneuern; aber dem Gründonnerstag ist der Karfreitag vorgezogen. Ebenso ist die Verbindung der Eucharistie mit dem himmlischen Altar angedeutet, wenn die Oblate nicht aus einer irdischen Meßfeier stammt, sondern aus dem Himmel durch die Taube gebracht wird[131].

Aus der Tatsache, daß Wolfram für diese Züge seiner Graldichtung nicht so sehr auf die biblischen Berichte noch auf das Zeremoniell der Meßliturgie zurückgreift, dürfte man nicht voreilig auf eine Stellungnahme gegen offizielles Kirchentum schließen. Die Wallfahrtslegende, die er benutzte, war ein Stück volksfrommen Brauchtums, zwischen dem und der Kirche es im Mittelalter keine Gegensätzlichkeit gab[132], das einem Dichter von der Art Wolframs sehr zusagen mußte, nicht allein wegen dessen stets bekundeter Freude am Urwüchsigen, Naturhaften, „Wilden", sondern weil es auch der dichterischen Umformung sich viel unverbindlicher darbot als die unantastbaren Formen des offiziellen Kultes, und dessen Heranziehung sich zudem als einen unleugbar glücklichen Griff seines dichterischen Genius erweist. Offen müssen wir es dabei inzwischen durchaus lassen, ob vielleicht auch noch eine dem mittelalterlichen Geist oft vorgeworfene leichte Entfremdung vom Objektiv-Liturgischen hinter der Wolframschen Gralkomposition steht.

Jedenfalls lehrt uns ein Rückblick auf das Gesamtmotiv genau das Gleiche, was uns am Schluß der Analyse des Parzivalschen Entwicklungsganges klar wurde: auch beim Gral wird das Religiöse in die Grundlagen und Wurzeln verlegt; das Symbol wird im Himmlischen verankert, steht unter dem Schutz Gottes und im innigsten Zusammenhang mit den zentralen Geheimnissen des christlichen Glaubens, und es entfaltet sich in weltlich-irdischen Kräften. Denkt man daran, daß der Gral in dinglicher Verkörperung das Wolframsche Rittertum sinnbildet, so erkennt man, daß der Dichter dasselbe letztlich von Gott her-

---

[131] Die Zeugnisse für die christliche Tradition über den Zusammenhang des eucharistischen mit dem Kreuzopfer bzw. mit dem himmlischen sind in reicher Fülle bei M. de la T a i l l e, Mysterium Fidei², 1924, zusammengetragen; über ihre Deutung durch den gelehrten Theologen gehen die Meinungen allerdings auseinander.

[132] L. V e i t, Volksfrommes Brauchtum und Kirche im deutschen Mittelalter, 1936, bes. S. 13 ff.

kommen und in ihm verankert sein läßt. Man könnte diese These Wolframs recht wohl neben das Eingangskapitel des Moritz von Craon[133] halten, worin das Rittertum von den um Troja kämpfenden Griechen hergeleitet und durch eine altehrwürdige Geschichte geadelt wird. Wolfram hat eine höhere Fundierung, und beim Gral wird es noch klarer offenbar als bei der Psychologie Parzivals, daß es sich nicht um eine relativierende Annäherung Gottes an das Rittertum handelt, sondern um eine Vertiefung der ritterlichen Idee durch ihre Verwurzelung im Urgrund unseres Seins und Heils[134].

c) Das Heidentum in der Graldichtung

Die Breite, auf der Wolfram seine Synthese aufruhen läßt, zeigt sich uns aber erst ganz, wenn wir beachten, daß der einerseits mit Gott und der religiösen Welt verknüpfte Wunderstein im Irdisch-Weltlichen, in allen Sphären menschlichen und kosmischen, heidnischen, jüdischen, astralen, meteorologischen und magischen Seins verwurzelt werden soll. Daß Magie und Astrologie herangezogen sind, kann nicht wundernehmen, sie sind ja in die Naturvorstellung und das kausale Denken, selbst in das theologische Weltbild des Mittelalters mehr oder weniger eingeordnet[135]; nur das heidnische Element fordert nähere Aufmerksamkeit.

Hier gewinnt die erdichtete Vorgeschichte des Grals ihre

---

[133] Hsg. v. Edw. S c h r ö d e r , Zwei altdeutsche Rittermären[4], 1929, V. 1—263.

[134] Sehr zutreffend faßt S c h w i e t e r i n g das ganze Phänomen zusammen: „Soweit sich an dem Torso (des französ. Perceval) erkennen läßt, will Chrestien durch das Hineinziehen des legendären Gralmotivs in den Artusroman das wunderbare ritterliche Abenteuer erhöhen und den Prunk höfischen Zeremoniells steigern, ohne daß es ihm gelingt, die Formen kirchlichen Kults ganz in Höfisches umzuwandeln. Wolfram . . . fährt fort, Formen des kirchlichen Ritus zu verritterlichen und weiter in Höfisches einzubetten, nicht jedoch um Höfisches zu verselbständigen, sondern um Ritterliches mit Religiösem zu durchdringen und das Transparente ritterlicher Formen wachzuhalten. Dem deutschen Dichter sind die in Höfisches umgesetzten Formen erwünschtes Symbol, das Hineinragen des Göttlichen in die ritterliche Welt zu versinnbildlichen." S. S c h w i e t e r i n g LG S. 160 f.

[135] G a n z e n m ü l l e r , Alchemie im Mittelalter, bes. S. 74 ff u. 219 ff. Ferner die kurzen Artikel über Alchemie und Astrologie von C h a u d r e in LfThK Bd. 1, 1930, Sp. 225 f u. 746 f mit knapper Literatur.

Bedeutung. Wir erkannten angesichts dessen, daß fast alles, was vom Gral erzählt wird, christlicher Herkunft ist, daß sie ganz auf das Konto des deutschen Dichters zu setzen ist. Was dem Gral an Heidnischem angedichtet wird, ist dürftig genug: ein naturkundiger Heide namens Flegetanis (auch dieser Name ist „heidnisch", s. Martins Kommentar zum Wort) hat in den Sternen seinen Namen und sein Geheimnis entdeckt und diese Entdeckung in heidnischer Schrift aufgezeichnet; Kyot verstand offenbar soviel heidnisch, um das Schriftstück entziffern zu können (453 f). Das ist im Grunde alles. Später wird die Astrologie noch etwas enger mit dem Heidentum verquickt, indem Cundrie die Planetennamen — in rein katalogmäßiger Herzählung (782, 1 f. 6—12) — auf heidnisch gibt, Namen, an die ein Ritter, dem daran gelegen war, zur Zeit der Kreuzzüge wohl kommen konnte. Jedoch wird auf die spärlichen Angaben ein Nachdruck gelegt, der keinen Zweifel darüber läßt, daß das „Heidnische" in unserm Epos dem Dichter sehr wesentlich erschien. Dazu stimmt sehr gut, daß dieses Heidnische sich gar nicht auf das Gralmotiv im engeren Sinn beschränkt, sondern sich ausdehnt auf den heidnischen Gralsucher (479, 13 ff), auf Beziehungen zwischen der Heidenkönigin Sekundille und Munsalväsche, deren lebendiges Unterpfand die zur Gralsbotin erhöhte Cundrie samt ihrem Bruder Malkreatiur ist (519, 26 ff); ja es durchdringt und umrahmt gewissermaßen das ganze Dichtwerk, indem es in den Gahmuretbüchern aufs stärkste angeschlagen und in Feirefiz zu Ende geführt, auch zwischendurch in der Person Eckubas noch einmal aufgenommen wird (328, 1 ff; 336, 1—3).

Die Arbeit, die man bisher dem Heiden in der mittelhochdeutschen Dichtung gewidmet hat[136], betraf mehr die literarhistorische Entwicklung des aus dem Zusammenhang der Kunstwerke isolierten Motivs; man vereinfachte sich dabei den Begriff, indem man ihn als den Gegensatz zum Christentum nahm, das man, in allzu moderner Betrachtungsweise, in rein religiösem Sinn versteht. Heidnisch ist aber für Wolfram durchaus nicht n u r ein religiöser Begriff (ebensowenig wie christlich!), sondern sehr stark ein ethnischer, geographischer, sprachlicher

---

[136] Vor allem N a u m a n n, Heide.

und vor allem kultureller. Die Einbeziehung des Heidentums in den Roman ist unvermeidlich, um die „Welt" in ihrer ganzen Größe und Weite hineinzubringen; sie hilft mit, die ungeheure Weiträumigkeit zu illustrieren, in der das Rittertum denkt und die das Maß für seinen Kulturwillen abgibt, ferner auch die große Pracht- und Kulturentfaltung selbst, die es liebt. Dabei wird aber das religiöse Element doch mit sehr zarter Vorsicht behandelt.

Eine gewisse Parallelität zur Christenheit in religiösen Dingen wird bei den Heiden von Wolfram vorausgesetzt: ähnlich wie uns der Papst zu Rom, löst dort der Baruch zu Bagdad die Seinen von Sündenschuld — wenigstens halten sie sich zu diesem Glauben für berechtigt, *daz dunket se âne krümbe sleht* setzt er mit dem Zweifel des Wissenden, und doch gütig hinzu (13, 26 ff). Aber es bleibt für ihn ein Rätsel, wie der Teufel mit einem so erleuchteten Volk hinsichtlich des Gottesbegriffes und der Gottesverehrung seinen Spott treiben kann und Gott selbst dabei nicht einmal eingreift (454, 4—8). Denn sie beten ja Kälber (ebd. 2 f) und Menschen an für Götter (107, 19 f; 328, 14), halten sich wohl selbst, zum Spott der Leute, dafür (102, 7 f). Solche Stellen enthalten die klare Grenzziehung gegen das Heidentum in Sachen Religion. Von der heidnischen Religion selbst wird weniger mit eigentlicher Toleranz, als mit einem leicht-fröhlichen Humor gesprochen (etwa 36, 19 f und bes. Feirefiz, z. B. 768, 29 f im Vergleich mit 332, 10), indes anderseits das Bild des Heiden durch seine Toleranz gegenüber dem christlichen Glauben menschlich gesteigert wird (106, 30 ff; 107, 14 ff; hierher vielleicht sogar die Überlassung des Grals an die Getauften seitens des Flegetanis 454, 27). Subjektiver Ernst wird der heidnischen Frömmigkeit ganz gewiß zugebilligt (748, 16 ff), aber sie wird doch nur als rein diesseitig dargestellt, fast als Naturreligion (ebd. 23 ff), die Menschen leicht göttlich gesehen (s. o.), die Götter stark menschlich (36, 20); man ist ihnen dankbar für verliehenen Sieg (45, 1), für günstiges Wetter (753, 8; 766, 2—5). Es ist nicht uninteressant, diese Religion mit der ritterlich-höfischen zu vergleichen: ihr f e h l t alles Tiefere, was diese in v e r b o r g e n e r e n Schichten h e g t und h ü t e t. Höchstens mögen die löblichen Ritter einmal vergleichen, ob sie nicht persönlich hin und wieder die Grenze heidnischer Flachheit streifen — wie umgekehrt ein Heide auch der christlichen Religion durch wahre *triuwe* näherkommen kann (Behandlung der betr. Stellen in anderm Zusammenhang, s. S. 217). Es bleibt dabei: Ehen mit Heiden haben keine volle Kraft (55, 25 u. 94, 11—15; 815, 8 u. 818, 10), ein leiser Zweifel wird nicht überwunden, wenn man selbst für einen so ausgezeichneten Heiden wie Razalic sich an Gott wendet, der doch alles vermag (43, 6—8), und überhaupt sind die Heiden, nicht nur wegen ihres mangelnden Christentums, sondern schon bloß wegen ihrer andern Hautfarbe zum vollwertigen Rittertum nicht fähig (49, 14 ff sagt dies wenigstens Kaylet), nicht fähig also auch, den Gral zu sehen, selbst wenn sie mit hinaufgenommen würden auf die Gralburg.

Feirefiz hat das in drastisch humorvoller Weise zu demonstrieren: er kann den Gral nicht erblicken, bis er getauft ist (818, 20—23), und so wird das Problem des Heidentums im Parzival dadurch zu Ende geführt, daß sein glänzendster Vertreter die Taufe erhält, um alsbald in seine Heimat aufzubrechen und dort den christlichen Glauben auszubreiten. Freilich der Humor Wolframs steigert sich in diesen Szenen überschäumender Freude, wo alles zum glücklichen Ende gebracht ist, ins Grenzenlose und löst den Ernst der Taufhandlung fast in Spielerei auf: des Heiden Taufbereitschaft ist identisch mit seinem Verlangen nach der schönen Gralträgerin und Schwester des Amfortas; das kann jedoch bei dem absolut festen Besitz der religiösen Güter im Mittelalter ruhig so behandelt werden. Feirefiz ist es ja auch von seinem Heidentum her noch gar nicht gewohnt, religiöse Dinge allzu tief zu nehmen; und überdies ist alles doch auch nur Dichtung; zudem, genau besehen, knüpft Parzival für seinen kurzen Taufunterricht, den er selber dem Bruder erteilt, zwar an dessen Liebesglut an, stellt ihm aber doch die Bedingungen mit aller Klarheit vor: Absage an die heidnischen Götter, Kampf gegen den Teufel, Gehorsam gegen Gottes Gebot (816, 25—30). Da der Heide, wie sehr ihn die Liebe plagt, doch verspricht, die Bedingungen vollständig und *mit triuwen* zu erfüllen (817, 2 f; 818, 1 ff; es wird nicht versäumt, bei Gelegenheit zu berichten, daß auch die Erfüllung folgte, 822,

28—30) und mit Verlangen bittet: *durh dîner muomen got heiz toufen mich* (hier ist wirklich auch Synthese!), was kann noch ernsthaft für ein Bedenken erhoben werden — für ritterliche Mentalität? So empfängt er die Taufe, und das Bekenntnis, das der ehrwürdige Priester ihm vorspricht, ist durchaus sehr ernst und zugleich dichterisch schön gehalten: einer kurzen Absage an den Teufel folgt der Glaube an die heilige Dreifaltigkeit und noch eine kleine Mystik über die reinigende, lebenspendende Kraft des Wassers (817, 11—30).

Mag sein, daß Wolfram mit dieser Taufgeschichte bis an die Grenze des Zulässigen gegangen ist oder auch schon einen Schritt darüber hinaus. Dann hat er uns jedenfalls Aufschluß darüber gegeben, daß in seiner Auffassung von Rittertum, an dessen ernst und tief religiöser Verankerung kein Zweifel bestehen kann, auch das weltliche Element in einem sehr vollen, und wenn einmal ein Anlaß dazu ist, selbst üppigen Sinn zur Geltung kommen darf.

Im übrigen rückt die Gestalt des Feirefiz nicht etwa in die Mitte des 16. Buches. Wie der Sohn Gahmurets mit der schwarzen Belakane durch seine Zweifarbigkeit ein körperlich ins Humoristische hinüberweisendes Gegenstück zu seinem Halbbruder ist, so bleibt er bei all dem strahlenden Glanz, der ihn umfließt, dem fabelhaften Reichtum und dem hohen Edelmut, der einzigartigen Tapferkeit und der unerhörten Eleganz des Benehmens ein auch seelisch etwas ins äußerliche gewandter Parzival, der auf Munsalväsche ein wenig am Rande bleibt, auftaucht als freudig begrüßter und hochverehrter Gast, aber bald wieder in seine Heimat zurückkehrt. Nach ihm kann man das Gralsrittertum nicht bemessen; weit genug, eines Gastes wie er sich zu freuen, lebt es doch nach höherem Gesetz. Darum kann man ihn auch nicht befragen, wenn es darum geht, das Phänomen der Minne und ihre Stellung im Gralrittertum zu erhellen. Wohl ist er, wenn möglich noch stärker als Gawan, unter ihre Gewalt gestellt, aber sie wird bei ihm, ganz wie die Taufe, einigermaßen ins Humoristische abgewandelt. Immerhin wird auch er in eine christliche, das bedeutet im Gegensatz zur heidnischen, feste Ehe gebunden, und an ihm wird obendrein, freilich ein wenig nach dem Prinzip des deus ex machina, der Gahmuretzustand zwischen zwei Frauen korrigiert (822, 18—22).

d) *Minne*

Kurt B o e s t f l e i s c h hat dem Minneproblem bei Wolfram eine eigene Studie gewidmet[137]; aber das Unheil seiner
Arbeit liegt darin, daß er sämtliche zur Frage gehörenden Äußerungen in unorganischer Gleichbewertung nebeneinander stellt
und vor allem jede ethische Betrachtungsweise fernhalten zu
sollen glaubt — angeblich sei keine andere Möglichkeit, die Anschauungen eines in so völlig anderer Zeit lebenden Dichters
kennen zu lernen. Alles wird dabei als Ausdruck persönlicher
Überzeugungen des Dichters behandelt, obendrein aber sein persönliches Liebesleben und -erleben aus der Dichtung heraus-
destilliert und vorweg erledigt. Es kam das Ergebnis heraus,
daß sich im Minnebegriff des Dichters ein schwer zu ordnendes
Chaos von vielerlei Abstufungen einer derben, genießenwollen-
den Realistik und einer ins Höfisch-Formale, geradezu Starre
und Wirklichkeitsfremde übersteigerten Kultivierung auftue.
Im Laufe seines Lebens lasse sich an Hand der Dichtungschrono-
logie ein Zunehmen und Auseinanderwachsen der beiden Grund-
richtungen mit allmählichem Überwiegen des Konventionell-
Förmlichen beobachten.

Methode und Ergebnis B o e s t f l e i s c h s sind abzulehnen,
doch wird man seit ihrem Erscheinen nicht mehr übersehen, daß
auf die naturhaften Grundlagen des Minnelebens nach keiner
Seite hin verzichtet wird und also nirgendwo, auch nicht bei
Parzival, die Gefahr einer blutleeren und unwahrhaftigen Spiri-
tualisierung der Liebe entsteht. Sowohl die Liebe selbst mit
ihrer primär intendierten Erfüllung wie auch ihre Form, die
unanfechtbar heilig geachtete Ehe, werden mit einer Selbstverständlichkeit proklamiert, die in der höfischen Minnekultur sehr
ungewohnt ist und mitunter wirklich an bäuerlich primitive Anschauungen gemahnt. Aber gerade darin liegt Wolframs Leistung und offensichtlich auch seine Absicht, daß er diese natürlich soliden Grundlagen, wenn er sie zu veredeln, zu versitt-
lichen und zu vergeistigen sucht, in ihrem Wesensbestand unangetastet läßt, daß er eine Minnekultur sucht, die sich nicht
verbindungslos neben und über die Minnenatur schichtet, sondern eben s i e kultiviert.

---

[137] B o e s t f l e i s c h, Minneged.; für das Folgende s. bes. S. 27 f.

Er sieht sehr wohl, daß die „reine" Minne, für die die geschlechtliche Erfüllung irrelevant ist (d. h. weder gefordert noch ausgeschlossen wird), eine Verirrung darstellt und daß ihre Verselbständigung gegenüber der zum Rang einer bloßen Naturerscheinung herabgedrückten Ehe alle menschlichen Ordnungen zerstören muß — es schon oft getan hat (291, 19—27) und auch für die Seele sehr schmerzliche Folgen nach sich zieht (ebd. 28—30), daß sie also unvereinbar ist mit dem von Wolfram aufgestellten Ideal der Synthese irdischer und überirdischer Werte. Der Dichter will vielmehr, daß die Minnekultur der Ehe zugute komme und daß der Ritter in seiner Ehefrau die Minnedame erblicke. Darum sind außer Gahmuret, der, die Vorgeschichte des Romans ausfüllend, den zu überwindenden höfischen Ausgangspunkt des Ritters zwischen Gattin und Minneherrin darstellt, alle anderen Paare nach dem Wolframschen Ideal gezeichnet; in klassischer Formulierung ist es enthalten in den Versen, die Trevrizent dem Andenken Frimutels weiht: der war das höchste Vorbild, denn seine Minne und sein Minnedienst bezogen sich auf seine eigene Gemahlin, und nie hat ein Ritter einer Dame mehr Minne dargebracht, versteht sich Minne *mit rehten triuwen*, als er seiner *konen*, wie der Einsiedler sich mit ganz und gar unhöfischem, aber von ihm geschätztem Wort ausdrückt (474, 14—20). Es gibt keine Liebe, die der Dichter nicht zur ehelichen Verbindung mit aller Kraft tendieren, aber auch keine Ehe, die er der Formung durch die Minne entbehren ließe; selbst Gawan, der vollendete Kavalier aller Damen, den man sich an eine Frau gar nicht gebunden denken kann, wird, nicht ohne zuvor in die hohe Schule der Minne in der strengsten Form genommen zu werden, verheiratet und muß dartun, daß ritterliche Minne im Sondersinn der höfischen Kultur selbst aus der Artussphäre ausgeschlossen wird.

Gawans Aufgabe besteht in der Tat großenteils darin, seinem Freunde, der in diesem Punkt ohne alle Entwicklung von Anfang an auf der Höhe des Gralrittertums steht, das Reifen und Heranwachsen des Ritters im Hinblick auf die Minne abzunehmen. Daß die Erziehung, die in seiner Person dem ganzen Rittertum zuteil werden soll, nach dem reizenden Vorspiel mit der kleinen Obilot, einer recht launigen Verurteilung der höfischen Minnespielerei, bei so real gesehenen Verhältnissen einsetzt, wie sie das 8. Buch schildert und bis zu dem Punkt geführt wird, dessen Behandlung den gebildeten Ohren durchaus peinlich ist (643, 4—8), der jedoch kraft eines unverwüstlichen und kerngesunden, vielleicht etwas derben Humors im Grund spielend und ohne übermäßige Nervenreizung bewältigt wird — wenigstens für ein von Prüderie und Pietismus noch unberührtes mittelalterliches Ohr; für unser Empfinden freilich ist die fröhliche Naivität, mit der erotische Dinge von Wolfram oft behandelt werden, zugegebenermaßen reichlich kräftig, doch konnte der Dichter seine schlicht menschliche Unverbogenheit, die für den Parzival wesentlich ist, nicht wohl um unsertwillen modifizieren — so ist das nur ein Beweis von dem großen und weiten, gütigen Ernst, mit dem der Dichter seine Aufgaben anpackt und durchführt. Hinsichtlich des Antikonienabenteuers Gawans im 8. Buch kann man immer wieder hören und lesen, daß hier eine Anerkennung der höfischen Minnesitten bzw. -unsitten vorliege, weil ohne jede Verurteilung, ohne nur ein Mißfallen anzudeuten, eine sehr typische Minnesituation geschildert und mit ehrenden Beiwörtern von *wert* bis zu *kiusche, triuwe* und *unschuldec* für die beiden so rasch vertraut Gewordenen nicht gespart werde, während der in seiner Erregung unhöfisch eingreifende Bruder Antikoniens eine Flut von Vorwürfen über sich ergehen lassen müsse. Gewiß, flatterte diese Geschichte losgelöst für sich in der deutschen Literaturgeschichte umher, und hätte sie zudem noch als vollwertiges Dichtungswerk, nicht nur als Studie oder etwas dergleichen zu gelten, so möchte das landläufige Urteil zu Recht bestehen, wofern auch das Verhalten Antikoniens nur der obligaten Sprödigkeit einer höfischen Dame entspräche und nicht vielmehr einem aufrichtigen weiblichen Taktempfinden. Aber die Episode steht in unserm Parzival und ist ein Stück der Entwicklung Gawans, der alsbald der Erziehung durch Orgeluse anvertraut werden soll; sie enthält nicht mehr als die plötzliche Gefühlsaufwallung eines leicht entzündeten Ritters, der die Dame obendrein mit allem Takt zu begegnen sucht und die in der heraufbeschworenen, mit reichlichem Humor geschilderten Verwirrung völlig untergeht. Um einer solchen Sache willen bricht Wolfram nicht gleich den

Stab über einen edlen Ritter; die Konzeption des Parzivalschen *wê waz ist got?* ist um eine ganze Dimension kühner. Es ist pedantisch, von einem Dichter zu verlangen, daß er an eine geschilderte Situation immer gleich auch das moralische Werturteil in ausdrücklicher Formulierung anhänge; der Epiker spricht durch die Führung der Geschichte.

In vollkommener Minneehe leben Orilus und Jeschute; ihre Ehe ist geradezu umstilisiert auf ein Minneverhältnis, und nach der Störung durch Parzival scheint Orilus mehr durch den Minne- als durch einen Ehebruch erzürnt: er betrachtet Parzival als einen anderen *amîs* (133, 10; 264, 10; vgl. 271, 5; Orilus selbst als *amîs* bezeichnet 271, 19), um dessentwillen Jeschute seine eigenen Ritter d i e n s t e vergessen habe. Sie beruft sich ihrerseits nicht auf ihre Ehetreue, sondern nur auf das Mißverhältnis Fürstin—Bauernjunge (133, 24 ff). Um so vielsagender ist es, daß gerade an diesem Verhältnis die unantastbare Heiligkeit des Ehebundes dargetan wird, denn letzten Endes kann sich Orilus für die mittelalterlich harte Behandlung der Frau auf keinen andern Rechtsgrund stützen, als daß sie sein Weib ist (135, 25—27), er sieht sich vor der Notwendigkeit, seine Rechte als Ehemann zur Geltung zu bringen (264, 18 f). Das weiß auch Jeschute, und sie erkennt es vollkommen an (136, 13 f); mit einer kaum faßbaren Demut und *triuwe* trägt sie ihr Los, da es ihr nicht im mindesten einfällt, an der ehernen Festigkeit der heiligen Bindungen zu rütteln, sie ist ihrem Mann nicht äußerlich, sondern von Herzen untertan (137, 23 ff; 259, 23 ff u. ö.). Ein Glück, daß alles auf einem Mißverständnis beruhte, sonst wäre der Friede nicht mehr herzustellen gewesen, wir dürfen sagen, hätte Wolfram überhaupt kein künstlerisches Verständnis dafür aufgebracht. Wie aufrichtig der Dichter das Geschick der unglücklichen Dame bedauert, erleichtern kann er es ihr nicht, da an dem gottdank nur selten vorkommenden, höchstens durch die Ungeschicklichkeit eines jungen Parzival heraufbeschworenen Konflikt die fundamentalen Strukturen der Wolframschen Ehe und ihre ungeheure Festigkeit zutage treten soll.

In deren, man möchte sagen, absolutes Wesen führt die Betrachtung der Sigunegestalt. Dies sind ihre Worte: „Ich bin noch Jungfrau, aber vor Gott ist Schionatulander mein Mann.

Wenn Gedanken wirklich für die Werke stehen (wohl ein Anklang an die Lehre der Moral, daß die Gedankensünden vor
Gott den Tatsünden gleichwertig sind), so mache ich aus dieser
Sache kein Geheimnis, welches mir meine Ehe beeinträchtigen
könnte . . . Dieses Ringlein einer wahren Ehe soll mein Führer
sein zu Gott . . ." (440, 7—15). Merkwürdig ist diese glühende,
leidenschaftliche Inbrunst, womit die Herzogin ihrem toten Geliebten als ehelich verbunden gelten will, und zwar vor Gott.
Da haben wir die reine Idee der Ehe, die sich aber von einer
platonischen Idee dadurch unterscheidet, daß das Fehlen der
realen Liebesvereinigung, verschuldet durch eine sinnlose Verirrung höfischen Minnewesens, nur mit tiefstem Schmerz erlitten
wird (141, 20 f sowie die durchgehend betonte Leidhaftigkeit
der Gestalt). Aber indem die reale Wirklichkeit, bildhaft gesagt
Oberfläche und Vordergrund, von dieser Ehe abgerissen sind,
wird uns der Blick auf deren tieferes Wesen frei. Es besteht in
der religiösen Grundauffassung, die gewährleistet wird durch
eine *triuwe* restloser Erfüllung. Sigune ist die Person gewordene
*triuwe: al irdisch triwe was ein wint, wan die man an ir libe
sach* (249, 24 f), die *triuwe* ist ihr Element, das immer von
neuem betont wird (249, 15; 253, 18; 435, 18; 436, 24; 440, 15);
wenn irgend jemand, so ist sie es, angesichts deren Lunetens Rat
als Mangel an *triuwe* gerügt werden muß (253, 10 ff; 436, 4 ff).
Neuerdings konnte nachgewiesen werden, daß auch die Schoßhaltung, mittels deren Sigune an das Bild der Pietà angenähert
wird, als Ausdruck größter Treue, nicht etwa als Ausdruck der
Klage angesehen werden muß, die der deutschen Vorstellung
gegenüber der romanischen eigen ist[138]. Wie aber diese Bildvor-
stellung bereits sehr stark religiöse Weihe atmet, so verleiht die

---

[138] E. Reiners - Ernst (s. Note 78 zu S. 136) konnte durch eine
neugefundene Pietàdarstellung mit einer freudvoll lächelnden Madonna
glaubwürdig dartun, daß das Vesperbild ursprünglich nicht eine realistische
Episode im Ablauf der Passion festhalten will, nämlich den letzten Abschied
mit stummer Zwiesprache von Mutter und totem Sohn, und daß es auch,
was man seit Pinders Aufsatz über die dichterische Wurzel der Pietà
(Repert. f. Kunstwissensch. 42, S. 145 ff; s. auch Schwietering, Dichtung u. Kunst) annahm, seinen Grund nicht hat in der historisch-epischen
Marienklagendichtung; es ist vielmehr eine rein symbolische Geste: „die
Mutter der Erlösung, die in zeitloser Schau den Gekreuzigten im Schoße

triuwe der Minne Sigunens überhaupt ihren tief religiösen Zug: sie erfüllt sich in unablässigem Beten; wenn sie nicht zur Kirche geht, so nur deshalb, weil sie, das Psalmenbuch in der Hand (438, 1) in Gebetshaltung über dem Sarg ihres Liebsten liegt (435, 22—25), sodaß ihre Liebe im wahren Sinn in Gottesminne übergeht (435, 14), bis sie schließlich betend vom Tod übereilt wird (804, 23).

Kaum höher, aber auch keineswegs tiefer als Sigune steht nun Parzival, bei dem die Minne in sich betrachtet freilich vollkommener verwirklicht werden kann, da sie nicht zu verzichten braucht auf ihre lebendige Konkretion. Frimutel brauchte ihm gar nicht vorgehalten zu werden als Ideal; Wolframs poetische Kraft hat es erreicht, daß man mitunter fast gerührt ist von seiner Treue gegen Konwiramurs. Seine Gralfahrt ist von Anfang an ein Ritterdienst, der ihr dargebracht wird (223, 23—25 und viele Einzelheiten, besonders in seinen Kämpfen, 333, 23— 26!); unverrückbar steht sie ihm in ihrer zwiefältig einheitlichen Gestalt als Gemahlin und Minneherrin vor Augen, fast auf gleicher Stufe mit dem Gral, natürlich nicht vollständig auf derselben Stufe, wie B o e s t f l e i s c h gegen die ausdrückliche Versicherung von 441, 12, 467, 26 u. a., sowie gegen die ganze Themastellung behauptet[139]; zu Zeiten spürt er freilich die Gewalt der Minne stärker als die Anziehungskraft des Grals (296, 5—8). Oft legt er sich beinahe kindlich seine Liebe zu ihr und seine Verpflichtung gegen sie zurecht, das erste Mal schon gleich nach der Ausfahrt (224, 10—18), besonders schön auf der Gralburg (246, 13—22); ferner zu Beginn der berühmten Blutstropfenszene (282, 20 ff) mit dem bedeutsam einführenden Hin-

---

hält" (S. 70). „Der Künstler legte den Toten der Mutter auf den Schoß, um beider Zusammengehörigkeit im Bilde zu fassen. Die Schoßhaltung war ihm das Symbol der Einheit zweier Personen, das Zeichen ihrer inneren Verbundenheit, eine Auffassung, die deutschem Wesen besonders entsprochen zu haben scheint" (S. 5 f). Über den germanischen Begriff der sich hierin bekundenden triuwe ebd. S. 66 ff, über Ws Sigune S. 68 f. — S c h w i e t e - r i n g, Sigune, zeigt, daß auch das Sitzen auf dem Baum die Gestalt mit religiösem Schimmer überstrahlt.

[139] B o e s t f l e i s c h, Minneged. S. 50 ff. Die grundsätzliche Überordnung der Minne über den Glauben u. die Religiosität im Schlußabsatz S. 110.

weis auf seine *triuwe* (V. 23) und der Versicherung, daß er *wâre Minne* habe (283, 14 f); dann wieder gegenüber Orgeluse (619, 8—11), im festlichen Kreise der Artusgesellschaft (732 u. 733) und am Schluß des Romans vor Trevrizent (799, 2—11; vgl. noch 441, 7 ff u. 467, 26 ff). Selbstredend hat die Minne bei Parzival keine andere Funktion als überall; das wird in unnachahmlich taktvoller Weise angedeutet in den Versen 732, 19—21, die auf 203, 1—10 zurückschauen; aber wo sie gepflogen wird, da geschieht es um etliche Spannungen beherrschter und vergeistigter, wenn man so sagen darf (denn unnatürlich und ungelöst ist hier nichts) als bei Gawan; sie ist nicht aszetische Enthaltsamkeit, und doch überstrahlt sie ein Schimmer vom Glanz der Jungfräulichkeit.

An diesen markantesten seiner Minnefiguren läßt Wolfram zur Genüge deutlich werden, worauf es ihm ankommt: die Liebe als Natur, als Leidenschaft, soll durch die Kultur der Minne, nämlich durch die erzieherische Kraft des Minnedienstes, geläutert werden, und zwar im Hinblick auf die Ehe oder in ihrem Rahmen, weil das Liebesphänomen nur auf dem Weg über die Ehe eingeordnet werden kann in die Synthese.

Die Liebe als Naturerscheinung, die rätselhaft aufbricht im Herzen des jungen Menschen und ihn mit beglückenden und beengenden Gefühlsschwankungen verwirrt, war von den Epikern nie so weit irrealisiert worden wie von den Minnesängern. Gotfrid, von der Faszination der Leidenschaft regelrecht überwältigt, metaphysizierte sie und machte sie zu seiner Religion im eigentlichen Sinne (wir sprechen von ihm nur als Dichter), die alles andere, die gesellschaftlichen Ordnungen der Welt und schließlich die von ihr Befallenen selbst, vernichtete. Wolfram suchte sie zu meistern, um sie fruchtbar zu machen; denn sie hat starke Kräfte, sie wirkt befeuernd, leistungsteigernd, freudegewährend, lebenerhöhend, ja säldespendend, und dies alles hat sie nicht von außen her, aus der Bindung in die Ehe, sondern aus dem eigenen geheimnisvollen Wesensgrund. Dieser jedoch sucht seine Entfaltung mit unwiderstehlicher Gewalt, die dem Menschen die Willenskraft nimmt, qualvolle Seelennot bringt, selbst sein körperliches Befinden stört. Zahllose theoretische Äußerungen, teils den Helden in den Mund gelegt, mehr noch die Sprache der Tatsachen, die niemanden von ihrer süßen Bitternis verschont bleiben läßt, bezeugen die unentrinnbare, die schicksalhafte Macht der Minne. Sobald die flätige Jugend (495, 15) mit dem Aufkeimen des Bartflaumes (478, 9) in die wehrhafte Zeit (458, 5) eintritt, beginnt sie zu arbeiten und macht auch vor den edelsten Sprossen des Gralgeschlechtes nicht halt: Amfortas erliegt ihr, Trevrizent hat ihr gehuldigt, Frimutel wurde in einer Minnetjost getötet, und wenn Parzival sich geradezu als *ûz minne erborn* (732, 17) bekennt, so bezieht sich das nicht ausschließlich, wie man wohl hören kann, auf seine väterliche Abstammung. Die allbezwingende Macht der Minne als Naturerscheinung ist eine der undiskutierbaren Fundamentalthesen Wolframs.

Aber nur im Rahmen der Ehe kann sie aufbauend wirken, andernfalls zerstört sie, wie es am augenfälligsten das Geschick des Amfortas, das zum zentralen Motivkomplex des Romans gehört, bekundet. (Beachte auch Clinschor 656, 25 ff.) Außereheliche Minne, höfische Minne im engeren Sinn heißt nur, der großen Versuchung der Minne, wenngleich in den kultivierten Formen ritterlichen Benehmens, erliegen. Solche Minne wird unumwunden als *sünde* bezeichnet (251, 14; 458, 8), denn sie zerstört die wesentlichen Tugenden der christlich-ritterlichen Ethik, die *kiusche* (472, 30), die *dêmuot* (473, 1—4; 479, 1), sie ist eng verschwistert mit der freilich gut ritterlichen Untugend der *hôchvart* (472, 26; 473, 4; 819, 19; nicht zu verwechseln mit dem *hôhen muot*, der jedoch mehr eine seelische Gestimmtheit bezeichnet als eine Tugend), die ihrerseits nicht nur zur *dêmuot*, sondern auch zur *kiusche* in Gegensatz steht (472, 13. 14) und überall einen mit starker Mißbilligung gebrandmarkten Hochmut oder Übermut meint (einzige Ausnahme 320, 3). Vor allem ist sie nicht der Boden, auf dem die *triuwe* wachsen kann; sie hat selber keine *triuwe* (291, 19) und kann darum auch gar nicht als w a h r e Minne gelten (532, 1 ff, bes. 7—9. 10. 17 f). Wo immer jemandem, Mann oder Frau, die Tugend der *triuwe* zugesprochen wird im Hinblick auf Minne, da ist stets die treue Eheliebe gemeint oder sie steht als erstrebtes Ziel im Hintergrund, man vergleiche die bezüglichen Aussagen für Gahmuret und Belakane (29, 7; 90, 9; 57, 14 das Bild von der Turteltaube), Belakane und Isenhart (28, 8; 31, 12), Gahmuret und Herzeloyde (101, 20; 110, 8. 22; 317, 20), Meljanz und Obie (365, 13; 396, 23), Orgeluse und Cidegast (613, 22; 729, 24), Gawan und Orgeluse (die interessante Entwicklung von 535, 14 über 541, 6, 547, 28, 584,20 bis 611, 29; dazu noch hinsichtlich des Verhältnisses Orgeluse—Amfortas 616, 28), Itonje und Gramoflanz (586, 24; 631, 20; 687, 18; die Ironie von 698, 10; 715, 8. 19; schließlich 722, 24). Nur für das Verhältnis Gahmuret—Ampflise wird das Wort *triuwe* auch zweimal gebraucht (78, 23 und 406, 6), aber es ist zu beachten, daß dieses noch zur Vorgeschichte gehört und Ampflise noch dazu auf die Wolframsche Minneehe hindrängt (76 f und 87); für Antikonie und Gawan wird der Begriff aber nicht im Hinblick auf Minne verwandt, sondern auf eine einfache, in eigenartiger Situation gewonnene und besiegelte Freundschaft (431, 3; vielleicht ist auch von hier aus schon 406, 6 zu beurteilen). Dies also ist der erste hohe Wert der Ehe, daß sie die Minne in das christlich-ritterliche Tugendsystem mitsamt seiner Grundlage, der *triuwe*, einzuordnen vermag; mittels der *triuwe*, die die Ehe ihr verleiht, wird die Minne sodann wertvoll für den im Parzival hoch gefeierten Gedanken von Art, Sippe, Familie, darin die naturhaften Kräfte des Blutes Wirkmöglichkeit und Weihe erhalten. Mehrfach verrät ja Wolfram ein sehr echtes Vatergefühl, zu dessen schönsten Leistungen so prachtvolle Vatergestalten gehören wie Gurnemanz und Lyppaut und dem ein so herrliches Wort entschlüpft wie das: *mit rehter kiusche erworben kint, ich waen diu smannes saelde sint* (743, 21 f). Noch Höheres aber leistet die Ehe kraft ihrer *triuwe*, da sie die Minne in die Sphäre des Religiösen und des Heiligen erhebt. Die Krone dieser Auffassung stellen die Worte des ehelosen Einsiedlers Trevrizent an seinen Neffen dar, die in ihrer Kürze und Kühnheit als der erhabenste Preis der mittelhochdeutschen Literatur auf die Ehe gelten dürfen:

> 468, 5   *wert ir erfundn an rehter ê,*
>   *iu mac zer helle werden wê,*
>   *diu nôt sol schiere ein ende hân,*
>   *und wert von bandn aldâ verlân* [= frei gelassen]
>   *mit der gotes helfe al sunder twâl* [= ohne Verzug].

Schöner kann man die Heiligkeit und Würde der Ehe sicher

nicht aussprechen: da ist sie wirklich noch ein heilig und heilig-machend Ding, auch ohne alle Ausbreitung von theologischen und mystischen Gedanken, einfach als das genommen, als was sie dem naturhaft einfachen und klaren Auge eines christlichen Rittersmannes erscheint. Man sollte hier Wolfram nicht miß-verstehen; es heißt den Dichter pressen und seine Worte über-scharf nehmen, wenn man ihn behaupten läßt, „daß eine rechte Ehe den Menschen, auch wenn er noch so sündhaft ist, selbst aus der Hölle befreien könne"; es handelt sich gewiß nicht um einen „Verstoß gegen die Lehre der Kirche, die schon die Annahme des Origines von einer apokatastasis panton ver-urteilt hat"[140]. Wir glauben ja auch nicht, daß die verwirkte Höllenstrafe durch unsere Fürbitte noch rückgängig gemacht werden könne, und doch heißt uns die Kirche das Offertorium der Totenmesse beten. Von seinen Zeitgenossen wird der Dich-ter schon recht verstanden worden sein; seine Ehe ist eine im vollen Sinn sittlich religiöse, eine gnadewirkende Angelegenheit, und die Dichtung vom Ritter Parzival ist und wird für immer bleiben ein hohes Lied auf die Ehe, jene Ehe, die von der Minne veredelt ist und dieser dafür ihre Heiligkeit vermittelt.

Von hier aus läßt sich der Kontrast unseres Dichters zu Got-frid überschauen, der die Minne, gefaßt als reine Liebesleiden-schaft, zu seiner Religion im eigentlichen und wörtlichen Ver-stande, nämlich gemäß der Inschrift auf dem Lager in der Minnegrotte als dem Altar im Minnetempel zu seiner Göttin[141] macht. Ihr gegenüber ist die Ehe nicht mehr als ein belangloses Zufallsrecht, das im Spiel zwischen Tristan—Isolde und Marke nur als literarisches Spannungsmoment verwertet ist, während es bei Tristans Eltern immerhin noch die Minne vor der Gesell-schaft legitimieren sollte und darum auch durch eine kirchliche Trauung verbrämt werden mußte[142]. Bei Wolfram soll nicht äußerlich legitimiert werden, und auf liturgische Zeremonien verzichtet er darum ganz und gar — weil er die Substanz mit unvergleichlicher Sicherheit hat; es mag auf den ersten Blick auffällig erscheinen und vom heutigen Betrachter als eine un- oder gar widerkirchliche Haltung gewertet werden, daß es für

---

[140] S t r o h m e y e r, Kathol. S. 673.   [141] Tristan V. 16 727.
[142] Ebd. V. 1624—31; vgl. zuvor 1467 ff.

keine der zahlreichen Ehen im Parzival eine kirchliche Trauung
gibt, daß sie vielmehr alle geschlossen werden durch die symbolische Kraft der erstmaligen körperlichen Vereinigung (45, 24;
ähnlich 100; Sonderfall in 202, 21—203, 10; der umgekehrte
Fall 644, 8), der meist ein Zusammengeben in festlicher Gesellschaft vorausgeht. Man muß indes bedenken, 1. daß die Kirche
nie die Heiligkeit und sakramentale Würde der Ehe mit religiösen oder kirchlichen Trauungsfeierlichkeiten in Zusammenhang gebracht, sondern stets nur auf den manifestierten Ehe-
willen der Nupturienten begründet hat; 2. daß seit Hinkmar
von Reims eine später von den Bologneser Kanonisten verfoch-
tene theologisch-juristische Meinung das Zustandekommen der
Ehe nicht von der mündlich ausgesprochenen Konsenserklärung,
sondern vom erstmaligen Vollzug abhängig machte (und bekanntlich gibt auch nach heutigem Recht der christlichen Ehe
erst der Vollzug die absolute Unauflöslichkeit[143]); 3. daß auch
die klandestine, d. h. geheim geschlossene Ehe trotz der das
Mittelalter anfüllenden enormen Ehewirren, die sich aus dieser
Praxis ergaben, bei aller Mißbilligung doch bis zum Konzil von
Trient (an nicht wenigen Orten wenigstens theoretisch bis zum
Inkrafttreten des neuen Kirchlichen Rechtsbuches) als vollgültig
und sakramental anerkannt war. Man kann aber nicht einmal
sagen, daß Wolframs Ehen klandestin, d. h. nicht in facie ecclesiae geschlossen wären. Nach G. H. J o y c e gab es „einige
Gegenden, in denen es üblich war, die Hochzeit mit einer großen
Gesellschaft von Freunden und Bekannten zu feiern, aber ohne
die kirchliche Trauung. Auch dies, nahm man an, konnte ohne
Verstoß als Eheschließung in facie ecclesiae betrachtet werden.
Ecclesia ist ein Ausdruck mit verschiedenen Bedeutungen und
läßt sich hier als ,Gemeinschaft der Gläubigen' verstehen. In
diesem Sinne konnte eine mit allen üblichen Feiern durchgeführte Hochzeit mit Recht als vor der ,Kirche' gefeiert gelten;
während sie geheim gewesen wäre, wenn sie privat vor wenigen
auserwählten Zeugen sattgefunden hätte"[144]. Danach wäre höchs-
stens Gawans Ehe mit Orgeluse eine kurze Zeitlang klandestin.

---

[143] Cod. jur. can. 1118 u. 1119; Pius XI. i. d. Enzyklika „Casti Con-
nubii", Acta Ap. Sed. 22 (1930).

[144] G. H. J o y c e, Die christliche Ehe o. J. (1934) S. 108 mit Belegen.

Es wäre freilich Pedanterie, wollte man annehmen, Wolfram habe sich mit solchen Überlegungen die Möglichkeit und Zulässigkeit seiner Eheschließungen klargelegt; er hat sicher auch nicht die Bologneser Kopulatheorie propagieren wollen. Es geht im Parzival nicht um kirchlich-juristische Fragen; da indes das kanonische Recht in der Ehegesetzgebung noch so weitmaschig war, daß ein Dichter ohne ernsthaften Konflikt frei nach seiner künstlerischen Inspiration verfahren konnte, so haben wir nur nach der dichterischen Bedeutung der gewählten Form zu fragen. Wolfram wählte die Form, deren Symbolkraft zur Verdeutlichung des wahren Wesens der Ehe am sprechendsten scheinen mochte; die in dieser Symbolik gefaßte Ehe, an deren Unverletzlichkeit kein Zweifel rührt — un- oder außerehelicher Minnegenuß wird streng aus dem Roman ferngehalten (z. B. Antikonie 406, 3—6, Bene 556, 1 f; beide Episoden scheinen ausdrücklich diese Aufgabe zu haben) — eben sie ist es, die religiösen, heiligen Charakter trägt, aus sich heraus und nicht erst durch hinzukommendes Zeremoniell — ohne daß doch der pure Geschlechtsgenuß selber metaphysiziert und ins Religiöse hinaufgezerrt würde wie bei Gotfrid. Nicht durch Verwirrung der Sphären sucht Wolfram die Minne, dieses für die höfische Kultur so wesentliche Thema, zu bewältigen, er bemüht sich vielmehr, einen schönen, vollen Dreiklang aus sinnlicher Natur, zuchtvoller Kultur und frommer Religiosität zu erreichen und so die Minne in die Synthese aufzunehmen. Am harmonischsten gelingt natürlich dieser Dreiklang Parzival am Ende seiner Entwicklung, dem neuen Gralkönig.

Erklärung heischt nun noch die wunderliche Art, wie man auf Munsalväsche, dem Ort idealer ritterlicher Lebensentfaltung, mit der Minne fertig zu werden sucht. Daß sie nicht ausfallen kann, ist selbstverständlich; das merkwürdige Gesetz, daß der König allein vermählt ist, während alle übrigen Ritter und Damen jungfräulich leben, kann bei einem Mann wie Wolfram nicht besagen, daß allen Rittern seiner Prägung bis auf jeweils einen vollkommene Enthaltsamkeit auferlegt werden müsse. Wolfram kann sich einen zölibatären Ritter gar nicht recht vorstellen, falls derselbe nicht überhaupt die Waffen gegen die Gottesminne eintauscht und ein Einsiedler wird wie Trevrizent

oder die beiden Oheime der Kondwiramurs (186, 26 f); darum
tritt auch keiner der ehelosen Gralritter gestalthaft aus der Ano-
nymität seiner Gemeinschaft hervor. Die Ehelosigkeit der Gralhüter wird nur einmal recht allgemein und flüchtig erwähnt,
und zwar an der Stelle, die von der Vermählung ihres Königs
handelt: offensichtlich kommt es nur auf die Kontrasteinheit
an, denn in der Wirkung auf Hörer und Leser fließen die Bilder
des Königs und seiner Ritter in eines von der Gralgemeinschaft
zusammen; es soll nicht mehr als die Beherrschtheit zu symbolischer Darstellung gebracht werden, die das Rittertum auch in
der Minne bewähren muß. Man erinnert sich an Parzivals
keusche Nächte auf Pelrapeire und auch daran, daß sogar einem
Gawan, der sich schon am Ziel glaubt, noch eine Beherrschung
abverlangt wird, die auf seiner Ebene den gleichen Gedanken
ausspricht (614, 26—615, 7). Zudem bewahrt die Ehelosigkeit
von ihrer Quelle her, der Selbstbeherrschung auf dem Gebiet der
Minne, mit beabsichtigter Deutlichkeit einen religiösen Zug;
denn sie ist hergenommen aus dem religiösen Ordensrittertum,
auf das ja auch der Name Templeisen hinweist. Zuchtvoll und
religiös beherrscht, jedoch im Ganzen voll bejaht ist auf Munsalväsche die Minne.

Zwei andere Möglichkeiten ergeben sich noch aus dem Zustand des Unvermähltseins. Er ermöglicht es, daß die königliche
Gralträgerin ohne besondere Umstände mit dem lebhaftesten
Symbol der *kiuschlichen zuht,* die von den Gralhütern gefordert
ist, der Jungfräulichkeit, ausgestattet werden kann, und ferner,
daß auf der Gralburg auch die rein gesellschaftlichen Aufgaben
der Frau gebührend zur Entfaltung kommen können. Die Beziehungen der beiden Geschlechter zu einander sind ja nicht bloß
auf Minne und Ehe beschränkt. Gemäß Ottiliens Aufzeichnung
in den Wahlverwandtschaften „der Umgang mit Frauen ist das
Element guter Sitten"[145], die für alle höfischen Kulturen grundlegende Geltung hat, hat auch die Ritterkultur um 1200 in der
von ihr geschaffenen und geformten Gesellschaft den Frauen
einen breiten Raum zugewiesen, in dem sie ihre edlen und sitti-
genden Fähigkeiten, besser noch ihr sittigendes Wesen einzu-

---

[145] G o e t h e, Die Wahlverwandtschaften, 2. T. 5. Kap. Cotta Bd. 21
S. 189.

setzen vermögen. Auch für Wolfram sind die Frauen Blüte und Schmuck der Gesellschaft nach der einen Seite, nach der andern Hüterinnen ihrer höchsten Werte und Erzieherinnen der Ritter; selbstverständlich daß sie dem Religiösen besonders verbunden sind, zwar weniger in handgreiflicher Oberflächlichkeit, aber sicher in den tieferen Seelenschichten, und wenn die Zeugnisse nicht übermäßig zahlreich sind, so wirken sie im einzelnen Fall oft um so glaubwürdiger.

Wir sahen schon, daß der Dichter keinen Gemeinplatz daraus macht, daß ihre Schönheit auf die Meisterhand des Schöpfers zurückgeführt wird[146]. Unversehrte Jungfräulichkeit hat einen besonderen, gottgefälligen Glanz, den Wolfram sehr wohl kennt: *nu prüevt wie rein die meide sint: got selbe was der meide kint* (464, 25 f, vgl. 28—30), und ohne Spur von Unnatur liegt ein Hauch dieses lauteren Glanzes über der sinnlichen Schönheit all der zahlreichen Mädchengestalten des Epos, besonders hübsch z. B. bei den Töchtern des Kahenis, nicht ausgeschlossen die Jungfrauen auf der Burg des Gurnemanz, mit Bezug auf die dem Dichter gern etwas von der Art einer Zote angehängt wird. Gemeint sind die Verse 167, 27—30. Es ist nicht einzusehen, weshalb Kinzels Deutung auf Quetschungen, die etwaiger Pflege bedurften[147], nicht richtig sein sollte; sie wird unabweisbar gefordert durch das Wort *geschehn*. Eine Anwandlung von Lüsternheit flocht sich bei den Mädchen in die Hilfsbereitschaft, und nun kommt das schöne Wort: *wîpheit vert mit triuwen. si kan friwendes kumber riuwen* — ihre *triuwe* ließ sie die nötige Zurückhaltung finden. Mir scheint, daß Wolfram hier gleichzeitig sehr real und sehr taktvoll ist. Die *triuwe* rettet in der prickligen Situation, wie diese Tugend überhaupt der Kern des fraulichen Wesens ist. Wohl gibt es auch eine oft gepriesene *manlîchiu triuwe*, aber es gibt für den Mann keine Sentenzen wie die zitierte *wîpheit vert mit triuwen*, oder jene *wîpheit, dîn ordenlîcher site, dem vert und vuor ie triwe mite* (116, 14). Diese Tugend, die, wie wir immer deutlicher sehen, mit religiöser Urkraft getränkt ist, ist in besonderer Weise in die Naturanlage der Frau hineingesenkt und verleiht ihr die Hingabe an ihren Mann als Gattin (vgl. nur etwa Je-

---

[146] S. oben S. 50.   [147] K i n z e l, Frauen S. 48.

schute), die Mütterlichkeit gegen ihr Kind (vor allem Herzeloyde 113, 30; wie schön die vorausgehende Szene, bei der sie
sich erinnert, daß auch *diu hoehste küneginne Jêsus ir brüste
bôt*, um eine tieffromme und gläubige Betrachtung daran zu
knüpfen), befähigt sie zur Erfüllung der Dienste, die ihr als
Jungfrau zugewiesen werden, und zur Obhut über den sittlichen
Bestand der höfischen Kultur, der ihr als Dame in der Gesellschaft anvertraut ist. Indem die Frauen in jeweils entsprechen-
der Weise ihre *triuwe* bewähren, tragen sie Erheblichstes bei zur
Sicherung, Erhaltung und Vertiefung der ritterlichen Kultur,
und — zum Gelingen der Synthese. Was wäre Parzival ohne
jene vier Frauen, deren *triuwe* in ganz besonderer Weise ge-
rühmt wird, seine Mutter, seine Gattin, seine Base Sigune und
auch Cundrie?

e) *Strît*

In der Gesellschaft und in der Minne findet der Ritter sein
gemach, seine Ruhe und Erholung; seine Arbeit ist der harte
Kampf. Rittertum und Kampf sind identisch. Das Wort *ritterschaft* (*rîterschaft*) ist in den 27 Fällen der beiden ersten Bücher
zweimal Begriffswort, das wir heute mit Rittertum wiedergeben
(97, 25; 112, 19), zweimal ist es Sammelname für die Gesamtheit der Ritter (49, 2; 93, 21), sonst bedeutet es stets den ritterlichen Kampf als *rittertât* (25, 10), als das eigentliche Hand-
werk für den, der die Waffe verantwortlich trägt zum Schutz
der öffentlichen Ordnung und des Rechtes, zur Verteidigung der
Wehrlosen gegen die Gewalttätigkeit. Einen Ritter wie Wolfram (vgl. 115, 11—20) kann eine ethische Problematik des
Kampfes so wenig anfechten, wie eine Infrageziehung des
Rittertums selbst, das als *schildes ambet* und *rîters orden* (z. B.
97, 26 f u. ö., bes. etwa 269, 8—11; 612, 5—20) gefeiert wird.
Das Wort *strît* ist das häufigste im ganzen Epos (im 15. Buch
kommt es auf 53 Abschnitte 63mal vor, wobei 22 Abschnitte es
wegen ihres Inhaltes mit dem besten Willen nicht unterbringen
können; es gibt Abschnitte, die es bis zu 5mal enthalten, 740,
755, 759). Es wird bei weitem nicht nur für eigentliche Kampf-
handlungen gebraucht, sondern in allen möglichen Metaphern,
gern auch für das Minneleben (291, 11; 478, 10; 585, 7 usf.);
eine häufige Beteuerungsformel lautet: *daz ist âne strît. Strît*

ist eine Denkform des ritterlichen Dichters, der sich sogar die Lektüre seiner Dichtung als eine kämpferische Auseinandersetzung ausmalt (2, 9 ff[148]; vielleicht ist von hier her auch die Ablehnung des Namens „Buch" für das Epos z. T. zu erklären, vgl. 115, 26 ff). Man braucht nicht erst auf die großen Kampfschilderungen hinzuweisen, die in keinem Buch (außer dem allerletzten) fehlen und bei deren bloßer Erinnerung ein alter Einsiedler noch einmal in Feuer gerät (495 u. 496!), noch auf die Kämpfe, die gerade auch Parzivals Leben auf allen Stufen erfüllen (472, 5; 461, 8; 390, 9; 333, 20—27; 771, 24 ff) und die dem bildlichen Ausdruck Cundriens *du hâst der sêle ruowe e r - s t r i t t e n* (782, 29) eine sehr reale Berechtigung geben. So hallt das Epos förmlich wieder vom Krachen der splitternden Speere, vom Klirren der Schwerthiebe auf die eisernen Ringpanzer.

Was ist der Sinn dieses Kampfgetöses? Ein historischer Hinweis auf die unbändige Kampfeslust des mittelalterlichen Rittertums und auf die realen Verhältnisse im Anfang des 13. Jahrhunderts reicht keinesfalls aus; aus dem Hintergrund der Geschichtswirklichkeit bis in die Dichtung ist noch ein sehr wichtiger Schritt. Eine Reihe von Gründen kann geltend gemacht werden, daß nicht zeitgenössische Prosa wiedergespiegelt oder idealisiert ist. Warum dürfen die übrigen konkreten Lebensverhältnisse und Wirtschaftssorgen eines Ritters nicht themabildend in den Roman hineinreichen? Daß sich des Ritters Leben und Streben restlos in Minne und Kampf erfüllt, ist idealisiert, ebenso daß die Kämpfe immer nur im Dienst der Minne, allerwenigstens im Angesicht der Frauen ausgefochten werden, daß der Unterschied zwischen Turnier als sportlich gesellschaftlichem Fest und Ernstkampf völlig untergeht (man vergleiche den Grimm, mit dem auf dem Turnier vor Kanvoleiz gefochten wird 78, 5—12, mit der Festesfreude, in die auch jeder Ernstkampf ausmündet). Auch Anlaß und Zustandekommen entspricht nicht der rauhen Alltäglichkeit: wenn eine genügende Motivierung nicht rasch zur Hand ist, so hilft eine Verlegenheitsbemerkung über die Schwierigkeit hinweg (737, 10—12), und eine so merkwürdige Verwechslung wie zwischen Parzival

---

[148] S. unten S. 200.

und Gawan (Anfang 14. Buch) ist in Wirklichkeit kaum denkbar. *In strîte man ouch kunst bedarf* (756, 6) — ein Wort, das
gegen aufkommende Kritik von außerhalb des Rittertums gerichtet scheint; es läßt sich eine genaue Schule der Fechtkunst
aus Wolfram zusammenstellen.

Aber diese sportliche Seite ist nicht das Wesentliche; der *strît*
ist für den Ritter die königliche Gelegenheit, seine Mannestugenden zu bewähren, zuvörderst seine unerschrockene und
dabei wohlbeherrschte Tapferkeit, die er aber — in den Dienst
seiner *triuwe* stellt, sei es, daß es Wehrlose zu schützen oder zu
befreien gilt (Gawans Heldentaten auf Schastelmarveil, Parzivals Kämpfe gegen Clamide und Orilus usw.; in der allerersten
Begegnung lernte Parzival diese edle Aufgabe des Rittertums
kennen), oder daß Fürsten der Hilfe in Kriegsnot bedürfen
(Gahmurets Dienste für den Baruch, für Belakane, Gawans
Hilfe für Lyppaut, Parzivals Reflexion nach seinem Ausritt
aus der Gralburg 248, 17 ff), oder auch daß man dem Freund
Not und Gefahr eines Kampfes abnimmt (Beaflurs für seinen
Bruder Gawan, Parzival für Gawan). Auch kann es sittliche
Pflicht sein, sich (oder einen Blutsverwandten) in gerichtlichem
Zweikampf reinzuwaschen von falscher Anschuldigung (es
scheint indes, daß Wolfram solche „Gottesurteile" nicht schätzt:
die Entscheidung Gawan—Kingrimursel wird beim ersten Termin verhindert, beim zweiten anderweitig beigelegt, die Ver-
abredung Gawan—Gramoflanz hat zunächst zwei sehr groteske
Verwechslungen zur Folge und wird dann ebenfalls aufgehoben). In den Kämpfen hat der Ritter natürlich sich fair zu verhalten, streng nach Regel und Gesetz, und kann und soll auch
in der Behandlung des Gegners, zumal des unterlegenen, Edel-
sinn und *triuwe* bewähren (6. Rat des Gurnemanz 171, 25 ff;
vorbildhaftes Benehmen Gawans gegen Lischoys 539, 26 ff u.
543, 9—26, Feirefiz' gegen Parzival 744, 25 ff). Rohes Hau-
degentum wird mit derbem Sarkasmus abgelehnt (344, 5—10),
spleenige Auswüchse des Kampftriebes werden nicht allein verurteilt, sondern ihren Besitzern auch abgewöhnt (Segramors im
6. Buch, 285, 2—10 u. 289, 3—12; Gramoflanz im 12. und
14. Buch), manche in sich unsinnigen Kämpfe aufrichtig bedauert
(gerade in den letzten Büchern sehr häufig: 542, 16 f; 679, 30;

680, 12; 686, 30; 689, 25—30; 704, 15—17; 737, 22—24; 740, 2; 742, 18—26). Männer von den Fähigkeiten eines Gawan greifen zum Schwert überhaupt erst, wenn alle andern Möglichkeiten erschöpft sind, ja ihre Chancen beginnen erst, wenn bei Draufgängern wie Segramors und Keye die Waffen längst versagt haben (sehr schön im Anfang des 6. Buches durchgeführt); im Fall der Notwendigkeit sind sie freilich die Furchtlosesten (609, 21 ff u. ö.) und Kampftüchtigsten, Feiglinge wie Liddamus sind eine Schande für das ganze Rittertum.

Auf solche Weise findet ein germanischer Nationalzug im Rittertum Läuterung und Regelung, und durch das Moment der *triuwe*, das sich in der Führung und vor allem dem Zweck der Kämpfe bekundet, positive Einordnung in eine christliche Weltordnung, echte Beziehungen zum Bereich des Religiösen. Darum können auch die Gralritter nicht von der Pflicht zu streiten entbunden sein, sie sind im Gegenteil eine recht wehrhafte Schar (469, 1 u. ö.) und kämpfen besonders hart, stets auf Leben und Tod, um den Gral vor der Zudringlichkeit Unberufener zu schützen (492, 1—9; 792, 16. 20 f); es mischen sich indes hier wieder Züge der Märchenpoesie ein, durch welche der Dichter aber wiederum einen besonderen religiösen Sinn ritterlicher Kämpfe hindurchschimmern läßt: *für ir sünde si daz tragent* (468, 30) und: *daz ist für sünde in dâ gegebn* (492, 10). Als Sühne für die Sünden, die man begangen, sollen sie aufgefaßt und ausgefochten werden; das hat nur Sinn bezogen auf die harte Not, in die man dabei gerät, auf Schmerzen und Wunden, die man empfängt, auf das Wagnis und gegebenenfalls den Verlust des Lebens. Kampfesnot erdulden, um seine Sünden abzubüßen, also heiligende Kraft religiös aufgefaßten Kampfes — das ist wieder echt Wolframisch; Wolframisch aber auch, daß solche Auffassung nicht bei jeder Gelegenheit betont wird, daß sie vielmehr im allgemeinen verdeckt bleibt und nur bei den Gralrittern enthüllt wird. Darum ist Fr. Knorr zuzustimmen, der auf die läuternde Kraft der letzten Kämpfe Parzivals vor seiner Zulassung zur Gralburg großes Gewicht legt, und speziell desjenigen mit seinem unerkannten Halbbruder Feirefiz, der ihn, da sein Schwert zerspringt, vor das Angesicht des Todes stellt. Wir mußten oben (s. S. 31 f, S. 107) den Sinn eines Wortes von Trevrizent offen lassen, der seinem Neffen, nach der voll und ganz vollzogenen inneren Umkehr, doch noch geraten hatte: *nim buoz für missewende;* vielleicht liegt darin eine Mahnung zu Bußwerken im kirchlichen Sinn, vielleicht aber meinte der Greis auch, Parzival könne sich die Templeisen zum Vorbild nehmen und sein hartes Ritterhandwerk in der gleichen Gesinnung wie sie ausüben!

Nunmehr gewinnen zwei Versgruppen ihren vollen Sinn, die uns Heutige zunächst überraschen. Die Unsicherheit, mit der Parzival nach der Begegnung mit Kahenis ringt: *waz, ob got helfe phligt, diu mînem trûren an gesigt* [=den Sieg gewinnt über]? sucht er zu überwinden mit den Gedanken: War er jemals einem Ritter hold, verdiente je ein Ritter seinen Lohn, kann wirklich Schild und Schwert und rechter mannhafter Kampf seiner Hilfe sich würdig machen. . . . so helfe er, falls er zu helfen vermag (451, 17 f). Nicht lange danach, mit Gott bereits ausgesöhnt und mit den geheimen Herrlichkeiten des Grals bekannt geworden, bricht er trotz aller Sprüche Trevrizents in die Worte aus: Wenn Ritterschaft mit Schild und Speer irdischen Ruhm und dazu für die Seele das Paradies erringen kann — nun Ritterschaft (lies: ritterlicher Kampf) war immer mein Verlangen. Ich stritt, wo sich ein Streit mir bot, sodaß meiner wehrhaften Hand der Preis bald zufallen muß. *ist got an strîte wîse* — versteht Gott etwas vom Kampf (höre: Rittertum), so wird (muß?) er mich dorthin berufen, daß sie es dort erleben: meine Hand soll nicht vom Streiten lassen (472, 1—11). Im ersten Fall spricht noch ein Schwanken zwischen Zweifel und Hoffen, im zweiten entfaltet sich schon eine Zuversichtlichkeit, die dem demütigen Einsiedler wie ein unerträglicher Stolz vorkommt und sein sofortiges Eingreifen nach sich zieht. Wenn Parzival aber eine falsche Haltung zeigt, so betrifft sie nur die ungestüme Art, nicht die Sache selbst, an der Trevrizent auch nichts rügt. Gott ist schon an *strîte wîse* — er versteht sich wohl auf eines Ritters Herz; war nicht sein Erlösungstod selbst als ein Streit der *triuwe* gegen die *untriuwe* zu sehen (465, 9 f)? Gott würdigt darum auch den Kampf des Ritters, wenn dieser ihn in *triuwen* ficht und demütig als Buße für die Sünde auf sich nimmt.

Wieder aber fällt das Kultisch-Kirchliche völlig aus; Ritter-
weihe und Schwertsegen hat unser Dichter nicht, wie Gotfrid
für seinen Tristan[149]; auch ist die Gralidee kein Mönchrittertum,
und statt ihn auf den Kreuzzug zu schicken, läßt er Parzivals
Vater für den Baruch Kriegsdienste tun. Weiterhin läßt er nicht
merken, daß er Kenntnis hätte von den Verboten, mit denen
die Kirche Zweikämpfe und Fehden, Kampfspiele und Schau-
kämpfe immer wieder untersagte[150], um das unsägliche Elend
zu mindern, das diese Erzeugnisse einer schrankenlosen Kampfeslust im ganzen Abendland verschuldeten; wenn auch vor unsern
Augen nur Ither, und zwar in einem grotesk unritterlichen
Kampf, und im übrigen während des Ablaufs des Romans einzig noch Gahmuret, infolge einer ebenfalls unritterlichen Tücke,
erschlagen werden, so sind es anderseits zahllose Ritter, von
denen berichtet wird, daß sie im Kampf ihr Leben verloren —
wie es nun einmal das harte Los des Waffen tragenden Standes
ist: *sus lônt iedoch diu ritterschaft: ir zagel* [=Ende; eigl.
Schwanz, Schweif] *ist jâmerstricke haft* (177, 25 f). Aber wiederum läßt sich auch von irgendwelchem Gegensatz gegen die
Kirche nichts beobachten. Wir haben z. B. allzu viele Belege
dafür, daß aufrichtig fromme und kirchentreue Ritter mit aller
Unbefangenheit die Kirchengesetze bezüglich Turnier und Zweikampf übertraten. So erzählt Cäsarius von Heisterbach von
einem Walther von Bierbec, einem tadellosen Ritter, daß er
dem Leib nach in Turnieren, der Seele nach im Dienst Mariens
stand; einmal ließ er auf einer Turnierfahrt eine Messe lesen,
kam infolgedessen zu spät und erfuhr zu seinem Erstaunen von
den ihm Begegnenden, daß sein Name in aller Munde sei ob
seiner hervorragenden Taten — die Gottesmutter selbst hatte
ihn zur Belohnung seiner Frömmigkeit mit wunderbarer Kraft
vertreten; dem Novizen, der an dieser erbaulichen Geschichte
nicht recht verstehen kann, wie die heiligste Jungfrau an Gebet
und Opfer eines Mannes, der so strenge Gebote übertrat, Wohl-
gefallen fand, wird die Antwort: wegen der zweifachen Tod-
sünde des Hochmutes [im Hinblick auf die menschliche Ehre

---

[149] Tristan V. 5010—16; 5021.
[150] Neuestens ganz kurz zusammengestellt von A. S c h a r n a g l in
LfThK Bd. 10, 1938, S. 1109 unter Zweikampf.

(! der spezifisch ritterliche Terminus) und des Ungehorsams
gegen die kirchliche Vorschrift] ging das an sich himmlische Verdienst in einen bloß zeitlichen Lohn über. Ein andermal erzählt
er von einem Ministerialen, der sich zum Duell vor dem Kaiser
Friedrich(Barbarossa) durch die heilige Kommunion vorbereitete
und vom Herrn den Sieg über den überstarken Gegner geschenkt
erhielt[151]. Im übrigen wußte die Kirche sich keineswegs im
Gegensatz zum Ritterstand, dessen wichtigste Betätigung die
Verwaltung der Macht mit dem Symbol der Macht, dem Schwert,
war; sie wirkte auch nicht allein negativ durch Bändigung und
Einschränkung des Kampfesmutes, sie gab ihm auch große Ziele
(Schutz des Rechtes und der Schwachen, Kreuzzüge) und lehrte
ihn, den Kampf selber religiös zu führen; darum hieß sie die
Ritterorden gut, die den Kampf nicht ablehnten, sondern für
Gott unternahmen und segnete die Waffen bei der Weihe eines
jungen Ritters. Ihre Prediger verkündigten es, daß der Ritter
nicht ohne Grund die Waffe trägt, denn Gottes Beamter sei er
zur Bestrafung der Übeltäter, zur Belobigung der Guten; wenn
es einem Christen überhaupt nicht erlaubt sein solle, mit dem
Schwert zu töten, warum habe dann der Vorläufer des Heilandes den Kriegern geboten, mit ihrem Sold zufrieden zu sein
und nicht vielmehr, das Schwert aus der Hand zu legen[152]?
Wolfram unterläßt es auch bezüglich des *strîtes*, wie bisher stets,
das Religiöse durch die äußeren Mittel der Angleichung an kirchlichen Brauch und Kanon in sein Gedicht hineinzubringen, er
bemüht sich, die Sache selbst mit echter, christlicher Frömmigkeit zu durchdringen, und das wesentliche Wort ist hier wie
immer die *triuwe*[153]. Hiermit schließt sich der große Ring und
fügt sich das Rittertum völlig in die große Synthese ein, an der
dem Dichter alles gelegen ist.

---

[151] C a e s a r i u s v. H e i s t e r b a c h, Dialogus Miraculorum, ed.
Strange 1851, Bd. 2 S. 49 f u. 202 ff.

[152] Vgl. B e r n h a r d v. C l a i r v a u x, Tract. de nova mil. (s. Note 1
zu S. 33) cap. 3, aaO S. 99.

[153] Abwegig ist K e f e r s t e i n s Versuch, sich den christlichen Charakter der ritterlichen Zweikämpfe mittels „christlicher" Auffassungen über das
Duell nahezubringen. Der wesentliche Satz lautet: „Auch heute noch findet
ja das Duell als die ultima ratio im sittlich geforderten Kampf für die eigene
Ehre mit Recht seine christlichen Verteidiger." (Gawanhdlg. S. 271; s. auch

f) Die Vollendung
Vergleicht man rückschauend das Gralrittertum Wolframs

Eth. Weg S. 88.) K. überhebt sich der Aufgabe, die christlichen Verteidiger des Duells namhaft zu machen; so können wir nicht abwägen, wieviel Gewicht seine Gewährsmänner neben den großen und anerkannten Zeugen der christlichen Tradition haben, noch prüfen, ob ihre Gründe aus genuin christlichen Quellen und christlichem Geist kommen. Für die Kirchen besteht im übrigen Klarheit: sie lehnen das Duell strikt ab (G i e r e n s, Ehre, Duell u. Mensur, 1928, S. 297 ff für die katholische, S. 334 ff für die evangelische Kirche). K. begründet das „mit Recht" seiner Behauptung durch den Hinweis auf den überpersönlichen und nicht bloß individuellen Charakter der Ehre, die das Zusammenleben der Menschen konstituiere, ohne den Widerspruch zu beachten, daß in einem geordneten Gemeinschaftsleben die überpersönlichen Güter auch von den überpersönlichen Machtträgern geschützt werden und keinesfalls Schutzmaßnahmen der Individuen ultimativen Charakter haben können. Mit welchem Recht gebraucht aber K. das Wörtchen „noch"? Der dadurch erweckte Eindruck, als sei dem Duell ehedem allgemeinere Billigung zuerkannt worden, stimmt mit den Tatsachen, daß es bei seinem Aufkommen mit drakonischen Maßnahmen, Ämterverlust, Vermögenseinziehung, ja Todesstrafe bekämpft wurde (G i e r e n s aaO S. 201 ff), nicht überein; ja es besteht nicht einmal, wie Beloch doch wohl in seinen bezügl. Arbeiten bewiesen hat, ein historischer Zusammenhang zwischen dem modernen Duell (dem Kampf für die eigene Ehre) und den im Mittelalter üblichen ritterlichen Zweikämpfen (G i e r e n s S. 187 ff, für die Entwicklung in Deutschland S. 199 ff), und speziell gibt es im ganzen Parzival keinen einzigen Kampf, der als Duell bezeichnet werden könnte, sondern höchstens gerichtliche Zweikämpfe: Kingrimursel (321, 16 ff) und Gramoflanz (608, 22—24; 609, 14 ff. 23) wollen ihren erschlagenen Herrn bzw. Vater r ä c h e n und durch den Kampf den Wahrheitsbeweis für ihre Behauptung erbringen, nicht etwa ihre verlorene Standesehre wiederherstellen. Der Ehrenpunkt wird nur insofern berührt, als das Fernbleiben des Angeschuldigten diesen ehrlos macht! — Im besonderen ist es verwirrend, daß K. für den Abbruch des Kampfes Parzival—Gawan schwerste Gründe von christlicher Freundes- und Verwandtentreue ins Feld führt, während es sich doch einfach bei diesem Kampf um eine höchst unselige und fast groteske Verwechslung gehandelt hatte, grotesk, nicht weil sie so schwer zu glauben ist, sondern weil Parzival gerade den bekämpft, für den er aus echtester Freundschaft hatte kämpfen wollen.

Im Zusammenhang verdient noch ein Gedanke K.s Beachtung: er will es wohl gestatten, daß „der Christ und . . . die Kirche an einer Änderung und Humanisierung der bestehenden Lebensordnung arbeiten dürfen", stellt aber im unmittelbaren Anschluß nicht bloß die Art und Durchführung einer solchen Betätigung wieder in Frage mit der Behauptung, daß über ihre Berechtigung selbst die christlichen Glaubensrichtungen verschieden dächten (Gawanhdlg. S. 272).

mit dem durch Gawan—Artus und Gahmuret vertretenen, so sieht man, daß im Wesentlichen die religiösen Bindungen ernsthaft und wirksam vertieft werden, daß Wolfram sich wohl bemüht, diese Vertiefung nicht aufdringlich erscheinen zu lassen, aber daß nur dieser grundhaften und echten Frömmigkeit der Gral, d. h. die eigentlich säldehaften und säldespendenden Kräfte des Rittertums, zugesprochen werden.

Dies wird bestätigt durch die Vorgänge, die das große Ringen um den Gral abschließen. Da tritt, bevor alles sich in Freude und Seligkeit auflöst, noch einmal der Gedanke Gottes groß und ehrfurchtdurchschauert in den Vordergrund.

In der Zuversicht, daß sich nun die Güte Gottes, zum Segen der Gralgemeinde, sieghaft erweisen werde, wirft sich der aufs höchste erschütterte Parzival in der Richtung nach dem Gral betend und unter Tränen nieder, dreimal, zu Ehren der Dreifaltigkeit, um nach dieser schlichten, aber ergriffenen Zeremonie die Mitleidsfrage zu stellen, der Gott seine helfende Kraft leiht, und zwar so wirksam, daß der Dichter an den Schluß der kurzen Szene die Worte setzt: *got noch künste kan genuoc* (795, 20—796, 16).

Alsdann werden die Ereignisse in rascher Erzählung vorangetrieben, sodaß Parzival bald seinem treuen Oheim Trevrizent die frohe Kunde von der Erlösung des Amfortas bringen kann, und nun setzt der ehrwürdige Greis, so wie er es von seinem Psalmenbeten (460, 25) her gewohnt ist, das große Gloria Patri unter den Lebensweg seines Neffen: mit freudig erstaunter Demut preist er in Worten, die deutlich an die Hl. Schrift gemahnen, Gottes unergründliche Geheimnisse (797, 23—27) und läßt sie ausklingen in eine Anbetung des der mittelalterlichen Frömmigkeit teuren Urmysteriums des christlichen Glaubens (ebd. 28—30), in das also letzten Endes auch der Lebensweg Parzivals einmündet. Anschließend wirft er noch einen Rückblick auf den wider alle Erwartungen glücklich abgeschlossenen Entwicklungsgang des Helden, wobei er sich selbst als vom Lauf der Geschichte korrigiert bekennt, und auch, damit kein Schatten an dem wahren und lauteren Gottesbegriff haften bleibe, seine falsche Aussage über die neutralen Engel zurücknimmt; und nun, so ist sein abschließendes Wort, seid ihr auf der Höhe eures Ziels angekommen — *nu kêrt an diemuot iwern sin* (798, 2-30).

Nachdem auf diese Weise die Höhe oder besser die Tiefe des neunten Buches wieder berufen und erreicht ist, nachdem alles in eines Ritters[154] Möglichkeit Stehende getan ist, *daz got niht wirt gepfendet der sêle durch des lîbes schulde,* mag sich denn auf diesem Fundament auch der Schluß mit seiner grenzenlosen Festesfreude abspielen, der dafür bürgt, daß hier wirklich nicht weniger der *werlde hulde behalten wirt mit werdekeit.*

Kapitel V
Die Ethik des Parzival

In sich blieben der Gral und die Synthese eine platonische Idee, wenn sie nicht von einem Menschen errungen, angeeignet würden: nur in diesem Fall können sie ihren Segen und ihre Sälde mitteilen dem, der das Werk vollbringt und durch seine Vermittlung auch allen andern. Parzivals Lebensinhalt ist Weg zum Gral, ist Erringung der Synthese. Gänzlich auf die Bewältigung dieser Aufgabe ist seine Entwicklung ausgerichtet, und damit ist der menschliche Anteil an ihr zu einer grundhaft sittlichen Angelegenheit gemacht. Ethisch im engeren Sinn waren ja auch die ersten Stufen des Parzivalschen Werdeganges: Beherrschung der ungebändigten Triebe, Selbstverantwortung im Handeln; auch die religiöse Stufe steht unter kräftig ethischem Aspekt.

Über die Parzivalsche Ethik ist im Lauf der Wolframforschung mancherlei gearbeitet worden[1], bis E h r i s m a n n seinen zusammenfassenden und von vielen Seiten mit Recht dankbar aufgenommenen Aufsatz schrieb[2]. Allerdings melden sich neuerdings Vorbehalte an. Wir waren bereits veranlaßt, M i s c h zu zitieren[3]. Seither hat K e f e r s t e i n die Befürch-

---

[154] Wie man allerdings dem ritterlichen Gralkönig noch ein Priesterkönigtum (s. N e u m a n n, Ritterideal S. 25; dasselbe bleibt dem Geschlecht des wieder ganz im Märchenhaften versinkenden, in den Orient zurückkehrenden Feirefiz vorbehalten, 822, 25—27) andichten kann, ist unverständlich.

[1] S. das Nähere in den Bibliographien.

[2] E h r i s m a n n, Ethik; ferner auch Tugends.

[3] S. oben S. 91.

tung ausgesprochen, daß mit der Herausarbeitung eines Systems idealer Werte in Gestalt eines höfischen Tugendsystems eine gewisse Gefahr verbunden sei: einmal, meint er, könne ein solches „starres" System gleichsam nur mechanisch funktionieren, und ferner müsse es, falls es mit Hilfe anderer Wertsysteme aufgestellt sei, die einmal in Geltung waren, notwendig zu einem bloß äußerlichen und seichten Verständnis führen; denn je nach der Verschiedenheit der ethischen Grundkräfte könnten völlig oder nahezu gleichgeartete Tugendsysteme bzw. einzelne ihrer Werte ethisch ganz Verschiedenes, ja Entgegengesetztes bedeuten, wie die Ähnlichkeit des christlichen und antiken Tugendschemas bei der Verschiedenheit der Grundidee — hier christliche Liebe, dort selbstmächtige Persönlichkeit — beweise[4]. Indes wäre es natürlich Aufgabe der Darstellung eines Systems, auch die Grundkräfte anzugeben, auf denen es basiert, sowie das Verhältnis zu gleichzeitigen und voraufgehenden anderen Systemen, mit denen es in historischem Zusammenhang steht; ferner braucht gedankliche Ordnung noch nicht gleich als „starres System" abgeurteilt zu werden, und ein l o g i s c h starres System, wie es unzweifelhaft nicht nur die theologische Scholastik, sondern auch die höfische Standesethik besaß, braucht im e x i - s t e n t i e l l e n Ordo nicht starr und mechanisch zu funktionieren.

Wolfram hat tatsächlich ein „ethisches System" seinem Parzival zugrunde gelegt und uns sogar der Mühe enthoben, es mittels langwieriger Einzelerhebungen aus dem Epos zusammenzustellen; er hat es selbst in kurzen Strichen umrissen, in einer Stelle, mit deren bisheriger Interpretation man freilich nicht ganz zufrieden sein kann, und der wir uns notgedrungen etwas eingehender widmen müssen, als der Rahmen dieser Untersuchung es an sich zuließe. Gemeint sind die Verse aus dem Prolog 1, 15—4, 8.

G. Eh r i s m a n n schreibt in seiner Literaturgeschichte: „Die Ansicht, daß Wolfram mit 1, 15 der Einleitung des Parzival gegen Gotfrid 4636 ff auftrete, bedürfte wohl stärkerer Begründung[5]." Ähnlich schon B ö t t i c h e r: „Sehr nahe liegt nun,

---

[4] K e f e r s t e i n, Eth. Weg S. 6.
[5] E h r i s m a n n LG S. 221 Anm. 1.

hier an Gottfried . . . zu denken, aber wir müssen die Frage durchaus offen lassen. Die Ansicht . . . ist ja freilich schon ausgesprochen worden, aber ohne hinreichende Begründung[6]." Wir werden versuchen, die wichtigsten Beweismomente für diese Ansicht, die nicht länger zurückgedrängt werden sollte, beizubringen. Es handelt sich also darum, daß die ganze Stelle Pz 1, 15—4, 8 ein späterer Einschub[7] ist (nämlich in die Gesamtausgabe des Parzival, von dem bekanntlich zunächst nur die sechs ersten Bücher veröffentlicht wurden), der Wolframs ausführliche Antwort auf Gotfrids scharfen Angriff in dessen bekannter Dichterparade enthält.

Voraufzuschicken ist, daß ernstlich nie (soweit ich sehe), der Versuch gemacht wurde, die Priorität Wolframs zu erweisen; sie wurde einfach hingenommen und dem, der etwa eine andere Meinung vertrat, das onus probandi überlassen. Demgegenüber ist doch zu fragen: womit begründet man diese Selbstverständlichkeit? Es liegen zwei Texte vor, von denen jedenfalls einer auf den andern Bezug nimmt, aber welcher der erste ist und welcher die Entgegnung darstellt, das bleibt zu prüfen; es genügt nicht, sich mit der Tatsache zufrieden zu geben, daß Gotfrids Zeilen in einer unanzweifelbaren Kritik stehen, also das zu Kritisierende voraussetzen: wenn Gotfrid seinen Angriff bereits auf die verhältnismäßig umfangreiche Teilveröffentlichung erscheinen ließ, so konnte sich Wolfram in der vollendeten Ausgabe recht wohl mit ihm beschäftigen. Daß der polemische Sinn seiner Worte, falls sie wirklich an die Adresse des Straßburgers gerichtet sind, nicht genau so klar zutage tritt, wie es umgekehrt der Fall ist, mag gerade daran liegen, daß man mit Recht bei dem Parzivaldichter nicht nur die *kristallînen wortelîn*, sondern eben auch den *lûteren reinen sin* vermißt. Der Hinweis auf die *bêden Isalden* (187, 19) zum Beleg dafür, daß Wolfram den Tristan Gotfrids (mit der Form *Isolde* eigtl. *Isôt!*) nicht gekannt habe, genügt in keiner Weise; sie dürfte nicht so fast aus

---

[6] B ö t t i c h e r Hl. S. 21; gemeint ist wohl B a i e r, Eingang; später kommen noch hinzu R i e g e r, Vorrede, S. 278, B u r d a c h, Vorspiel S. 395 (zuerst in Deutsche Rundschau 29, 1902, S. 253) und M e y e r, Zeitgen.

[7] Dies hatte B ö t t i c h e r übrigens klar erkannt aus 2, 7 disiu maere, aaO S. 14.

der ersten Teilausgabe einfach stehen geblieben, als höchstwahr-
scheinlich mit einem gewissen Akzent gegen den Antipoden festgehalten worden sein; das Gleiche gilt für *Lohneis* als Riwalins
Land (73, 14 u. 16) gegen Gotfrids *Parmenie* (Tr. 322 u. ö., vgl.
Eilhard 76). Als Hauptbeweis für Gotfrids Posteriorität muß
sein Ausdruck *des hasen geselle* herhalten; man sagt, er lasse
sich viel leichter verstehen, wenn er zum Zweck ironischer Ver-
ächtlichmachung aus Wolframs Gedicht übernommen sei; das
Bild gehöre Wolframs Manier ureigentümlich zu und stelle sogar ein „sicheres Kriterium" für seine Priorität dar; es sei nicht
nach Gotfrids Art; während es unverständlich bleibe, wie Gotfrid auf dasselbe gekommen sein könne, wäre es umgekehrt bei
Wolfram als Beziehung auf die Gotfridstelle ganz nichtssagend[8].
Das sind aber billige Behauptungen, nicht so sehr Beweise als
Ausflüchte vor ihnen. Welcher der beiden Stellen man also die
Ursprünglichkeit zuerkennt, man wird seine Ansicht durch Beweise zu stützen haben.

Ohne auf die verwickelt gewordene Frage nach der Ent-
stehungsweise des Parzivalprologs einzugehen, im besonderen
auf die große Initiale der Hs. D bei 3, 25 und das Fehlen der
Verse 3, 25—4, 8 in einigen d-Handschriften, darf man sich für
berechtigt halten, das Stück 1, 15—4, 8, so wie es kraft des Willens des Dichters jetzt dasteht, als eine geschlossene, zusammen-
gehörige Einheit innerhalb des Prologs anzusehen. Darauf weist
schon rein äußerlich das Wort *underbint* (2, 23) hin, für welches
trotz der Einwände von L e i t z m a n n[9] und R i e g e r[10] die
durch N o l t e[11] herausgearbeitete Bedeutung Unterbrechung,
Abschweifung doch wohl gültig bleibt. Das Wort selbst gibt
zwar keine Auskunft über den Umfang dieses Einschubs; sicher
bezieht es sich jedoch auf die Verse 1, 15—3, 24, an die der folgende Abschnitt 3, 25—4, 8 durch das zurückgreifende *wîp unde
man* in 3, 25 unmittelbar angeschlossen erscheint. Diese Einheit[12] ist mehr intentional als historisch-genetisch zu verstehen;

---

[8] N o l t e, Eingang S. 51.   [9] ZfdPh 35, S. 137.
[10] ZfdA 46, S. 180, merkwürdigerweise die Beweiskraft der N o l t e-
schen Gründe anerkennend und die eigene Meinung in keiner Weise stützend.
[11] N o l t e, Eingang S. 52 ff.
[12] Wir werden das von W im Plural gebrauchte Wort (= eingeschobene
Gedanken) im Singular verwenden im Sinn von Einschub.

es braucht nicht unter allen Umständen bestritten zu werden, daß einzelne Verse schon der ersten Ausgabe angehört haben könnten, was z. B. für 3, 25—30 nicht ganz undenkbar wäre. Es handelt sich um eine Einheit, die dem Stück von seinem Charakter verliehen wird, so wie es ihn in seiner uns vorliegenden Form hat.

Ein flüchtiger Überblick ergibt, daß der Dichter sich hier in der Stellung des Kampfes, der Verteidigung, der Abwehr befindet. Die ruhige Art der 14 objektiv darlegenden Eingangsverse geht plötzlich in einen ziemlich energischen, stark subjektbetonenden (die Ichform geht bei 4, 9 noch weiter, doch fehlt von da ab der polemische Akzent) Ton über; wir hören uns in eine Auseinandersetzung hineingezogen, von törichten und weisen Leuten ist die Rede, mehrfache Ausfälle sind sogar von erheblicher Schärfe; wir merken dunkler oder deutlicher, daß der Dichter mit nachdrücklichem Ernst von seinen Idealen sprechen will, um uns womöglich vor ihnen zu verantwortlicher Entscheidung aufzurufen, gleich im Prolog, bevor wir uns der Lektüre des Werkes hingeben; ja schließlich macht er sich anheischig, uns mehr zu bieten als drei andere, die jeder vielleicht sein formales Können aufwiegen. Diese Tatsachen erlauben uns die erste Feststellung: Wolfram verteidigt in einem als Einheit klar erkennbaren *underbint* seine Art und seine Dichtung. Unter dieser Voraussetzung ergeben die Verse *wer roufet mich, dâ nie kein hâr gewuohs, inne an mîner hant? der hât vil nâhe griffe erkant* (1, 26—28), daß die Verteidigung Wolframs sich nicht nur gegen die gefühlte, stumm gebliebene Kritik eines ablehnenden oder nicht verstehenden Publikums wendet, sondern gegen einen konkreten, ganz formell ausgesprochenen Angriff, der vermutlich sogar, weil Wolfram ihm in literarischer Form begegnet, in die Literatur eingegangen ist. Wenn es nunmehr in der in Frage kommenden Literatur wirklich eine, und nur eine Stelle gibt, die einen Angriff auf Wolfram darstellt, eben Gotfrids, und allerdings äußerst scharfen Ausfall in seiner Literaturrevue gelegentlich der Schwertleite Tristans, so wird man mit besonderer Sorgfalt die Beziehungen der beiden Textstücke prüfen und genauestens alle Anhaltspunkte für die Prioritäts- und Posterioritätsverhältnisse vermerken.

Um die Aufgabe durchzuführen, teilen wir den Wolfram-
text so ab, wie es die Lachmannsche Ausgabe tut, und besprechen
der Reihe nach die fünf Abschnitte, die, wie sich herausstellen
wird, auch den Sinn sachgemäß unter sich aufgliedern, während die bisherige Auslegung im ersten Teil keine klaren Ab-
grenzungen zu sehen vermochte und sich abquälte, aus der Anrede von „*tumben*" und „*wîsen*" ein dem formalen Aufbau
sicher nicht entsprechendes Gliederungsprinzip zu erheben[13].

Erster Abschnitt: 1, 15—28

1. Vers 15—19

Äußerst gewandt ist es gewiß, wie Wolfram von der Doppel-
deutigkeit des *vliegenden bîspels*, des Elsterngleichnisses, das
aber selbst rasch wie ein Vogel an den *tumben liuten* vorbei-
huscht, hinüberturnt auf das ebenfalls zwiegesichtige *snel*, das
eben noch die G e s c h w i n d i g k e i t von Elsternflug und
Elterngleichnis zu bezeichnen schien, aber bereits auf die G e -
s c h i c k l i c h k e i t und Wendigkeit hindeutet, mit der ein
aufgescheuchter Hase seine Haken vor dem verfolgenden Jagd-
hund zu schlagen pflegt. Recht eindrucksvoll führt uns Wolfram hier seine poetische Hasenmanier vor, wenn er so unver-
mittelt aus dem Vogelgleichnis in das Hasenbild hinüberwech-
selt. Ob er nicht dazu veranlaßt ist? Denn es ist doch wohl
überraschend, daß für ein gerade erzähltes Gleichnis selbst alsbald ein neues gesucht wird, und zwar nicht, um es zu ergänzen
oder zu vertiefen oder durch ein besseres zu ersetzen, sondern
um, wie es scheint, durch das zweite Bild die Schwerfaßlichkeit
des ersten zu beleuchten. Solche Kompliziertheit macht auch bei
einem Wolfram nicht den Eindruck ursprünglichen Empfunden-
seins, zumal das neue Gleichnis das alte doch kaum richtig trifft:
da die Eingangsverse des Parzival nämlich recht ruhig erzählt
werden und im Ganzen auch nicht ernstlich unverständlich sind
— B ö t t i c h e r läßt gerade im Gegenteil mit 1, 15 erst die
„eigentliche crux interpretum" beginnen[14], womit er nicht Unrecht haben dürfte — da sie keineswegs hin- und herfahren wie

---

[13] Besonders E h r i s m a n n Ethik S. 417 ff, unter Berufung auf B ö t -
t i c h e r Hl. S. 15 ff.

[14] B ö t t i c h e r, Hl S. 15.

ein aufgejagter Hase, macht dieses zweite Bild nicht einmal den Eindruck sachlicher Berechtigung; ja bei scharfem Zusehen fällt auch eine leichte formelle Unstimmigkeit auf, indem die Worte *diz vliegende bîspel* offenbar die vorausgehenden 14 Verse zusammenfassen sollen, obwohl nur in Vers 6 einmal flüchtig das vergleichende Bild gebraucht wird und der ganze Text nicht eigentlich als Gleichnis bezeichnet werden kann. Man würde das zweite Gleichnis viel leichter gelten lassen, wenn man zu seiner Begründung auf eine äußere Veranlassung hinweisen könnte, wenn man annehmen dürfte, daß es für einen bestimmten Zweck zurechtgebogen wurde, so gut es eben ging.

Wie liegen nun die Dinge bei Gotfrid? In der Absicht, eine kritische Übersicht über die großen dichterischen Erscheinungen der Zeit zu geben, hatte er mit Hartmann begonnen und in wiederholten Wendungen die hohe Vollendung seiner Dichtungen nach *rede* und *sin,* nach *wort* und *meine* gepriesen[15]. Um darauf Wolfram, dem er sich nunmehr zuwendet, zu kritisieren, setzt er mit einem grotesk barocken und belustigenden Bilde ein:

> *swer nu des hasen geselle sî*
> *und ûf der wortheide*
> *hôchsprünge und wîtweide*
> *mit bickelworten* [= Würfelworten, d. i. bizarren Wortprägungen] *welle sîn . . .*[16]

Die Vorstellung von der Sprache als einer Wortheide ist so gefällig in sich wie ungezwungen, wo es gilt, Blumen und Zweige zu suchen, um dem größten Dichter ein *lôrschapelekîn*[17] zu winden; und daß sich auf einer Heide ein Hase tummelt, der bald seine tollen Sprünge macht, bald weit umherläuft, ist nicht weiter verwunderlich. Daß hiermit aber Wolframs sprachliche und dichterische Art köstlich karikiert ist, hat noch niemand geleugnet, der ihn kennen lernte, und so läßt dieses gut in den Zusammenhang gefügte, vollendet durchgeführte und seinen Gegenstand ausgezeichnet treffende Bild durch nichts vermuten, daß es fremder Herkunft, von außen her veranlaßt wäre. Obwohl man Gotfrids Vergleichen eine gewisse Blässe und Gelehrsamkeit vorwirft, so kann diesem „unvergleichlichen Wortkolo-

---

[15] Tristan 4619—35.
[16] Ebd. 4636—39.
[17] 4640; die ganze Stelle 4635—57 läuft unter diesem Bild!

risten"[18] im Interesse der Sprache, zu der er ein so besonders inniges Verhältnis hatte, auch ein wirklich plastischer Vergleich wohl geglückt sein[19].

Wenn also hier irgendeine Abhängigkeit besteht, so scheint sie weit eher bei Wolfram zu liegen, der dann einen bösgemeinten Vergleich, denjenigen, mit dem sein Gegner den Angriff eröffnet hatte, aufgegriffen und zu seinen Gunsten retorquiert hätte — mit einem guten Quentchen Ironie, denn der Sinn des Hasengleichnisses wäre in diesem Fall nicht mehr, die Schwerverständlichkeit des Bildes von der Elster zu betonen und zu illustrieren, sondern den Gegner unter die Zahl der *tumben liute* einzureihen, die die Einleitungsverse so wenig wie die ganze Dichtung verstanden haben.

2. Vers 20—28

Die Übersetzung dieses Teilstückes bietet keine besonderen Schwierigkeiten, um so größere freilich ihr Verständnis. Was soll es heißen, wenn Wolfram, im unmittelbaren Anschluß an das Wort vom scheuen Hasen sagt: „Zinn hinter einer Glasscheibe (also ein Spiegel) trügt[20], und ebenso des Blinden Traum; sie geben den Schein eines Antlitzes, aber dieser trübe leichte Schimmer hat keine Beständigkeit, er bereitet nur kurze Freude. Wer rauft mich, wo mir nie ein Haar wuchs, auf meiner inneren Handfläche? Der muß wahrhaftig reichlich scharf zupacken."

Die gesamte bisherige Auslegung erklärt, Wolfram gebe hier seinen Zuhörern zu bedenken, sie möchten sich wegen der Dunkelheit und Schwerverständlichkeit des Elsterngleichnisses, die er bereits in dem Wort von dem Hasen eingestanden habe, nicht erregen, Bildern eigne nun einmal dieses Mißgeschick. So scheint bereits der jüngere Titurel die Stelle verstanden zu haben, denn seine Worte

Ein glas mit zin vergozzen
hât iemen des verdrozzen
und treume des blinden triegent;
so wundert mich niht ob die gein mir kriegent

---

[18] B u r d a c h , Vorspiel S. 395.
[19] Vgl. jedoch auch die Deutung der Unanschaulichkeit Gotfrids durch A. D i k s t e r h u i s , Thomas und Gottfried, 1935, S. 131 unten.
[20] Ich kann mich für keine Erklärung des gelîchet/geleichet exklusiv entscheiden; der Sinn des Satzes bleibt eindeutig, auch wenn er noch dunkler wäre.

besagen, daß der Dichter die Ablehnung derer, die das Trugspiel von Spiegelbildern und Blindenträumen ärgert, ohne Verwunderung hinnimmt. Unter der Voraussetzung, Wolfram allein aus sich, ohne Seitenblick auf Gotfrid, verstehen zu müssen, ist vielleicht auch kein anderer Sinn in seine Worte zu bringen; darum interpretiert sogar John M e y e r, der den Einschub im ganzen als gegen Gotfrid gerichtet nimmt: „Es liegt diese Unklarheit im Wesen des Bildes. Ein Spiegel und die Träume des Blinden geben nur ein ungenaues und flüchtiges Bild . . . Darum macht mir der, der das tadelt, ungerechte und grundlose Vorwürfe, die mich nicht treffen[21]." Wie aber soll es möglich sein, daß ein Dichter, der von sich selber sagt: *ich bin Wolfram von Eschenbach und kan ein teil mit sange* (214, 12 f), einen derartigen Aufwand von mysteriösen Bildern macht, nur um darzutun, daß die Banalität vom stets hinkenden Vergleich auch hier gelte? Wie kann man ihm zutrauen, daß er sich selbst als einen Blinden bezeichnet, und daß er mit seinem Elsterngleichnis, das er doch für bedeutend genug erachtete, um den Parzival einzuleiten (und also womöglich mit seinem ganzen Epos!) als mit einer Vorspiegelei, mit einem Traum, der keinen Bestand habe, den Lesern keine bleibende Freude bereiten könne? Mit welchem Recht möchte dieser Dichter noch Tadel abwehren, — wenn die Möglichkeit besteht, die Stelle auch anders zu deuten?

Da man offenbar in den Worten „Wer rauft[21a] mich usw." die ironische Abweisung einer Zumutung, die ihn gar nicht berührt, der zu entsprechen ihm jeder Ehrgeiz fehlt, sehen muß, darf man vermuten, daß in den vorausgehenden Versen vielleicht auf ihren Inhalt Bezug genommen wird. Nun war Wolfram in der Tat von Gotfrid vorgeworfen worden, seine Dichtung sei das Werk eines *hôchsprüngen* (wegen der mitunter sonderbaren Wort- und Satzgebilde) und *wîtweiden* (im Hinblick auf viele ausfallenden Vergleiche und weit ablenkenden Ge-

[21] M e y e r, Zeitgen. S. 514.

[21]a Sehr richtig hat B ö t t i c h e r Hl S. 19 mit roufen den Sinn eines böswilligen Angriffs, u. z. eines gegen Ws Person gerichteten verbunden und gedeutet: „sie greifen mich da an, wo tatsächlich kein Haar zu raufen ist, d. h. kein Angriffspunkt gegeben ist; sie tadeln also etwas, was unmöglich getadelt werden kann." Die Folgerung aus dieser Deutung hat er nicht mehr gezogen.

dankenführungen) Hasen, es fehle ihr also sprachliche Kultur und gedankliche Zucht. Das hatte er, nach unserer Annahme, mit Grimm, Humor und Ironie vermerkt (15—19). Es gibt allerdings auch eine andere Art des Dichtens, so fährt er nunmehr, wie uns scheint, fort und holt zum Gegenschlag aus, eine, die es versteht, glänzende Bilder vorzuspiegeln und bunte Blindenträume hervorzuzaubern, eine, die in vielleicht formschönen und dabei gehaltarmen Versen einen *trüeben lîhten schîn*, nämlich die ethisch fragwürdigen und substanzleeren Illusionen eines rein ästhetischen Poesieideals gewähren. Wenn man sich erinnert, daß unser Dichter von dem Straßburger hatte hören müssen, seine Poesie wirke nicht wie der wohltuende Schatten, den eine breitästige, reichbelaubte Linde einer vom Frohsinn überflatterten Gesellschaft biete, sie vermöge vor allem nicht Herzelust und Freude zu wecken[22], ganz abgesehen davon, daß sie auch im sprachlich-Formalen viel reiner und glatter sein müsse[23], so wird dieses im Sinne Wolframs seichte Ideal jetzt zurückgewiesen, denn solcher Dichtung fehle die *staete,* dieser Grundbegriff Wolframscher Lebens- und, wie wir hier sehen, auch Dichtungsauffassung, und wenn sie zwar für eine Weile eine fröhliche Gesellschaft ergötzlich unterhalten möge, sei sie doch nicht imstande, dauerhafte und gediegene Freude zu vermitteln, wie sie der Parzivaldichter offenbar verlangt und zu bereiten gedenkt. Gotfrid ist jener Blinde und sein Dichten ist *zin anderhalp am glase,* und dessen Wirkung *trüeber lîhter schîn,* womit zugleich auch die üblen Worte von dem *golt von swachen sachen,* von den *stoubînen mergriezen,* von dem *mit ketenen liegen*[24] heimgezahlt werden. Gotfrid mochte immerhin auf sein Dichtungsideal, das, um durch vollendete Gefälligkeit zu erquicken, die sittlichen Grundgesetze auf den Kopf stellte und menschlicher Echtheit nur geringen Wert beimaß, seine Mühe wenden — es bei Wolfram zu vermissen und ihn darob noch zu tadeln, das war wahrlich eine müßige Kritik, es hieß ihn raufen auf der unbehaarten Handfläche.

Mich tadelt mein Kritiker, würde Wolfram in diesem ersten Abschnitt also etwa sagen, als den bildungslosen, unkultivierten Hasen, der auf den Gefilden der hohen Dichtkunst umherirrt

---

[22] Tristan 4671—80.   [23] Ebd. 4657—62.   [24] Ebd. 4665—70.

und seine Männchen macht, während seine eigene *tumbheit* ihn hindert, meinen Gedanken und Anliegen überhaupt zu folgen — und ich sollte mich bequemen zu dem seichten und hohlen Ideal, das er aufzustellen noch befähigt ist? Strikte Ablehnung einer unechten, unterhaltsamen, im Formalistischen aufs feinste geglätteten Poeterei ist somit der Inhalt des ersten Abschnittes. Ganz von selbst erhebt sich die Frage: welches Ideal stellt Wolfram dagegen auf?

Zweiter Abschnitt: 1, 29—2, 22

1. Vers 1, 29—2, 4

Die beiden ersten Zeilen dieses Abschnittes

sprich ich gein den vorhten och,
daz glîchet mîner witze doch

haben die verwunderlichsten Deutungsversuche hervorgerufen. M a r t i n z. B. übersetzt: „Schrei ich aus Furcht hiervor o!, so sieht es noch danach aus, daß ich bei Verstande bin" und erklärt (!): „Mit Recht fürchte ich sehr, daß der Leichtsinnige den Wert der Treue nicht erkennt und daher ein unzuverlässiger Freund wird."[25] Ganz allgemein zieht man die Worte in den unmittelbaren Zusammenhang des Voraufgehenden[26], indem man *gein dén vorhten* betont und etwa erklärt (wieder John Meyer): „Fürchte ich mich davor (nämlich vor den ungerechten und grundlosen Vorwürfen, die man mir wegen meines ungenauen und flüchtigen Bildes macht, s. o.), so bin ich gerade so klug, als wenn ich Treue da finden will, wo es ihre Art ist, zu verschwinden wie Feuer im Brunnen."[27] Ehe man derartig verschränkte Gedankenführung annimmt, tut man auch bei Wolfram gut, eine einleuchtendere Deutung zu suchen.

Ganz wörtlich übertragen heißen die Verse einfach: Spreche ich gegen die Furcht — je nun[28], das entspricht gerade meiner

---

[25] M a r t i n, Kommentar, z. Stelle.

[26] In Abhängigkeit von L a c h m a n n, Eingang (S. 492): „So müssen wir nun gleich die zwei folgenden Verse (Zitat) zu dem Vorhergehenden ziehen." (Wozu hat er dann in seiner Ausgabe den Einschnitt vor diesen beiden Versen gemacht?)

[27] M e y e r, Zeitgen. ebd.

[28] Ob man das *och* in 1, 29 als eine Art Objekt zu *sprich ich* faßt (was der verbreiteteren Auffassung entspricht) oder als Interjektion (was uns wahrscheinlicher dünkt), berührt den Sinn der beiden Verse nicht.

witze, meiner Art und Haltung. Das Verständnis bereitet keinerlei Schwierigkeit, sobald man sich erinnert, daß die Furcht offenbar das direkte Gegenteil des in den Eingangszeilen des Parzival (1, 5) gepriesenen und d u r c h d i e g a n z e D i c h t u n g verherrlichten *unverzaget mannes muot* ist, der Grundtugend alles Rittertums, des aufrechten und vor keiner Gefahr zurückbebenden Mannestums. Die negative Formulierung betont das Beabsichtigte nur umso kräftiger. Dem Tristan Gotfrids wird man diese Tugend trotz tapferen Benehmens in den Kämpfen nicht eigentlich zusprechen; er ist kein Vorbild für einen Wolframschen Ritter; nicht nur, daß er uns mehrfach in der Situation der Furcht gezeigt wird, vor allem in den typischen Erlebnissen seines Schicksals führt ihn nie aufrechte Männlichkeit zum Ziel, sondern stets seine Gewandtheit und seine Raffiniertheit[29]; keine der Gotfridschen Gestalten zeichnet sich durch diese eigentliche Rittertugend aus, am wenigsten der genasführte Marke, ein für Wolfram schlechtweg unwürdiger Typus.

Zumal mit der angeschlossenen Begründung seines Ideals scheint Wolfram den elsässischen Dichter im Auge zu haben; sie erfolgt nämlich mit dem Gedanken, daß nur diese unverzagte Tapferkeit Schutz und Hort für die offensichtlich als höchste menschliche Tugend bewertete *triuwe* bilden könnte: wird man sie etwa finden, wo sie vergehen muß wie ein Feuerfunken im Brunnen, wie ein Tautropfen vor der Sonne? (2, 1—4.) Es ist ja nicht unbekannt, welch große Bedeutung das Wort *triuwe* auch in Minnemoral und Minneleben Gotfrids hat; es ist schwer, den Gedanken auszuschlagen, Wolfram habe als Gegensatz zu seinem Mannesmut die pseudoritterlichen Helden Gotfrids mit der sie verzehrenden Glut der Gotfridschen Minne im Auge, bei denen die *triuwe* so gut aufgehoben sei, wie seine Vergleiche es eben besagen[30]. Jedenfalls scheint er in den unmittelbar folgen-

---

[29] Schon der junge Tristan, das muoterbarn (!2320) in seiner Furcht vor der grôzen wilde (!2500, 2505—10) ist ein typischer Gegensatz zum jungen Parzival (etwa 120, 15—21).

[30] M e y e r , Zeitgen. ebd.: „Mir scheint sogar in 2, 1 f noch eine ganz besonders bissige Bemerkung zu liegen, die sich etwa gegen die mangelnde triuwe von Gottfrieds Helden und Heldin richtet."

den Versen einen neuen, klar erkennbaren Hieb gegen seinen Angreifer zu führen.

2. Vers 2, 5—16.

In Gotfrids Literaturstelle hatte es zum Schluß der Ausfälle gegen Wolfram geheißen, dessen Erzählungen könne man ohne beigegebene Kommentare nicht verstehen, und im übrigen habe man nicht Lust noch Zeit, die nötigen Glossen in den Büchern der schwarzen Magie zu suchen. Stolz erwidert Wolfram, daß er niemanden kenne, so weise er immerhin sein möge, der nicht Anlaß hätte, für eine erklärende Deutung seines Parzivals dankbar zu sein (2, 5—8; den törichten Vorwurf von der schwarzen Magie benutzt er mit einem trotzig überlegenen „Nun gerade", wie schon oben berührt[31], für die erdichtete Gralvorgeschichte), und dann folgt das merkwürdige Bild, in dem das, was zwischen seinem Werk und dessen Leser vor sich geht, nach spezifisch ritterlichen Denkformen, einem scharfen wechselvollen Turnier verglichen wird: seinen Parzival zu lesen bedeutet eine harte und ernste Auseinandersetzung, die selber einen herzhaft ritterlichen Mannesmut erfordert, denn da folgen sich Angriff und Rückzug, Ausbiegung und neuer Vorstoß bald auf der einen, bald auf der andern Seite (2, 9—11). Man braucht diese Turnierstelle nur neben das Bild von der höfischen Festgesellschaft und einige andere Äußerungen[32] über Zweck und Sinn der Dichtung im Tristan zu halten, um zu spüren, welch außerordentliche Bedeutsamkeit der unverfälscht ritterlichen Mannhaftigkeit verliehen ist, die das Leben bis in die literarische Sphäre hinein beherrschen soll. Echtes, ja höchstes Rittertum, anders ausgedrückt, ein furchtlos tapferes Herz, das wirklich ein Hort der *triuwe* sein kann: das ist der Kommentar zu Wolframs Parzival in bündigster Formulierung. Mit den typischen Termini der ritterlichen Standes- und Gesellschaftsethik erklärt Wolfram: *disiu maere . . . lasternt unde êrent* (2, 12); je nach seinem sittlich ritterlichen Wert wird sich ein jeder bei dem geistigen Turnier der Parzivallektüre Ehre und Anerkennung ausgesprochen hören, oder er wird sich aus ihm gerügt und getadelt vernehmen.

---

[31] S. 148 u. Note 118.
[32] ZB aus der Einleitung, etwa Tristan 45 ff.

Bei der dann folgenden launisch humorvollen, aber die Worte
doch fein wägenden Umspielung des in der Ritterwelt wohl-
bekannten Begriffes „Verliegen" (2, 15 f) — man darf sich nicht
versitzen (= Verliegen), noch *vergên* (in sittlichen Verfehlungen,
vor denen Tristan wenig Hemmungen hat), muß sich vielmehr
wohl *verstên* (auf den Kampf und seine wechselnden *schanzen,*
im wirklichen wie im vertieften Sinn) — dem das Gotfridsche
Minneideal jedenfalls näher ist als dem Wolframschen Rittertum, mag man sich es überlegen, ob Gotfrid etwa *mit disen
schanzen* [= Glücks-, Wechselfällen; afranz. *cheance*] *allen kan*
(2, 13), denn es folgt

3. Vers 2, 17—22

das scharfe Urteil über den *valsch gesellechîchen muot.* Der
gesellechîche muot enthält einen bezeichnenden Gegensatz zu
Wolframs *mannes muot;* die Formel wird von unserm Dichter
trotz der Geläufigkeit ihrer beiden Bestandteile nie wieder gebraucht (nur ganz zum Schluß klingt sie noch einmal an, als
sollte vor Ende der Dichtung die Unvereinbarkeit der Gotfridschen und der Gralethik verewigt werden: *der grâl und des grâ-
les kraft verbietent valschlîch gesellschaft* 782, 25 f), Gotfrid
aber hatte mit der Prägung mehrfach an hervorgehobenen Stellen sein Menschenideal zum Ausdruck gebracht und sie schließlich durch den Ausdruck *friundes muot* bedeutungsvoll variiert;
sowohl in der Schilderung von Tristans Vater Riwalin als einem
Pfeiler der höfischen Gesellschaft[33] wie in den nicht minder
wichtigen Ermahnungen Markes an seinen Neffen[34] ist der *gesellechîche muot* gewissermaßen der Schlüsselbegriff, wie auch
das Entzücken des alten Königs über seinen zartgliedrigen und
gewandten, überaus vielseitig und fein gebildeten Neffen sich
in der Einladung ausgesprochen hatte: *nu suln ouch wir g e -
s e l l e n sîn, dû der mîn und ich der dîn;* später jedoch, nach
dem entscheidenden Sieg der Leidenschaft über das ihr verfallene
Paar, in der langen Reflexion, in der Gotfrid seine Konzeption
über die „reine Minne" vorträgt, erscheint als deren kostbarste
Frucht der *friundes muot*[35], in den sich demnach der *geselleclîche muot* wandelt, sobald er unter die Formkraft der Gotfrid-

---

[33] Tristan V. 516 im Zusammenhang d. ganzen Stelle.
[34] Ebd. 5136.   [35] Ebd. 12 273.

schen Minne gerät. Diese Formel, die die ganze „Ethik" Gotfrids samt ihrer Anlage zur Katastrophe in sich birgt, greift also Wolfram heraus, versieht sie mit dem Prädikat der Falschheit (2, 17), das sie angesichts der von ihr verdeckten Wirklichkeit für Wolframs Anschauung wahrlich verdiente (*geselleclîcher muot* zwischen Tristan und Marke!) und verdammt ihn zur Hölle (2, 18), denn er sei der Untergang alles Adels und aller Würde (2, 19). Die Vermutung B a i e r s[36], daß der drastische Vergleich vom zu kurzen Kuhschwanz, der bei einer Fahrt in den bremsenreichen Wald bereits den dritten Biß nicht mehr abzuwehren vermöge (2, 20—22), von dem Erliegen der *triuwe* Tristans bei der dreifach[37] schwerer werdenden Versuchung zu verstehen sei, ist kaum von der Hand zu weisen, besonders wenn man den Nachdruck nicht so sehr auf die Dreizahl legt, sondern auf die Tatsache, daß er der Versuchung schließlich nicht mehr Herr wird. Ausdrücklich gesteht Tristan im Augenblick, wo er sich zur andern Isot entschließt, den Zusammenbruch seiner Treue zur ersten ein: *wan diu triuwe und diu minne, die ich ze mîner frouwen hân, diu enmac mir niht ze staten gestân*[38]. Man kann sich unschwer ausmalen, wie ein derartiges Bekenntnis auf den Gestalter der *grôzen triuwen* (4, 10) mit ihrer kategorisch unverbrüchlichen Bindekraft gewirkt haben muß.

Zusammenfassend ergibt sich der zweite Abschnitt als eine starke Verteidigung des (ritterlichen) Menschenideals, das im Elsterngleichnis aufgestellt war, des *unverzaget mannes muot* als alleiniger und wahrer Sicherung der *triuwe* gegenüber den Illusionen Gotfrids.

---

[36] B a i e r, Eingang, S. 406.

[37] Tristan, V. 19 129 ff, 19 249 ff, 19 356 ff, 19 420 bezieht sich kaum auf eine vierte Versuchung, sondern besagt, daß Tristan in der letzten Versuchung keine vier Schritte mehr von Isolde Weißhand wegkommt; wer unbedingt will, mag auch eine vierte Versuchung annehmen, die dann mit der unmittelbar anschließenden Katastrophe bereits identisch wäre. Die Verwirrungen vor 19 129 (ab 18 970) sind noch kein Wanken an Isolde Goldhaar. Sehr fein werden die Versuchungen abgestuft: die erste endet mit einer herzhaften Ermannung (19 167—73), die zweite geht in einen unsicheren Schwebezustand über (19 300 ff) und die dritte in den Zusammenbruch.

[38] Ebd. 19 472—74.

Dritter und vierter Abschnitt: 2, 23—3, 24

1. Vers 2, 23—3, 10

Dieses ritterliche Ideal mit stark männlichem Charakter gilt selbstredend für den Mann — nicht als ob Wolfram den Frauen nichts zu sagen hätte: diesen wendet er sich nunmehr zu. Allein schon in der Tatsache, daß der Dichter, weil er kein ästhetisches, sondern ein menschlich-ethisches Anliegen als Sinn und Erfüllung der Dichtung proklamiert, gesondert von Mann und Frau spricht, wie auch die menschliche Natur sich in die beiden einander ergänzenden Geschlechter aufteilt, um dadurch zur Vollendung zu gelangen, tut sich erneut der Unterschied zu Gotfrid auf, welcher wohl manche köstliche Bemerkung über die Gegensätze und das Verhältnis zwischen Mann und Frau zu sagen weiß, aber bis in die seelischen und ethischen Tiefen ihrer naturgegebenen Verschiedenheit nicht hinabreicht.

Das Wolframsche Hochbild der Frau stellt sich folgendermaßen dar: Sinnerfüllung ihres Wesens ist es offenbar, daß sie ihre *minne und ir werdekeit* (2, 30) hinschenke, so freilich, daß sie dabei *ir prîs und ir êre* (2, 29) nicht verschwendet, damit sie *ir kiusche und ir triuwe* (3, 2) unverletzt bewahre. Die drei Wortpaare sind wohl jedes als Hendiadyoin zu verstehen, wobei *prîs* und *êre* fast synonym sind, während *minne* und *werdekeit* das ganze, körperlich-ethisch-seelische Wesen der Frau umfassen, das sie dem Mann darbringen soll; *kiusche* und *triuwe* aber, in denen also Wolfram die Ehre der Frau erblickt, verbinden sich wohl zu einer der Naturanlage der Frau stärker zugehörigen Form der *triuwe*, — nicht als ob die *kiusche* das spezifisch Frauenhafte zur an sich männlichen oder übergeschlechtlichen *triuwe* hinzufügte, sondern insofern die frauliche Eigenart einen gewissen Anhalt bietet, den Zug der *kiusche* stärker zu betonen, der ansonst von der *triuwe* untrennbar ist und auch beim Mann sich finden muß.

Grundlegend und zielgebend ist auch für die Vorstellung Wolframs von der Frau somit die *triuwe*, für die sofort, genau wie der unentwegt männliche Sinn beim Mann, eine Sicherung namhaft gemacht wird in der *kiusche*, die sich äußert in *rehter mâze* (3, 4) und *scham* (3, 5); auch diese beiden Worte haben wir von einer einheitlichen Sache zu verstehen, nämlich von der gemessenen Zurückhaltung, die sich die Frau aufzuerlegen hat. *rehtiu mâze* wird bei der Frau immer als *scham* auftreten.

Nach der Anschauung Wolframs ist also die Frau ganz auf den Mann hinbezogen, wobei das Körperliche nicht in den Hintergrund tritt; aber sie hat doch noch mehr zu schenken als bloß Minne, eben ihre *werdekeit*, ihre Würde, die sie hochhalten muß, und dies tut sie, indem sie sich nur dem hingibt, dem ihre *triuwe* es gestattet; hier tritt bereits der Zusammenhang der *kiusche* mit der *triuwe* zutage; *triuwe* erfüllt sich für die Frau in erster Linie in dem ihr wesenhaften Verhältnis zum Mann und, konkret, in ihrem tatsächlichen Verhalten zu i h r e m Mann.

Wir haben schon den Parallelismus gestreift, der den vorliegenden Abschnitt mit dem voraufgehenden verbindet, insofern *kiusche* mit *mâze* und *scham* für die Frau an die gleiche Stelle gerückt ist, wie für den Mann der unverzagt tapfere Sinn. Der Parallelismus der beiden Abschnitte ist indes bis ins Kleine durchgeführt. Ähnlich wie für den Mann seine unentwegte Mannhaftigkeit das ganze Wesen bis zu seiner höchsten Ausdrucksform, der *triuwe*, schützend umschließt und in allen Wechselfällen durchhält (2, 13), wird auch für das ihr bei der Frau Entsprechende die Totalität festgestellt in den Worten: *scham ist ein slôz ob allen siten* (3, 5); ähnlich wie das männliche Ideal in den Bereich des Religiösen hineinbezogen wird dadurch, daß sein Gegenstück, der *valsch geselleclîche muot*, zur Hölle verdammt wird (2, 18), geschieht es mit dem weiblichen in den Versen: *vor gote ich guoten wîben bite, daz in rehtiu mâze volge mite . . . ich endarf in niht mêr heiles biten* (*heil* hat noch lebhaft religiösen Klang, 3, 3. 6); ähnlich wie dort der *valsch geselleclîche muot* verurteilt wird, wird auch hier der *valschen*, also derjenigen, die, weil *scham* und *mâze* ihr fehlen, keine *triuwe* haben kann, das Lob abgesprochen: sie erntet *valschen prîs* (3, 7), ein Urteil, mit dem die zahlreichen ehrenden Beiworte Gotfrids für seine Frauengestalten wie *reine, kiusche, triuwe* usw. wohl getroffen sein könnten. Und abschließend wird auch in einem ganz ähnlichen Gleichnis wie vorher (2, 1—4), nämlich mit der dünnen Scheibe Eis unter der heißen Augustsonne (3, 8—10) auf die Gefährdung des weiblichen Ideals hingewiesen.

Obzwar unausgesprochen, da hinsichtlich der über die Frau
zu sagenden Dinge kein Angriff Gotfrids vorlag, ist die inhaltliche Gegensätzlichkeit der beiderseitigen Vorstellungen von der
Frau deutlich spürbar, und sie scheint betont zu werden durch
die straffe Angleichung an den vorausgehenden Abschnitt, der
klar polemisch ist.

2. Vers 3, 11—24

In diesem Abschnitt, in dem es Wolfram darum geht, ein
unzulängliches Frauenideal abzulehnen, wird der Gegensatz
wieder so klar, daß er sich (mit höchster Wahrscheinlichkeit) in
einer erneuten konkreten Anknüpfung Ausdruck schafft. Es ist
beobachtet worden, daß das Motiv von der sittlichen Tugend
und Vollkommenheit der Herrin, welches im Minnesang fast
mit Regelmäßigkeit als liebreizende Macht neben oder über ihre
Schönheit gesetzt wird, im Tristan ganz ausgeschaltet bleibt[39],
wogegen Wolfram das Äußere nur als *herzen dach* (3, 22) wer-
tet. Nach dem Schöpfer des Parzival braucht nicht immer Einklang zu bestehen zwischen äußerer Gestalt und innerer Würde,
und in solchem Fall ist nicht *schoene* (3, 11) und *varwe* (3, 21)
ausschlaggebend, sondern eben *rehten wîbes muot* (3, 19; man
beachte die Ähnlichkeit mit der Prägung *unverzaget mannes
muot)*, und darum rügt er nun das leichtfertige Spiel Gotfrids
mit „Gold und Messing", will sagen, mit Isolde und Brangäne[40],
indem er die g o l d gefaßte Glasperle verwirft und dafür, obzwar nicht leichthin (*ich enhân daz niht für lîhtiu dinc* 3, 15),
doch immer noch eher mit dem in einen M e s s i n g ring gesetz-
ten Rubin, der in einem unansehnlichen oder häßlichen Körper
befindlichen edlen Seele, sich abzufinden suchen würde (3, 11—
18), in dem Gedanken: *dane sol ich varwe prüefen niht, noch
ir herzen dach daz man siht* (3, 21 f).

---

[39] N i c k e l , Studien zum Minneproblem bei Gottfried v. Straßburg
(=Königsberger deutsche Forschungen H. 1) legt S. 7 zum Beweis den Finger auf die Verse Tristan 8257 ff, die den ekstatischen Preis der Schönheit
Isoldens ohne ein Wort von irgendwelchem sittlichen Vorzug enthalten, und
weist ausdrücklich auf die Gegensätzlichkeit zu unserer Wolframstelle hin,
ebd. Anm. 4.

[40] Vgl. Tristan V. 12 611 u. 12 675.

Fünfter Abschnitt: 3, 25—4, 8

Wolfram führt mit diesem Abschnitt seine *underbint*-Gedanken zu Ende. Was er im Voraufgehenden als die echten Gegenstände der Dichtung in polemischer und theoretischer Weise aufgezeigt hat, das kündigt er nunmehr an durch seinen Parzival mit den künstlerischen Mitteln des Epikers gestalten zu wollen. Dazu braucht es, so versichert er, eine lange Geschichte, die durch alle Beglückungen und Nöte des Menschseins führt, die von Lust und Leid zu erzählen hat, die begleitet ist von Freude und Angst (3, 25—4, 1). Dies ist seine Absicht und sein Plan, und angesichts des großen Werkes, vor dem er steht, bricht er in die unerwartet stolzen Worte aus: Nun laßt an meiner Stelle drei andere antreten, die jeder mein (formal-)dichterisches (und mir abgesprochenes) Können aufwiegen — wenn sie euch kundtun möchten, was ich allein euch künden werde, so kämen auch sie nicht ohne *wilden funt* aus (der nun einmal für ein Werk mit solchen Zielen unerläßlich ist; Dichtungen, die andern Wünschen dienen, bloß genußvoller Unterhaltung, können ruhig auf ihn verzichten und sich dafür auf sprachlich literarisches Raffinement verlegen), und selbst dann noch hätten sie ihre Arbeit damit (4, 2—8).

Die Leidenschaft, das Selbstbewußtsein, der geradezu bekenntnishafte Charakter dieser Schlußverse sind so unüberhörbar[41], daß sie unmittelbar verständlich werden, wenn man sie gegen die schweren Vorwürfe, die bei Gotfrid stehen, gerichtet sein lassen darf. Dort war dem Hasenpoet erstens ganz allgemein das dichterische Können abgesprochen worden[42], dort war sodann sein fingierter Anspruch auf Hartmanns Ehrenkranz[43] mit angemaßter Richterwürde[44] und lächelnder Nonchalance[45]

---

[41] Mehr als überraschend ist es, daß B ö t t i c h e r Hl S. 28 diese Verse ebenso gut als Ausdruck des Selbstbewußtseins auch als Äußerung eines Unzulänglichkeitsgefühls (! bei Wolfram) glaubt auffassen zu können: „Wären statt meiner drei, deren jeder ein so b e s c h e i d e n e s Talent hätte, wie ich, sie hätten Arbeit genug, wenn sie euch das künden wollten, was ich mir nun allein vorgenommen habe."

[42] Tristan V. 4636—62 das Formale, V. 4663—88 das Inhaltliche.

[43] Ebd. 4640 f geht auf 4634 f; s. auch 4652 ff.

[44] Ebd. 4643 f, 4647 ff.   [45] Ebd. bes. 4642, 4654.

und mit einem frommen Trost[46] abgewiesen worden, dort war er schließlich und vor allem *vindaere wilder maere*, der *maere wildenaere*[47] genannt worden, und, merkwürdig genug, dort waren es auch genau drei Dichter an der Zahl, nämlich Hartmann[48], Blikker[49] und Veldeke[50], die so himmelhoch über ihn erhoben wurden. Mit einem einzigen, ungeheuer kraftvollen Gegenschlag beantwortet unser Dichter diese Anwürfe allzumal: es ist, als habe er den Gegner, um in der ritterlichen Sprache zu verbleiben, aus dem Sattel geworfen und beherrsche nun das Feld: nun kann er unbehelligt beginnen, seinen Parzival zu erzählen, ohne weitere Furcht vor Mißverständnissen, die die richtige Erfassung und Bewertung und damit die beabsichtigte Wirkung des Epos beeinträchtigen könnten.

Rückschauend fassen wir die Ergebnisse der Analyse noch einmal kurz zusammen:

1. Wir haben vor uns einen klar herausgehobenen, durch das Wort *underbint* noch ausdrücklich als solchen bezeichneten Einschub, der seinen polemisch-defensiven Charakter selbst erklärt durch das Zeugnis, daß sein Verfasser „gerauft" worden war;

2. es gibt in der gleichzeitigen Literatur einen Text, in dem Wolfram sehr heftig „gerauft" wird, jene Verse in Gotfrids Tristan, zu dessen Anschauungen Wolfram ohnehin durch seine ethische Grundhaltung, welche in dem Einschub auch noch besonders herausgearbeitet wird, in denkbar großem Gegensatz steht;

3. Der Gegensatz verdichtet sich nicht nur bei Gotfrid, sondern auch bei Wolfram zu gut verständlichen Anspielungen, z. B. die fehlenden Kommentare, der *valsch geselleclîche muot,* der zu kurze Kuhschwanz, Gold und Messing, wobei an den Beginn und an den Schluß des Einschubs mit dem Hasengleichnis, den drei Konkurrenten und dem *wilden funt* die schärfsten und zugleich deutlichsten Anzüglichkeiten gesetzt sind;

4. man hat bei unvoreingenommener Prüfung in allen Fällen und in einigen besonders stark den Eindruck, daß die entsprechenden Worte und Wendungen bei Gotfrid mehr den einfachen

---

[46] Ebd. 4656.   [47] Ebd. 4663 f.   [48] Ebd. 4619 ff.
[49] Ebd. 4689 ff.   [50] Ebd. 4721 ff.

Angriff darstellen, wogegen sie bei Wolfram den Charakter der Verteidigung und Zurückweisung, mitunter durch gewaltsame Umbiegung, annehmen.

Bei diesem Befund ist es nicht mehr zu bezweifeln, daß Wolfram seinem Antipoden mit einer ausführlichen Antwort gedient hat. Während einzelnen Stücken und Teilstücken nur eine mindere oder höhere Beweiskraft zukommt, manche vielleicht bloß eine schwache Möglichkeit ergeben, ist es ihr einhelliger Zusammenklang, der erstens alle Ungewißheit ausschließt, und zweitens auch die Teile, deren polemischer Charakter minder deutlich hervortritt (z. B. Abschnitt drei), in die Auseinandersetzung hineinbezieht.

Wolfram hat also die Gelegenheit zu einem herzhaften Lanzenstechen mit seinem Gegner wahrgenommen — wie hätte er auch anders können, der streitbare Ritter, der im Rahmen eines so erhabenen Epos sogar eine Dame sehr energisch anrennen kann und ihren Geschlechtsgenossinnen für etwaige Sympathiebezeugungen einen *werlîchen strît* anbietet (214, 5 ff. 28). Eine Auseinandersetzung mit dem Straßburger ist beim Charakter Wolframs a priori anzunehmen[51], und da die behandelte Stelle alle Anzeichen einer solchen hat, warum sollte man sie nicht dafür nehmen? Für unseren Zweck aber ist die Stelle wichtig, weil der Dichter darin Anlaß nimmt, uns formell seine bereits bekannte grundlegend sittliche Einstellung (die sogar für seinen Dichtungsbegriff maßgebend ist, vgl. bes. Abschnitt zwei und fünf) zu bestätigen und uns auch die Grundzüge seiner Sittlichkeit, die wesentlichen Strukturen seines Tugendgefüges kennen zu lehren.

Dasselbe ist außerordentlich einfach. Es ist eine ausgesprochen germanisch-ritterliche Standesethik, tapfer die Männer, züchtig und rein die Frauen, alles beherrscht von echter *triuwe*.

Im Lauf des Epos wird eine große Menge von Tugenden genannt, ohne daß auf Definitionen sonderliche Mühe verwendet würde; es ist sehr schwer, ja unmöglich, die einzelnen so präzis gegeneinander abzugrenzen, wie dies in den Summen der

---

[51] Die kurze Bezugnahme vor Beginn der Willehalmerzählung (Willeh. 4, 19—24) kann in keiner Weise als solche genügen, schon weil sie sich nicht gegen e i n e n konkreten Angriff richtet.

zeitgenössischen Theologen fast zum genialen Spiel wird; ein Begriff erscheint diesmal erstaunlich umfassend, was Breite wie was Tiefe angeht, dann wieder steht, wo man gerade ihn erwarten möchte, ein anderes Wort. Es lassen sich jedoch drei Grundkreise von ethischen Kategorien angeben, die nach den Auslassungen im „Einschub" gegen Gotfrid in organischer Beziehung zueinander stehen bei hinreichender Unterscheidbarkeit und dieses Verhältnis auch durch den ganzen Roman hindurch bewahren. Es sind das die Kategorien, über die man die Worte *triuwe, unverzagter muot* und *kiusche* als Überschriften setzen könnte; diese werden in etwas anderer Formulierung als der eigentliche Gehalt des Werkes angegeben, denn dies ist ein *maere, daz seit von grôzen triuwen, wîplîchez wîbes reht, und mannes manheit also sleht, diu sich gein herte nie gebouc* (4, 10 ff). Wenn *triuwe* der übergeordnete und wichtigste Begriff ist, so sieht man sofort, daß *unverzagter muot* eine stärker männliche, *kiusche* eine mehr frauliche Komponente bedeutet, die auch jede von den Vertretern des jeweils zugehörigen Geschlechts am reinsten dargestellt wird, aber durchaus nicht auf „ihr" Geschlecht beschränkt ist. Schon daß ein jeder Bluterbe seiner beiden Eltern ist, bürgt dafür, daß er am ganzen Tugendgefüge teilhat. Wohl sind höchstes Vorbild der in keiner Kampfes- und Lebensnot kleinmütig werdenden Beherztheit Parzival und Gawan, umgekehrt findet die schwer übersetzbare *kiusche* ihre lauterste Verwirklichung in Gestalten wie Kondwiramurs und Sigune, aber Wolfram will auch in den Frauen einen edlen Starkmut sehen, der sie befähigt, unter Umständen, allerdings nur im äußersten und keineswegs als ideal betrachteten Notfall, im Kampf an der Seite eines Mannes auszuhalten, wie es Antikonie tut, und bei allen Männern jene taktvoll zurückhaltende Geschämigkeit, die unter Gurnemanz' Ratschlägen die erste Stelle einnimmt (170, 16—20) und deren Ausfall bei einem Ritter der *unfuoge kranz bedeutet, man solt in drumbe toeten* (343, 25. 30). Immer wieder stößt man auf Kombinationen, die erst den vollwertigen Menschen ausmachen (z. B. 167, 12; 437, 12; 734, 25; 737, 20 f; 823, 24; vgl. auch 159, 17; 365, 17. 21; 781, 12 u. v. a.); N o r m für die *kiusche* bleiben dabei *diu wîp* (26, 15), N o r m für den *unverzaget mannes muot die ritter* (407, 5 f).

Die Gelegenheit katexochèn, den Mannesmut zu bewähren, ist der *strît*, aber auch alle andern Schwierigkeiten, in die das Leben den Menschen bringt, werden durch ihn gemeistert: er bleibt stark in den Nöten, die von außen kommen. Die *kiusche* ist es, die im Gegensatz dazu die aus dem eigenen Innern aufsteigenden Schwierigkeiten bezwingt, also das Triebleben beherrscht; sie legt Mäßigung und Enthaltsamkeit in Wort, Gebärde, Tat, im Benehmen, im Essen und Trinken an den Tag, sie gewinnt vor allem für die Minne Bedeutung, damit für das Verhältnis zwischen den Geschlechtern, insonderheit das höfisch-gesellschaftliche Leben, darin die Frauen eine wesentliche Funktion erfüllen. *Triuwe* schließlich ist die Tugend, die das rechte Verhalten zum andern Menschen lehrt, insofern er ein Mensch ist, dem man menschlich begegnen muß, sei es Mann oder Frau, und zwar einerseits wie es seine augenblickliche Situation erheischt, andererseits wie es durch das zu ihm bestehende menschliche Verhältnis (Blutsbande, Ehe, Verschwägerung, Freundschaft, Lehensabhängigkeit usw.) erfordert ist. Die zeitüberdauernde Verläßlichkeit, die aller Tugend, auf daß sie echt sei, notwendig ist, wird dabei durch das Wort *staete* ausgedrückt, das demnach ein formales Element aller Tugendhaftigkeit bezeichnet, nämlich den im Guten gefestigten, seinen Grundsätzen treuen Charakter.

Teils synonym, teils als konkrete Äußerungen, teils als besondere Aspekte der *triuwe* erscheinen *milte, erbärmde, helfe*, auch wohl *minne* usw. Ähnlich entfaltet sich die *kiusche* in *mâze, schame, diemüete, bescheidenheit* (! vgl. 171, 7—12); sie tritt auch in besondere Nähe zu dem das gesellschaftliche Leben regelnden Begriff der *zuht*. Zum *mannes muot* gehören die Worte *unverzaget, unervorht, balt, küen, stolz* u. ä.

Die Gegensätze der Tugenden sind vielfach unmittelbar zu erkennen als *untriuwe, unkiusche, unstaete* u. dgl. Von den häufigst verwandten enthält *valsch* Wolframs schlimmsten Vorwurf und ist im allgemeinen der ausgesprochenste Gegensatz zur *triuwe*, insofern diese die Haupt- und Grundtugend ist. *Wanc* und *zwîvel* sind mehr auf das Element der Festigkeit in allen Tugenden, auf die *staete*, bezogen. *Missewende* ist der schlimmste Verstoß unter dem Gesichtspunkt der höfischen Gesellschaftsethik, hat damit allgemeineren Charakter und nähert sich bereits dem Begriff *schuld* und sogar *sünde*.

Dies ist das „ethische System" Wolframs, fast schon ein wenig zu straff rational-logisch schematisiert; es ist wichtig, noch einmal zu betonen, daß die einzelnen Begriffe weder in sich völlig rein bestimmt noch gegen einander ganz sauber abgegrenzt sind, was dem Dichter aber nicht als ein Versagen auf logischem Gebiet vorgeworfen werden darf, da es ein Zeichen seines besonderen Verständnisses für organische Zusammenhänge und lebendige Übergänge ist. Auch ist dieses System insofern nicht rational-logisch aufgebaut, als in ihm die Tugenden nicht g e g e n einander unterschieden werden nach den Formalaspekten ihres Gegenstandes, wie es in der streng dialektischen Scholastik geschieht[52]; sie werden vielmehr z u einander in Beziehung gebracht nach ihrer Aufgabe, die wertvollste aus ihnen, die *triuwe,* zu ermöglichen und zu steigern. Es ist ein anthropologisch organisches System, da sich in ihm einigermaßen die Aufteilung der m e n s c h lichen Natur in die beiden Geschlechter, das m ä n n liche und das w e i b liche, abspiegelt. Nicht zu Unrecht könnte man sagen, es besteht in der *triuwe,* und jedenfalls umschreibt ihr Bezirk das höchste sittliche Wertgebiet[53], die übrigen Tugendbereiche, einerseits der *unverzaget mannes muot,* anderseits die *rehte kiusche,* finden ihre wesentliche Begründung darin, daß sie die *triuwe* gewährleisten und schützen. Es wird nun auch endgültig klar, daß dieses lebendig-organische System den Entwicklungsgang Parzivals beherrschte: die erste Stufe, die er nach dem Schritt aus dem Walde zu ersteigen hatte, gehörte

---

[52] Vgl. die scholastischen Lehrbücher; in klassischer Weise wird diese logische Systematik für das Tugendsystem durchgeführt in der „Aristotelisch-Thomistischen Philosophie, dargestellt von J. G r e d t OSB", 1935, Bd. 2 S. 305.

[53] Dies wird rein äußerlich auch dadurch bestätigt, daß das Wort (samt seinem Gegensatz untriuwe und den zugehörigen Eigenschaftswörtern) in den 827 Abschnitten des Epos nicht weniger als 267mal vorkommt und damit weitaus an der Spitze aller ethischen Termini steht. Dagegen trifft man kiusche (mit seinen grammatischen Ableitungen) nur 70mal, schame 47mal, staete 35mal, dêmuot 7mal usf. Umgekehrt kommt kein Wort für einen ethischen Mangel an die Häufigkeit von valsch heran, das sich 89mal findet, hôchvart ist 21mal gebraucht, gir (nicht immer Untugend) 13mal, nît 6mal, ungenuht 4mal, gît 3mal.

unter das Gebiet der *kiusche,* der Selbstbeherrschung, danach hätte es gegolten, den *mannes muot* zu bewähren, der indes *parriert* (1, 4) war: obwohl mutig zu kämpfen und erstaunlich hart in und nach der Absage an Gott, hatte er nicht das Herz zu selbstverantwortlicher Entscheidung in der Stunde der Prüfung.

Mittels des Rückgriffes auf Parzivals Weg lassen sich nun noch drei weitere, höchst wichtige Feststellungen über Wolframs Ethik machen:

1. Die Ethik ist bei ihm nicht höchster oder absoluter Wert, sondern Weg zum Höchsten. Der Sinn des Parzival erschöpft sich nicht darin, ethische Entwicklung vorbildhaft und verpflichtend darzustellen, sondern er führt zur Erreichung eines Zieles, wofür die ethische Vollendung eben die Voraussetzung ist. Das Höchste ist der Gral, der nicht so sehr den ethisch Vollendeten symbolisiert, sondern vielmehr das, was diesem zuteil wird: *wunsch von pardîs, erden wunsches überwal.* An der Schwere des Weges, der durch *zwîvel* und Verirrungen hindurchführt — wobei das „hindurch" noch wichtiger ist als die Verirrungen — ermessen wir, welche Anforderungen nach Wolframs Ansicht das Ziel an den Menschen stellt, aber auch welcher Wert seiner Erreichung beigemessen wird. Wenn also Wolfram als Ethiker von Geblüt zu bezeichnen ist, so muß man sich doch vor einer falschen Verabsolutierung hüten.

2. Ferner darf man bei Wolfram die sittliche Entwicklung nicht einfach als organische Entfaltung der persönlichen Anlagen nach dem innewohnenden Gesetz bestimmen; das wäre modern gedacht, die Begriffe des Versagens und der Schuld würden überhaupt gegenstandslos oder könnten höchstens noch auf das eigene Ich bezogen werden, im Vertrauen auf dessen Güte das Ziel einfach mit dem Produkt identifiziert würde. Für Wolfram ist ethische Entwicklung wesentlich von dem objektiv gegebenen, zu erreichenden Ziel bestimmt, wobei das Vertrauen auf die Güte des Zieles es nicht zuläßt, von einer Vergewaltigung der Persönlichkeit zu reden; darüber hinaus äußert sich die wohl· abgestimmte Zuordnung von Ziel und Persönlichkeit darin, daß jenes dieser als erstrebenswert und anlockend erscheint. Gute Grundanlagen sind wohl die Voraussetzung, und sie sind gegeben in dem edlen Bluterbe des reinen Naturkindes, aber Auf-

gabe ist nicht „organisches" Wachsenlassen, sondern Meisterung der Triebe und Überwindung der Hemmungen; Parzivals Mißgriffe waren nur solchem Wachsenlassen zuzuschreiben gewesen. 3. Schließlich offenbart am deutlichsten die Geschichte des Helden, daß die Ethik des Parzival keine autonome Sphäre ist, daß sie vielmehr aufs innigste mit der religiösen verflochten und verwachsen ist; in leichteren Andeutungen spürt man es immer wieder, wie der Dichter alle Sittlichkeit in religiösen Zusammenhängen stehen läßt, in dem Einschub z. B. durch die fest geglaubte Hölle als ihre letzte Sanktion (2, 18) und durch die vor Gott ausgesprochene Bitte um rechte Tugend für die Frauen (3, 3. 6); aber hier waltet wieder die stets beobachtete Diskretion, die es verschuldet hat, daß man immer noch streiten kann, ob man verschiedenen Termini Wolframs, zumal dem *zwîvel* des Prologs, einen vorwiegend oder ausschließlich ethischen bzw. religiösen Inhalt zuzugestehen habe. Die Frage erfordert noch eine nähere Prüfung.

K e f e r s t e i n, der das Christliche, seine Vorgegebenheit für Wolfram wie für die gesamte höfische Wert- und Denkwelt mit stärksten Akzenten herausstellt[54], versucht merkwürdigerweise, während er nachdrücklich die e t h i s c h e Grundhaltung des Dichters proklamiert[54a], jede r e l i g i ö s e Deutung (möglichst) von ihm fernzuhalten[55], was z. B. bis zur Vermeidung des angeblich zu stark theologisch belasteten Wortes Sünde zugunsten von Schuld geht. Er hat anscheinend vom Christentum nur eine ethische Seite im Auge (die indes doch nur die Auswirkung seines neuen Gottverhältnisses ist), und von der christlichen Ethik auch bloß den sozialen Teil, die Nächstenliebe[56]. Diese wiederum wird als das f o r m a l e Element des Christentums genommen und so entstehen sehr eigentümliche Verzeichnungen. So sagt er: „Der christliche Geist kann nahezu jede weltliche Ethik . . . erfüllen, ohne daß er die betreffende ethische Ord-

---

[54] K e f e r s t e i n, Eth. Weg S. 4 unten, S. 35 ff, S. 52.
[54a] Ebd. S. 5, Erster Abschn. v. Kap. 2.   [55] Ebd. S. 26.
[56] Nach seinem Begriff von Sittlichkeit, „die das Zusammenleben der Menschen formt". Die beiden Fragen sind für ihn „erstens nach dem Ethos einer Gesellschaft . . ., auf deren Boden die Dichtung erwachsen ist, und zweitens nach dem Ethos, das das Zusammenleben der in einer Dichtung gestalteten Menschen bestimmt." (Ebd. S. 2 f.)

nung in irgendeinem Punkte äußerlich zu ändern braucht"[57], denn „das Gebot der Nächstenliebe zerstört nicht die Ordnungen der Welt, sondern bestätigt sie, erfüllt sie mit dem Geist der freiwilligen Liebe, wo zunächst Zwang und Gewalt und Autorität herrschen und herrschen müssen"[58]. Die vor dem Christentum und unabhängig von ihm schon bestehenden „Ordnungen" aber gäben praktisch und konkret an, auf wen das Gebot der Nächstenliebe zu applizieren sei, es „durchdringt die Ordnung der bestehenden Gesellschaft und ihre Moral dergestalt, daß die Frage, wer denn nun der Nächste sei, den man lieben solle, . . . praktisches Wissen um die bestehende Gesellschaftsordnung und die bestehende Moral voraussetzt"[59]. Auf solche Weise wird das Christentum in einer üblen Verweltlichung an die in der Welt bestehenden Ordnungen gefesselt, ohne darüber urteilen zu dürfen, ob dies auch wirklich Ordnungen sind, die bestätigt werden dürfen, nicht etwa bloß Ordnungsteile oder -trümmer, die ergänzt oder wiederergänzt, oder gar Unordnungen vor Gott, die ersetzt werden müssen; wäre das richtig, dann könnte dem Christentum unter Umständen der fluchwürdige Dienst zugemutet werden, die Opfer eines Zwanges zu betäuben mit dem Wahn, was ihnen abgezwungen werde, sei die wahre Religion, die Freiheit der Kinder Gottes. Keferstein meint, daß das Christentum sich in sehr verschiedenen Moralen verwirklichen könne und dies auch seither getan habe, deren konkrete Bedingungen natürlich keine allgemein verpflichtende Kraft hätten; ursprünglich habe es eine Moral aus jüdischer Welt vorgefunden und mit neuem Geist erfüllt, seine erste spezielle Form in einer Lebensordnung von kleinen Leuten und Sklaven angenommen, die wir „uns endlich abgewöhnen"[60] müßten; gewünscht wird letzthin, daß das Christentum seine Liebe nicht wende „an den Nächsten als ein Glied der menschlichen Gesellschaft, das man gleichsam nur durch Vermittlung des Abstraktums ,Menschheit' liebt, sondern an das lebendige Du, so wie es uns in den wechselnden Ordnungen dieser Welt begegnet"[61]. Ähnliche Irrtümer findet man bei Fr. K n o r r: nach ihm hat der wahre Christ

---

[57] K e f e r s t e i n, Gawanhdlg. S. 260.
[58] Ebd. S. 263.   [59] Ebd.   [60] Ebd. S. 267,
[61] Ebd. S. 263.

„weder die Möglichkeit noch die Aufgabe, die Welt in ihrer Grundstruktur umzugestalten. Seine Berufung besteht allein darin, ihr . . . zu leben, indem er ihr so, wie sie ist, dient"[62]. Nach K n o r r gewinnt das Christentum überhaupt erst dann Bedeutung, wenn der Mensch bereits geläutert ist, seine Umkehr bereits vollzogen hat, und dann liegt sie „allein darin, daß es eine umfassende Klarheit in etwas bringt, das der begnadete (!) Mensch bereits (!) hat . . . Es richtet . . . den Blick des Geläuterten auf die ganze Welt und führt den Vereinsamten in sie zurück"[63]. Eine ungeheuerliche Versklavung des Christentums an die „Welt", deren Ordnungen unter keinen Umständen von ihm angetastet werden dürfen; es klärt nur darüber auf, daß man aus freiwilliger Liebe tun müsse, was diese Ordnungen heischten.

Der Urheber des Christentums und sein Gesetzgeber hat aber, danach gefragt, wer denn der Nächste sei, der geliebt werden solle, nicht auf irgendwelche bestehenden Ordnungen hingewiesen, die diese Frage lösten, er hat vielmehr auf eine bestehende gesellschaftliche Unordnung, nämlich das Verhältnis zwischen Juden und Samaritern, den Finger gelegt und sie nicht bestätigt, sondern korrigiert. Denn die Nächstenliebe selbst ist im Christentum tatsächlich nicht f o r m a l e s Prinzip der Sittlichkeit; es ist ein enormer Unterschied, ob man einen Menschen liebt aus dem Glauben an Gott und an die Erlösung durch Jesus Christus, oder ob man es tut aus irgendeinem natürlichen gemeinschaftsbildenden Prinzip, sei es das des gemeinsamen Blutes, der gemeinsamen Heimat, der gemeinsamen Kultur oder was sonst. Mit vollkommener Klarheit wird das Formalprinzip für die christliche Nächstenliebe bereits in der apostolischen Literatur festgestellt: „Dieses Gebot haben wir von ihm, daß der, der Gott liebt, auch seinen Bruder liebe"[64], denn „jeder, der glaubt, daß Jesus der Christus ist, ist aus Gott erzeugt, und jeder, der den Erzeuger liebt, liebt auch den aus ihm Erzeugten"[65]; auf eine andere Weise kann die c h r i s t l i c h e Nächstenliebe nicht begründet werden, denn „daran erkennen wir, daß wir die Kinder Gottes lieben, wenn wir Gott lieben und seine Gebote tun"[66].

---

[62] K n o r r, Welt ZfThK 16, S. 82. [63] Ebd.
[64] I. Joh. 4, 21 f. [65] Ebd. 5, 1. [66] Ebd. 5, 2.

Diese kurze Auseinandersetzung[67] öffnet uns wenigstens in der notdürftigsten Weise den Blick für die Frage nach dem Verhältnis von Ethik und Religion. Bei Wolfram genügt es, die Frage anhand des Begriffes *triuwe*, in dem sich seine ganze Ethik konzentriert, nachzuprüfen. Wohl werden die meisten seiner Tugenden je in ihrer Art mit Gott oder dem Verhältnis des Menschen zu Gott in Bezug gebracht; so ist die *kiusche* des Trevrizent ein ganz gottgeweihtes strenges Einsiedlertum, reines Magdtum ist bei Gott hoch angesehen, Gott selbst ist seinerseits *staete; unkiusche, valsch* und *hôchvart* bestraft er mit der Hölle usw. Doch sind alle diese Äußerungen zusammengenommen nicht so umfangreich, können damit dem Dichter auch gar nicht so reiche Gelegenheit bieten zu grundsätzlichen Formulierungen wie die *triuwe*. Darum lautet unsere Frage ganz konkret: wie ist das Verhältnis von Religion und triuwe?

Daß die *triuwe* all das mit einschließt, was wir heute als christliche Liebe, als Nächstenliebe bezeichnen, hat K e f e r - s t e i n sehr stark herausgehoben, und damit hat er vollkommen recht. Zunächst müssen wir uns gegenwärtig halten, daß dasselbe einen weit größeren Anwendungsbereich hat als seine neuhochdeutsche Form Treue; auch die Bedeutungstiefe hat sich seit Wolfram vermindert, wie sehr wir es als eines unserer kostbarsten Worte schätzen, mit dem wir leicht noch immer erhabenste und für das Gemeinschaftsleben weitesttragende Werte wachrufen können. In unserer religiösen Sprache aber nimmt es doch einen recht geringen Raum ein, da es nicht mehr sehr als mit eigentlich religiösen Werten beladen empfunden wird.

Bei Wolfram haben wir zunächst einige Versgruppen, die unsere heutige Denkweise, zum mindesten auf den ersten Anblick, überraschen, wenn nicht befremden. Von Gahmuret, ihrem

---

[67] Es braucht nicht verschwiegen zu werden, daß K e f e r s t e i n uns die Auseinandersetzung durch einige bissige Ausfälle einigermaßen verleidet hat. Einwände, die gegen ihn von bestimmter Seite erhoben werden, scheint er nur anerkennen zu wollen als Zeugnisse für den „engen Sinn der katholischen Kirche" (Gawanhdlg. S. 262), für „pfäffisches Wesen", das die christliche Liebe . . . „sentimental und lebensfremd" verstehe (ebd. S. 266) und umbiege, als Belege für den „scheelen Blick", mit dem die „Priesterkirche" den hochgemuten Rittern des christlichen (!) Mittelalters zusah (ebd. S. 260). Was heißt schon Wissenschaft?

gemeinsamen Vater, erzählt Parzival seinem noch heidnischen Bruder:

751, 12   *dâ von der touf noch gêret ist*
            pflag er, triwe âne wenken

indem er offenbar die *triuwe* als die Ehrenkrone des Christentums ansieht. Kurz darauf heißt es von Feirefiz selbst, als er in Freude weint, weil er den Bruder entdeckt hat und zugleich den Tod des Vaters beklagen muß:

752, 24   *sîn heidenschiu ougen*
         begunden wazzer rêren [= rieseln lassen, vergießen]
         al nâch des toufes êren.
         der touf sol lêren triuwe,
         sît unser ê [= Ewe, Gesetz] *diu niuwe*
         nâch Kriste wart genennet:
     30 *an Kriste ist triuwe erkennet.*

Sogar als Sinnerfüllung des Christentums wird also die *triuwe* betrachtet, wie auch das Bild Christi am plastischsten unter diesem Symbol erscheint; dabei handelt es sich um die *triuwe* eines Familiengliedes gegen Vater und Bruder, und um dieser *triuwe* willen kommt sogar der Heide dem Christentum erstaunlich nahe. In der Vorgeschichte des Romans erzählt die Heidenfürstin Belakane Gahmuret unter Tränen von dem Schmerz, den ihr Isenharts Tod bereitete; Wolfram fährt fort:

28, 10   *Gahmureten dûhte sân:*
        swie si waere ein heidenîn,
        mit triwen wîplîcher sin
        in wîbes herze nie geslouf [= war geschlüpft].
        ir kiusche was ein reiner touf
   15 *und ouch der regen der sie begôz,*
        der wâc [= Woge, Flut] *der von ir ougen flôz.*

Hier wird weibliche (*kiusche* V. 14!) *triuwe* einer Heldin gar zum *reinen touf;* wenn freilich *rein* dabei der hyberbolische Ausdruck des Erstaunens ist, wie auch wir das Wort noch gebrauchen, so haben wir doch eine gewollt starke Sprechweise vor uns; die Tränen, ein bei Wolfram fast unentbehrliches Symbol echter *triuwe,* die sich ja ganz besonders in fühlendem und tätigem Mitleid mit fremdem Schmerz und Kummer bewährt, entsprechen dabei dem sakramentalen Zeichen des Taufwassers! In der voraufgehend zitierten Stelle kamen sie auch schon vor, doch war ihr Sinn noch nicht ganz deutlich zu erkennen. Noch viel erstaunlicher ist die bekannte, menschlich so starke Szene, wo Herzeloyde die Milch ihrer Brust, die früheste Botin des noch ungeborenen Sohnes ihres toten Gahmuret, anredet:

111, 7   *si sprach: du bist von triwen komn.*
het ich des toufes niht genomn,
du waerest wol mîns toufes zil.
10   *ich sol mich begiezen vil*
mit dir und mit den ougen
offenlîch und tougen [=insgeheim]
wande ich wil Gahmureten klagn.

Die Motivik bleibt die gleiche, nur tritt neben und über die Tränen die in Herzeloydens Lage besonders symbolstarke Milch (die Frage, ob Wolfram eine Taufe mit Milch für gültig genommen hätte oder ob hier Reminiszenzen von entsprechenden Irrlehren nachwirkten[68], würde den Sinn der Stelle völlig verballhornen), aber damit sie spielen kann, denkt sich die christliche Königin sogar in den Zustand des Ungetauftseins! Aber wenn selbst der fromme Trevrizent eine ähnliche Ausdrucksweise von dem Schmerz gebraucht, mit dem die Gralleute an den Leiden ihres Königs Amfortas teilnehmen:

493, 13   *dô machte ir jâmers triuwe*
des toufes lêre al niuwe,

beweist er damit, daß es nicht die Absicht des Dichters sein kann, das Christentum in eine rein natürliche, menschlich ergreifende Tugendhaftigkeit aufzulösen. Der Dichter geht nicht auf Entwertung des Christentums aus, sondern umgekehrt auf Erhöhung der *triuwe*, und die Größe dieser Tugend liegt gerade darin beschlossen, daß sich in ihr das Herzstück des Christentums offenbart; dabei wird das Grundsätzliche in konkreter Verwirklichung sichtbar gemacht: in einigen der Parzivalschen Gestalten ist diese Tugend so vollkommen vorhanden, daß sie, wenn Christen, ihre Religion wirklich zur Darstellung bringen, wenn Heiden, dem Wesentlichen des Christentums recht nahe kommen. Zum Verständnis dürfen wir uns mit gutem Recht an ein Wort des Herrn erinnern, nämlich an die Antwort an einen Schriftgelehrten, der ein aufkeimendes Verständnis für die Tugend der Liebe (wir wissen nun, daß dieselbe mit der *triuwe* identisch ist) bekundete: „Du bist vom Reiche Gottes nicht weit entfernt"[69];

---

[68] S t r o h m e y e r, Kathol. S. 673.   [69] Mk. 12, 34.

zweimal zitierte Christus auch mit Emphase das altbundliche Prophetenwort: „Erbarmen will ich und nicht Opfer"[70], denn in seiner Religion ist die *triuwe* noch wichtiger als der Vollzug des Kultes.

Die *triuwe* ist also wahre und echte, das heißt im Grunde auf Gott zentrierte Religion, im Christentum und auch bei Wolfram; man darf sich das Verständnis dafür nicht verbauen, indem man die natürlich-menschliche Seite der *triuwe* im Parzival allein anerkennen möchte: in die natürlich-menschliche *triuwe* selber ist das religiöse Moment tiefstens eingesenkt. Wir stehen hier wohl am innersten Lebensnerv der Wolframschen Synthese, die sich im Religiös-ethischen (oder Ethisch-religiösen) vollendet. Gatten- und Verwandtenliebe, Untertanen- und Gefolgschaftstreue, alle Erscheinungsformen der *triuwe* dürfen zugleich auf Anerkennung von Seiten Gottes rechnen, der selbst einen bloß zwischen Menschen gewechselten, mit aufrichtiger *triuwe* gegebenen Gruß belohnt: *der gilt getriulîch urbot* (438, 16). Er schätzt nicht nur die *triuwe,* er hat sie selber in hingebendster, in erschütternder Weise gegen uns geübt: sein Erlösungstod auf Golgotha, den er für uns erlitt, muß ganz und gar als ein Werk der *triuwe* betrachtet werden. So sinnt z. B. Herzeloyde nach über Jesus,

> 113, 20 *der sît durch uns vil scharpfen tôt*
> *ame kriuze mennischlîche enphienc*
> *und sîne triwe an uns begienc.*

In den Worten des Kahenis — sie gehören zum Frömmsten und Ergriffensten, was die deutsche Sprache überhaupt zum Karfreitagsgeheimnis gesagt hat — stehen die Sätze:

> 448, 10 *wâ wart ie hôher triwe schîn,*
> *dan die got durch uns begienc,*
> *den man durch uns ans kriuze hienc?*

hier wird es sogar *hôhiu triuwe* mit dem für die höfisch-ritterliche Lebensauffassung so bedeutsamen Terminus, was Christus für uns geleistet hat. Trevrizent seinerseits türmt das Stichwort wiederholend fast wie Quadersteine aufeinander:

> 465, 9 *sît sîn getriwiu mennischeit*
> *mit triwen gein untriwe streit,*

sodaß es uns für eine Weile ausschließlich im Ohre liegt und

---

[70] Mt. 9, 13 u. 12, 7.

ganz allein hinreicht, um den nicht mehr genauer bezeichneten Kreuzestod des Heilandes wirksam genug in die gegenwärtige Situation zu bannen. Wahrhaftig: *an Kriste ist triuwe erkennet.* Wenn Gottes *triuwe der werlde ie* [= je, von jeher, stets] *helfe bôt* (119, 24), wie Herzeloyde den Knaben belehrte, wenn Gott *selbe ein triuwe* ist (462, 19), wie Trevrizent den jungen Rittersmann versichert, sodaß man einfachhin von der *gotlîchen triuwe* (466, 12) reden kann und diese sich im vollsten Sinn bei dem Geschehen auf dem Kalvarienberg bewährte, so ist der streng religiöse Urgrund und Wurzelboden der Wolframschen *triuwe* mehr als hinreichend gesichert.

Und wenn anderseits dieses Geschehen auf Kalvaria mitten in das Zentrum des Romans und seiner Ethik gestellt ist, wenn sich in ihm die Entwicklung Parzivals (der am Karfreitag seine Lebenswende erfährt) und das Mysterium des Grals (dessen Kraft alljährlich am Karfreitag erneuert wird) ineinanderschlingen, so ermöglicht uns dieser Tatbestand den tiefsten Einblick in die Wolframsche Synthese. Dadurch, daß mittels des Begriffes *triuwe,* der bei Wolfram übervoll ist von natürlichen, menschlichen, seelischen Gehalten, das Geheimnis der Erlösung ergriffen und angeeignet wird, wird dieses Geheimnis, Grund und Mitte der christlichen Religion, auch zum Urgrund und Mittelpunkt des Wolframschen Rittertums gemacht, das sich nach außen hin in weltlicher Pracht und Formkultur edel und herrlich entfaltet, in seinem Innern aber, verborgen dem oberflächlichen Blick, das kostbare Mysterium hütet, aus dem es Kraft und Nahrung bezieht. Nun endlich sind wir auch in der Lage, den anscheinend so geringfügigen, im Ergebnis ungeheuren Vorgang zu würdigen, der in der Umwandlung der märchenmagischen Neugierfrage bei Kristian in die *triuwe*-Frage des deutschen Gralsuchers beschlossen liegt, sind wir ferner in der Lage, zu ermessen, was es bedeutet, daß sich die e t h i s c h - c h a r a k t e r l i c h e Entwicklung des echten Ritters nur unter dem Mysterium des Kreuzes vollenden kann nach dem Vorbild Parzivals.

Letzte Klarheit in diese Zusammenhänge ermöglicht eine Analyse dessen, was Wolfram über den Begriff *sünde, schult* zu sagen hat. Als ein im tiefsten Grund gegen G o t t gerichtetes

und von ihm zur Rechenschaft gezogenes Vergehen gegen die
s i t t l i c h e n Ordnungen in der W e l t erweist die Sünde ihre
Verwurzelung in der Synthese, als deren negativen Aspekt sie
sich gewissermaßen darstellt.

Auch über den Begriff der Schuld bei Wolfram sind in der
jüngsten Zeit merkwürdige Ansichten vorgetragen worden, die
wir kurz berühren müssen. Fr. K n o r r[71] nimmt die Schuld
nicht ethisch oder psychologisch, sondern streng ontologisch; er
entwickelt seine Gedanken etwa folgendermaßen. Großen Nachdruck darauf legend, daß die von Trevrizent dem Helden an-
gerechneten Sünden alle unbewußt geschehen, und zwar, sobald
er in Begegnung mit andern Menschen kommt, also in das
Schicksalsgefüge der „Welt" eintritt, daß Parzival verantwortlich gemacht werde, wo er gar keine Schuld in unserem Sinne
habe, wo er sich so verhalten habe, wie es sich für einen guten
Ritter gebührt — folgert er, nach der Auffassung des Dichters
liege die Sünde nicht im Gewissen des Einzelnen, wie der mo-
derne Individualismus behaupte, sie sei unabhängig vom seelischen Wesen des Menschen und liege jenseits aller seiner seelischen und moralischen Qualitäten; sie gründe vielmehr im Geheimnis der Begegnung, sei im Wesen der Gemeinschaft selbst
angelegt, sei eine Kategorie des Miteinanderseins und eine Bestimmung der Welt, und ihre paradoxe Tiefe liege gerade darin,
daß der Einzelne, der in ihren dunklen Abgrund versinke, dafür
zur Rechenschaft gezogen wird, obwohl es ganz außerhalb seiner Kräfte liegt, sich ihm zu entziehen.

Diese Paradoxie ist insofern im Wesen der Welt grundgelegt, als der Zwiespalt zwischen Selbst und Miteinandersein
ihre chaotische Grundanlage ausmache: in schicksalhaften Begegnungen verknüpft sie die Menschen miteinander, und stets in
solchen Begegnungen erfolgt die unentrinnbare Verstrickung in
die Sünde, weil der Mensch in der Notwendigkeit, sich selber
zu behaupten, dem anderen zu nahe treten, für ihn die Quelle
schwerster Leiden und unter Umständen der Vernichtung werden muß, ohne dessen Liebe er doch wieder nicht leben könnte.

Hier wird eine vollkommene Umwandlung von Schuld in

---

[71] Zum folg. vor allem K n o r r, Dicht.; in K n o r r Pz einigermaßen
gemildert.

Schicksal vorgenommen, doch der Name Schuld wird beibehalten und die Last ihrer Folgen dem Einzelnen, an dessen Fersen
sie sich geheftet hat, aufgebürdet, gleichgültig, ob er sie mit oder
ohne Bewußtsein erlebt hat, ob seine Seele groß oder klein, gut
oder böse ist. Knorr schreckt nicht vor der Konsequenz zurück,
Gott, den Schöpfer der Welt, ausdrücklich als den Füger all
jener Verwicklungen zu bezeichnen, die die Menschen vergeblich
durch Sitte, moralische Bildung, Staat, Kirche (!) zu heilen suchten; aber während auch das größte Herz und die beste Erziehung das Grundgefüge der Welt nicht zu ändern vermöchten,
während mitten in ihren menschlichen Sicherungen plötzlich die
Besten der Sünde verfallen und, ohne es zu wollen und zu wissen, zu Mördern werden, verfügt Gott nach unerforschlichem
Ratschluß jene Verhängungen, die geeignet sind, die Selbstbehauptung, aus der die Sünde hervorgeht, zu brechen und im
Menschen das Verständnis für den Mitmenschen als leidender
Kreatur zu erwecken, nämlich Schmerz und Not; anderseits erweist er ihnen auch wieder in der Not Zeichen fürsorgender
Liebe, um schließlich voll unbegreiflicher Huld durch seine
Gnade das aufzuheben, was sein göttlicher Wille gesetzt hat,
ihnen das R e i c h zu schenken, das allein die Berufung und die
Macht hat, Sünde, Chaos und gegenseitige Vernichtung wirksam
zu verhindern.

Diese Darlegungen sind strikt an die angebliche Notwendigkeit der Selbstbehauptung in den menschlichen Begegnungen
gebunden und beruhen insofern auf einer durchaus mangelhaf-
ten Analyse Wolframs, der, wie wir oben nachwiesen, nur Beispiele von t a t s ä c h l i c h e r und obendrein sehr unbekümmerter, wahrhaft schuldhafter Selbstbehauptung aufführt, dies
auch nur für die Phase in der Entwicklung Parzivals, die mit
der Erziehung durch Gurnemanz ihren Abschluß findet. Daß
diesen Verschuldungen Parzivals der persönliche, psychologische
und ethische Charakter genommen wird, daß der urethische Begriff der Schuld der Ethik entzogen und ontologisch vergewal-
tigt wird, ist für den Ethiker grotesk anzuhören, und deshalb
macht auch K e f e r s t e i n hier den berechtigten Vorbehalt,
daß diese Interpretation, die vielerorts an größere Tiefen der
Dichtung heranführe, das konkrete Schuldphänomen nicht in

seinem vollen Ernst in den Blick zu bekommen vermöge, weil es dieses Schuldphänomen auf eine allgemeine Kategorie des menschlichen Miteinanderseins zurückbeziehe und damit die aktuelle Schuld ihres Schuldcharakters entkleide[72]. Keferstein selbst verwirrt aber auch die Situation nicht wenig mit dem Satz: „Die Frage, ob Parzival wissentlich oder unwissentlich schuldig wird, ist gegenüber der eigentlichen Schuldfrage sekundär und geht wohl überhaupt viel zu sehr von modernen Voraussetzungen aus, die dahin führen, daß die ethischen Fragen sich nicht im Sein und Tun, sondern im Denken entscheiden"[73]. Die Verknüpfung der Sünde mit dem persönlichen Gewissen des Einzelnen und mit seinem ethischen Wissen ist nicht erst ein Werk des modernen Individualismus, sondern seit der Grundlegung der christlichen Verkündigung in der Lehre des Christentums festgehalten worden, sie ist vor allem in den Schriften Augustins und Gregors d. Gr., der beiden wichtigsten Lehrmeister des Mittelalters, zu dessen wesentlichstem Besitz geworden: Ehrismann hat einige Zeugnisse aus der mittelalterlichen Theologie zusammengetragen, die sich sofort um ein Enormes vermehren ließen[74], und auch kurz die Formeln der deutschen Beichten zitiert[75], aus denen hervorgeht, daß der Unterschied zwischen gewollter und ungewollter, bewußter und unbewußter Sünde durchaus beachtet wurde. Dies freilich bleibt dabei unangetastet, daß die letzten Wurzeln der Sünde viel tiefer liegen als in einem augenblicklichen Willensentscheid, denn in ihrem Wesen ist sie ein nur im Glauben erkennbares Geheimnis, mysterium iniquitatis.

Bei Wolfram ist das Wort Sünde außerhalb des Gral-Parzivalbereiches höchst selten — wie in der ritterlichen Dichtung überhaupt; und vor allem wird es in diesen Bezirken nur in einem verflachten, fast spielerischen Sinn gebraucht. Das Äußerste etwa ist es, wenn Gawan zu Orgeluse sagt: *wer mac minne ungedienet hân? . . der treit sie hin mit sünden* (511, 12. 14), wenn es von der Artusrunde heißt, ein nicht ritterbürtiger

[72] Keferstein, Eth. Weg S. 14 f.   [73] Ebd. S. 14.
[74] Ehrismann, Ethik, S. 447 f.
[75] Ebd. S. 448; vgl. auch Ch. Zimmermann, Die deutsche Beichte vom 9. Jahrh. bis zur Reformation, Lpzger Diss. 1934.

Mann hätte nur mit Sünden an ihrem Tisch mitessen können (775, 18—20). An einer Stelle wendet sich der Dichter an seine Zuhörer: *swerz niht geloubet* (nämlich was ich erzähle), *der sündet* (435, 1), was ungefähr gleichbedeutend ist mit seiner scherzhaften Ausdrucksweise: ich versichere euch auf euren eigenen Eid hin (238, 8 ff) oder: wenn ich nicht die Wahrheit rede, so laßt euch eben meine Lügen leid sein (464, 9 f). Wohl kann das Wort auch einmal einen ernsteren Klang annehmen, doch wird es in dieser Sphäre nie merkbar, daß Sünde eine transzendente Tiefe hat und sich im Grunde gegen Gott richtet, man versündigt sich höchstens gegen einen Menschen: eine Sünde wäre es, Gawan nach seinen schweren Strapazen im Schlaf zu stören (583, 3), oder Parzival mehr zu tun, als ihm die Minne schon tut (290, 28). Sünde in diesem Sinn sind Vergulahts und Orgelusens Benehmen gegen Gawan (418, 7; 524, 2—4), Gawans Spiel mit seiner Schwester (636, 6), ebenso der Roßtausch des Urjans (522, 30); selbst Parzivals Versicherung bezüglich des edelmütigen Verhaltens seines Bruders (759, 15) bleibt noch voll in dieser Denkweise verständlich. Wenn also der Held des Epos nach seiner Verfluchung durch die Gralbotin erwartet,

329, 22   *daz sich nu maneger sündet*
an mir, der niht weiz mîner klage
und ich dâ bî sîn spotten trage,

so ist das voll Bitterkeit und Schmerz, aber doch aus dem rein diesseitigen Gesellschaftsethos empfunden; man wird nicht sagen, daß der Dichter zum Ausdruck bringen wolle, Parzival wisse noch gar nichts vom eigentlichen Wesen der Sünde, aber lebendig gegenwärtig ist sie ihm nur, wie die Religion einstweilen noch überhaupt, in einer seichten Verhöfischung, die es gerade gilt, in dieser Dichtung zu vertiefen und auf ihre Grundlagen zurückzuführen.

Kahenis erst stößt ihn darauf, daß er im Zustand der Sünde als einer gedankenlosen und undankbaren Empörung gegen Gottes unfaßbar erbarmenreiche Menschenliebe steckt (448, 26 als Schlußwort der ganzen Rede) und weist ihn an einen heiligen Eremiten, der ihm aus diesem Zustand heraushelfen könne. Und wirklich stellt sich der junge Ritter diesem Einsiedler vor mit den Worten — in ihrer schlichten und fast unbeholfenen, ergreifenden Geradheit echt Parzivalisch —

456, 29   *hêr, nu gebt mir rât,*
ich bin ein man der sünde hât.

Trevrizent weiß, was Sünde ist; nicht nur sein gottverbundenes Einsiedlerleben gibt ihm solche Erkenntnis, auch als Mitglied der Gralgemeinde hat er sie. Beim Gral gilt nicht, daß Sünde bloß ein soziologisches Phänomen sei, sowohl Trevrizent selbst (458, 8) wie besonders sein königlicher Bruder (251, 14) waren mit ihr in Berührung gekommen, ohne einem Menschen zu nahe getreten zu sein; dagegen wird sie als eine Wirklichkeit von erheblichster Bedeutung betrachtet: die Sünde des Amfortas hat namenloses Leid über ihn selbst und über Munsalväsche gebracht, um ihretwillen hat Trevrizent sich durch ein Gelübde zu seinem harten Büßerleben verpflichtet, auf daß er seinem Bruder Gottes gnädige Hilfe erwirke (480, 10 ff), und obwohl dadurch der Gral seinen Schirmer verlor (480, 19 ff), hatte sich niemand ihm widersetzt. Nun trägt Amfortas sein schweres Leiden bei allem Schmerz in bußfreudiger Hoffnung, die einzige, kümmerliche Freude, die ihm geblieben ist (477, 22—25; vgl. 787, 16 ff). Die Templeisen erwarten und erfahren, wie wir schon sahen, vom Gral Hilfe in der Überwindung der Sünde, und ihre ritterlichen Taten leisten sie in erster Linie im Kampf gegen die Sünde, als Buße für sie. Ihnen ist die Sünde alles andere als ein leicht zu nehmender und leicht wieder gutgemachter Fehltritt, sie ist der düstere Hintergrund der menschlichen Existenz, als Erbübel durch alle Geschlechterfolgen sich hinziehend, was Trevrizent mit dem fast pessimistisch herben Bild ausdrückt: *daz diu sippe ist sünden wagen* (465, 5); das ist der andere Aspekt des in der aristokratischen Ritterwelt so hoch gewerteten und durch die Menschwerdung von Gott selbst unaussprechlich geheiligten Prinzips der Sippenverbundenheit. Unsere Stammutter Eva war es, *diu uns gap an daz ungemach, dazs ir schepfaere überhôrte unt unser freude stôrte* (463, 20—22), die so das ganze Geschlecht in *hôhste schulde* (465, 27; vgl. 448, 16. 18) verstrickte und demgemäß in die Hölle stürzte (ebd.). Rätselhaft bleibt der erste Ursprung der Sünde, der ja bei Luzifer und seinen Not(-Kampf)gefährten liegt:

463, 6   *si wârn doch âne gallen:*
463, 7   *jâ hêr, wâ nâmen sie den nît,*
       dâ von ir endelôser strît
       zer helle enphâhet sûren lôn?

Aber nachdem der Sündenzustand durch den bösen Rat der gestürzten Engel auf die Mutter aller Menschen übergegangen war (ausdrücklicher Beleg fehlt, doch klar in Willehalm 308, 19; siehe auch dort 218, 9), begann er sich alsbald in ihren Kindern auszuwirken als *ungenuht* (463, 24) *gîteclîcher ruom* (ebd. 25), *nît* (464, 21) — *und alsô wert er immer sît* (ebd. 22), sodaß es nunmehr unser Menschenlos ist, *daz wir sünde müezen tragen* (465, 6). Für diese große und allgemeine Sündhaftigkeit unseres Geschlechtes sind wir ganz auf die Barmherzigkeit Gottes angewiesen (465, 7 f), die uns aber auch wirklich voll Liebe und Huld zu Hilfe kam (beachte das gehäufte *durch uns* bzw. *durch unser schulde* bei Kahenis 448, 4, 11. 12. 16; vgl. 465, 28 f). Sofern freilich der Einzelne in persönlicher Verschuldung, durch *hôchvart, unkiusche* usw. an der Sünde festhält oder sich wieder hineinverstrickt — es ist nicht eben leicht, das zu vermeiden, wie es das Beispiel des Amfortas (478, 10; vgl. 472, 26—30) und die andern in Frage kommenden Fälle lehren — so bleibt man der Höllenstrafe verfallen (465, 30), wofern man nicht durch Buße sich der Gnade Gottes neu würdig zu machen sucht, wie es eben die Leute auf der Gralburg tun, denn

466, 11   *der schuldige âne riuwe*
         fliuht die gotlîchen triuwe:
         swer ab wandelt sünden schulde,
         der dient nâch werder hulde.

Indem der Greis mit nüchterner Unbefangenheit von all diesen Dingen redet, merkt Parzival, wie stark die Sünde in sein Leben eingegriffen hat. Er spricht selbst aus, daß sein Leichenraub an Ither Sünde war (475, 8—10) und Trevrizent ergänzt, daß die Tötung dieses Ritters Mord, ja Verwandtenmord, ein vor Gott kaum zu sühnendes Verbrechen sei (475, 22. 24 f); er fügt gleich hinzu, daß Parzival obendrein den Tod seiner Mutter verschuldet habe und nennt das alles unumwunden *sünde* (499, 20—22). Auch das Verstummen auf der Gralburg, das Cundrie zuerst als eigentliche Sünde bezeichnet hatte (316, 23), belegt sein Seelenführer mit diesem Urteil, zunächst solange er noch nicht weiß, daß er den Unseligen vor sich hat, allgemein (473, 14. 18), später ausdrücklich (501, 2. 5).

Nicht unbarmherziges Moralisieren veranlaßt den Einsiedler zu solch eingehender Beschäftigung mit der Sünde seines

Schützlings, vielleicht kann er ihm einen Rat geben, den er sich selbst nicht weiß (467, 23 f), denn es kommt ja darauf an, daß die Sünde überwunden wird. Buße zu tun rät er ihm (465, 13; 499, 16 f) und sagt ihm, welchen Sinn diese Buße hat:

> 499, 27 *nim buoz für missewende*
> *unt sorg et umb dîn ende,*
> *daz dir dîn arbeit hie erhol,*
> *daz dort diu sêle ruowe dol.*

Der eigentliche Sinn dieser schon mehrfach zu berührenden Verse enthüllt sich uns hier: um der Synthese willen, die mit voller Klarheit vor Parzival hingestellt wird, soll die Buße vollzogen, d. h. die Sünde beseitigt werden, weil offenbar die Sünde das eigentliche Störungsmoment für ihre Verwirklichung darstellt.

Tatsächlich hat die Problematik der Synthese, so wie die Parzivaldichtung sie aufrollt, keinen Augenblick an der ritterlich-weltlichen Komponente zu rütteln gewagt, nur die religiöse war in Gefahr gekommen, ja vollkommen in Frage gestellt; und es geht im 9. Buch um nichts anderes als um die Überwindung der Sünde, die das Verhältnis des Menschen zu Gott, den einen Pol der Synthese, zerstört und dadurch diese selbst unmöglich macht. Jedoch entwickelt sich Sünde nicht rein aus und in der religiösen Sphäre, stets bricht sie auf aus der weltlichen, d. h. für Wolfram konkret der ritterlichen, insofern diese nicht nach den Geboten der in Gott begründeten und vor ihm zu verantwortenden Sittlichkeit gemeistert wird. Parzivals Sünden entstanden zunächst aus dem ungebändigten Streben nach dem Rittertum, dann aus der falschen Handhabung ritterlicher Zucht, schließlich aus der Option für das (in sich vollkommene!) Rittertum gegen Gott: nicht innerhalb der religiösen Sphäre entsteht die religiöse Unordnung, das R i t t e r t u m gefährdet irgendwie die Religion und damit die Synthese, Rittertum kann leicht zur Sünde werden. Ist es notwendig Sünde? Nein! Gerade das war ja für Parzival die *süeziu maere*, daß ihn

> 501, 17 *der wirt von sünden schiet*
> *unt im d o c h rîterlîchen riet.*

Diese beiden Verse wollen das Problem wurzelhaft und mit restloser Klarheit packen; indem sie für unsere ein wenig erstaunten Ohren Rittertum und Sünde in eine unmittelbare

Spannungsverknüpfung bringen, reißen sie die Frage auf; gelingt es, das Rittertum von der Sünde zu läutern, so ist damit die Synthese gesichert. Und Trevrizent war dies eben gelungen. So wie der Alte es sich in seiner maßvollen und ausgereiften Weisheit dachte, war es möglich, ein frommer Ritter zu sein. Ritter? daran gibt es keinen Zweifel; und fromm? nicht aufdringlich, selbstredend, aber doch aufrichtigen Herzens und ernst; nicht so, als ob Parzival sich von nun an lauterster Sündlosigkeit bewußt sein könnte, sondern im Gegenteil so, daß er sich bei einem ruhigen und tiefen Urteil über die Sünde in Demut vor Gott als einen Sünder anerkennt, wie er es im Augenblick seiner höchsten und endgültigen Berufung in einzig schöner Weise tut (783, 6 f).

Vom Ritterlich-Weltlichen her, das nie in Zweifel gezogen wird, erhebt sich also letzten Endes doch die tiefere Problematik, um die es im Parzival geht, und zwar liegt sie nicht in seinen äußerlichen zeitbedingten Mängeln und Schönheitsfehlern, als da sind: konventionelle Formkultur, Auswüchse des Minnedienstes und der Kampfesfreudigkeit; das sind die unwesentlicheren Dinge, von ihnen ist Parzival ganz frei gehalten, und soweit sie überhaupt korrigiert werden müssen, fällt diese Aufgabe dem Gawanroman und anderen Partien des Gesamtwerkes zu. Im Parzivalteil ist es die „Welt" selber, ganz substantiell und fundamental genommen, die das Problem stellt, seine reinste Ausprägung findet es darin, daß der Mensch an ihr festhält bis zur Preisgabe des Religiösen. Es zeigt sich, daß das glanzvoll positive Bild, das der Begriff der Welt für den Ritter ohne Bedenken bietet, doch auch seine Grenzen, seine Fragwürdigkeit hat: die Welt trägt in sich den Sündenkeim, das muß festgehalten werden, wenn auch die Übersteigerungen Knorrs zurückzuweisen waren. Und darum ist das Wort von der Welt Lohn im Munde Trevrizents (475, 13—18), das sich bei oberflächlicher Betrachtung wie ein totes Relikt aus der kluniazensischen Zeit zu geben scheint, durchaus an seinem Platz; es beweist, daß ein Geist wie Wolfram auf die religiös-metaphysische Tiefe, die die kluniazensische Periode der kulturellen Existenz des Abendlandes verliehen hatte, beim ideell weltanschaulichen Aufbau des Rittertums nicht verzichten mochte, ihr (religiöser) Ertrag wurde von ihm in die Synthese einbezogen.

Kapitel VI

Theologische Schlußgedanken

Die theologischen Fragen, die sich nach Abschluß unserer Darstellung der Parzivalfrömmigkeit noch aufdrängen, betreffen das Verhältnis zu Kirche und kirchlicher Lehre, und sie zerfallen in zwei Grundfragen, die allgemeinere und berühmte nach der „Kirchlichkeit" des Parzival und die mehr historische nach den Beziehungen zu jener Theologie, die vielfach als d i e kirchliche Lehre zur Zeit Wolframs (wenn sie auch ihre höchste Blüte erst einige Jahrzehnte nach dem Dichter erlebte) und zugleich als der sprechendste und umfassendste Ausdruck mittelalterlicher Geistigkeit gilt, zur Scholastik. Wir wenden uns zuerst der zweiten Frage zu.

1. Der Parzival und die scholastische Haltung

Durch den Wunsch, Wolfram in einen großen geistes-, besser noch frömmigkeitsgeschichtlichen Ablauf zu bringen, wurde G. W e b e r zu der straff durchgeführten Parallelisierung des Dichters mit der Scholastik[1] veranlaßt, zu der auch vorher schon öfters in kleinerem und engerem Stil von manchen Wolframinterpreten angesetzt worden war. Es ist darum begründet, dieser Frage grundsätzlich nachzugehen und den tiefgreifenden Unterschied deutlich und breit herauszustellen. Denn um die Antwort kurz vorwegzunehmen: die Annäherung Wolframs an die Scholastik scheint nicht so fast in sich fragwürdig als vielmehr eine Ablenkung von den eigentlichen Zielen des Dichters zu sein, die Blickrichtung ist in beiden Fällen völlig anders.

Gewiß gibt es Gemeinsamkeiten zwischen den beiden Verglichenen; es ist nicht unberechtigt, von des Dichters positivem Verhältnis zur Welt und zu allen weltlich-irdischen Werten hinüberzuschauen auf das neugewonnene Verständnis der reinen Natur, das die Scholastik kennzeichnet, und den großen Willen

---

[1] W e b e r, Gottesbegr. Vgl. noch bes. die Arbeiten von G. E h r i s - m a n n, sowie den Aufsatz von Fr. N e u m a n n, Scholastik und mittelhochdeutsche Literatur in N Jbb 25 (1922) S. 388 ff. Auch das mir nicht zugänglich gewordene Werk von H. B r i n k m a n n, Zu Wesen u. Form mittelalterlicher Dichtung, 1928.

zur Gesamtschau, kraft dessen der Parzival in einer kosmisch
weit gespannten Rahmenordnung allen Sphären und Phasen
ritterlichen Daseins ihren Ort zuweist, neben jene starke Ord-
nungskraft zu halten, die in den großartigen Synthesen der
Summentheologie eine Zusammenfassung des gesamten theologischen Wissensstoffes, eine wissenschaftliche Gesamtorgani-
sation des religiösen Besitzes versucht hat.

Doch bereits in diesen Gemeinsamkeiten lassen sich die
grundlegenden Unterschiede feststellen. Die streng theoretisch-
wissenschaftlich bestimmte Synthese der scholastischen Summa
ist nur auf Sichtung, Ordnung, Systematisierung der von der
Vorzeit, besonders der Vätertheologie, aufgestapelten Erkennt-
nismassen gerichtet und neuschöpferische Leistung wird nicht
angestrebt — die großen Scholastiker und am typischsten Thomas von Aquin waren, selbst da wo sie neue Gedanken wagten,
wie namentlich Anselm, Genies des Ordnens und Durchdenkens.
Wolfram hingegen ist in der echt schöpferischen Haltung des
Dichters dem Ablauf und der Gestaltung des Lebens zugewandt;
der aufs feinste gegliederten und untergliederten, rein dialektisch geordneten, alle geschichtlichen Bezüge außer Betracht las-
senden theologischen Bestandsaufnahme hat er einen echten,
organischen, im Kleinen oft die Gesetze der Logik zurückdrän-
genden, in die abrollende Zeit hineinkomponierten Entwicklungsroman gegenüberzustellen.

Die Wurzel aller Unterschiede liegt wohl darin, daß die
Scholastik unter den „natürlichen" Realitäten, denen die neue
Wertschätzung entgegengebracht wurde, auf das wesentliche
Arbeitsmittel aller Wissenschaft, nämlich die natürliche Denk-
kraft des menschlichen Verstandes, auf die *ratio* stieß, sie mit
aller Leidenschaft, deren der Geist fähig ist, ergriff und in
Dienst stellte, ja der neue Klang, der dem Wort *ratio* sich an-
heftete, hat recht eigentlich ihre Existenz begründet und ihr das
einmalige Gepräge verliehen.

Wir besitzen ein ganz konkretes Wort, an dem sich der
Unterschied prachtvoll beleuchten läßt. Der Eingangsreim des
Parzival lautet bekanntlich: *Ist zwîvel herzen nâchgebûr*
[= Nachbar], *daz muoz der sêle werden sûr* (1, 1f). B. Geyer
zitiert diese Worte in éinem Vortrag über den „Begriff der

scholastischen Theologie"[2], um den Wolframschen *zwîvel* „als Zustand der Unentschiedenheit in den wichtigsten Lebensfragen und Gleichgültigkeit gegenüber den höchsten Werten" bedachtsam aus der Nähe des scholastischen Zweifels hinwegzurücken. Für die Entstehung und die wissenschaftliche Eigenart der Scholastik ist nämlich nach G e y e r ein bestimmter „Zweifel" von höchster Wichtigkeit, nämlich die *quaestio,* die für die Scholastik charakteristische Denk- und Darstellungsform. Ihr Ausgangspunkt und ihre Voraussetzung ist, wie der Gelehrte ausführt, der religiöse und wissenschaftliche Überlieferungsstoff, der sich als ein weitschichtiges und in sich nicht homogenes Erbgut darbot: wo man in ihm auf eine Disharmonie stößt, wird eine *quaestio* aufgeworfen; eine systematische Sammlung widerstreitender Schrift- und Väterstellen, wie sie Peter Abaëlards „Sic et non" war, war Bedürfnis und zugleich Anregung, sodaß der mittelalterliche Geist sich immer mehr daran gewöhnte, jedem theologischen Gegenstand als einer *quaestio,* einem zu untersuchenden Problem sich zu nähern, und damit die *quaestio* selbst zu einem immer feiner ausgestalteten methodischen Mittel einer rationalen Behandlung der Glaubenslehre machte. Der scholastische Zweifel ist somit eine rein methodische und rationale Angelegenheit, ein ausgezeichnetes Mittel, um ein Problem scharf und genau ins Blickfeld zu bekommen, mit dem aber keine skeptisch destruktive Tendenz verbunden ist und die alles, auch die Offenbarungslehre, gefahrlos zu ihrem Gegenstand machen kann. Je stärker sich der formal methodische Charakter der *quaestio* herausbildete, umso weiter entfernte sie sich von dem *zwîvel* des Parzival, der, mag es auch immer noch ungeklärt sein, was genau und scharf an den einzelnen Stellen mit dem Wort bezeichnet ist[3] — es scheint, dieses Unscharfe muß grundsätzlich, bei Wolfram, belassen werden — jedenfalls etwas höchst Gefährliches ist, ein Zustand der Störung des inneren

---

[2] In Synthesen der Philosophie der Gegenwart, Festgabe für Adolf D y r o f f , 1926, S. 112—25; für das folg. bes. S. 113—16.

[3] Diese Bestimmung steht zu unserer Beschreibung des W-schen *zwîvels* S. 77 (u. Note 25) im Verhältnis des Allgemeineren zum Besonderen, was bei W durchaus zulässig ist. Wichtig ist nur, daß G e y e r den W-schen *zwîvel* nicht in die Sphäre des Theoretischen, sondern des Existentiellen verlegt.

Gleichgewichts, der das *herze* (1, 1) und die *sêle* (1, 2) eher trifft als die *ratio*, vor dem immer gewarnt wird (noch 119, 28; 519, 1), vor dem ein Wolframscher Mensch sich aber unter Umständen doch nicht bewahren kann. Wer ihm aber verfallen ist, der braucht die letzte Kraft unverzagter Mannhaftigkeit, um in ihm nicht unterzugehen.

Der methodische Zweifel verdichtet sich in der Scholastik wohl auch zu menschlicher Gestalt in dem berühmten *infidelis*, dem die Theologen so manche rein auf Vernunftgründe und nicht auf die Offenbarungswahrheiten gestützten Überlegungen gewidmet haben, um mit ihm auf einer gemeinsamen Gesprächsbasis über die Wahrheit der christlichen Lehre zu verhandeln. Dieser *infidelis* ist aber nicht etwa ein konkreter Heide, der mit missionarischem Eifer angesprochen würde, oder ein im Glauben irregewordener Christ, dem man mit seelsorgerischer Liebe die Festigkeit des Glaubens dartun möchte, er ist eine reine Fiktion, mittels deren der christliche Geist sich über die Kraft und Reichweite der natürlichen Vernunft klar werden möchte. Was in der „Summe wider die Heiden" des hl. Thomas von Aquin zu geistreichster Vollendung gelangt, läßt sich bereits in den ersten Anfängen der eigentlichen Scholastik gut beobachten, bei Anselm von Canterbury, den man nicht ohne Grund den Vater der Scholastik[4] genannt hat.

„Die Brüder", die um Aufzeichnung einer Musterbetrachtung über die Wesenheit Gottes und einiges damit Zusammenhängende gebeten hatten, heißt es bei Anselm in der Vorrede zum *Monologion*, „stellten mir folgende Norm auf: durch das Ansehen der Schrift solle nicht das Mindeste in ihr zur Überzeugung gebracht werden, sondern was immer in den einzelnen Untersuchungen der Schlußsatz behaupte, dessen Richtigkeit

---

[4] Wir bleiben bei diesem Ehrennamen, obwohl jüngst auch von theologischer Seite der Versuch gemacht wurde, Anselm sehr energisch aus seiner historischen Stellung zu Beginn der Scholastik hinweg näher an Augustinus zu rücken (A. S t o l z, OSB, Anselm von Canterbury, 1937, bes. S, 37 ff). Diese Bemühung übersieht, daß sich bei Anselm trotz aller Verwandtschaft mit Augustin in Einzelfragen die typisch neue Wissenschaftsproblematik, die zur Scholastik führen wird, mit aller Deutlichkeit anmeldet; mit der von St. geübten Methode würde man Geschichtstendenzen nie bei ihrem Aufspringen festlegen können.

solle, bei leichter Sprache, mit gemeinverständlichen Begründungen und in einfachem Gedankengang, die Vernunftnotwendigkeit kurz erzwingen und die klare Wahrheit offen aufzeigen." Bemerkenswert ist noch die Beifügung: „ich solle auch auf die einfachen und nahezu albernen Einwände, die mir begegneten, einzugehen nicht verschmähen."[5] Hier ist der infidelis zwar noch nicht genannt, aber der neue Klang von „Vernunft" ist vorhanden und ein großer, echt wissenschaftlicher Ernst, der auch das scheinbar Kleine, ja Alberne nicht glaubt übersehen zu dürfen. Die Vorrede zu Cur Deus homo kündigt die Einteilung des Werkes in zwei Büchlein an, „das erste enthält die Einwände der Ungläubigen, die den christlichen Glauben ablehnen, weil er nach ihrer Meinung der Vernunft widerspricht, sowie die Antworten der Gläubigen, und schließlich beweist es, — ganz absehend von Christus, als ob es niemals etwas mit ihm gewesen wäre — mit zwingenden Gründen, daß kein Mensch ohne ihn gerettet werden kann. Im zweiten Buch wird ähnlich, als ob man nichts von Christus wüßte, durch nicht weniger klare Vernunftgründe und in Wahrheit aufgezeigt, die menschliche Natur sei daraufhin eingerichtet, daß einstens der seligen Unsterblichkeit der ganze Mensch, das heißt in Leib und Seele sich erfreue, freilich nur durch einen Gottmenschen, und auf Grund von Notwendigkeit müsse alles, was wir von Christus glauben, geschehen."[6] Der oft ausgesprochene Wunsch Anselms, die Abschreiber seiner Bücher möchten doch ja die Vorreden nicht unterschlagen, offenbart, welche Wichtigkeit er ihnen für das richtige Verständnis beimißt. Im 6. und 7. Kapitel von Cur Deus homo wird vollends deutlich, wie scharf und wie tief die „Einwände der Ungläubigen" zupacken, die das Anselmische Denken nicht nur allgemein außerordentlich befruchtet haben, sondern an dieser Stelle sogar zu seiner berühmten Erlösungstheorie, der ersten großen Frucht eigentlich scholastischen Denkens geführt haben. So Anselm, wenn er Theologie treibt; wenn ihm hingegen ein konkreter Mensch als „Ungläubiger" begegnet, wird er völlig unzugänglich: „Denn er ist überhaupt kein Christ.

---

[5] S. Anselmi Cantuariensis Archiepiscopi Opera omnia. Recens. Fr. S. Schmitt OSB, I, 1938, S. 7.
[6] Cur Deus homo? Floril. Patr. Fasc. XVIII, recens. idem, 1929, S. 1.

Falls er getauft und unter Christen aufgewachsen ist, darf man ihn in keiner Weise anhören (!); auch ist keinerlei Begründung seines Irrtums von ihm zu verlangen oder unserer Wahrheit darzulegen (! die „zwingende Notwendigkeit" wird dem wirklich Ungläubigen überhaupt nicht vorgetragen), sondern sobald seine Treulosigkeit (!) zweifelsfrei klar ist, muß er entweder das Gift, das er mit solchen Reden ausspeit, verdammen oder er muß von allen Katholiken verdammt werden, falls er nicht Vernunft annimmt."[7]

Sonach ist in der Scholastik für eine Gestalt wie Parzival kein Raum: der junge Ritter ist keine methodische Fiktion zur Darstellung der rein natürlichen Vernunft, er ist vielmehr der dichterisch symbolische Ausdruck einer ritterlichen Existenzproblematik; seine Not hat nicht den Sinn einer theoretischen Aporie, die nach einer rein dialektisch ausgleichenden Auflösung verlangt, sie fordert, daß ein verständnisreicher Dichter den Helden mit größter Geduld durch die Zeit seiner jugendlichen Torheiten und durch die viereinhalb Jahre voller Gottlosigkeit hindurchführt und daß ein weiser Berater ihn schließlich voll Güte wieder in die rechte Richtung bringt. Die Scholastik vermöchte wohl ihr Urteil über jede einzelne Stufe des Parzivalschen Lebensweges abzugeben, aber es liegt ihr nicht, einen solchen Lebensweg in zusammenhängender, organischer Entwicklung zu gestalten. Das ist ein schlechterdings unüberbrückbarer Gegensatz; wenn G. W e b e r meint, daß „das thomistische Weltbild der Hochgotik alle . . . positiven Voraussetzungen für die Entwicklungsidee"[8] enthalte, so entspricht das nicht der Tatsache, daß in diesem Weltbild der Entwicklungsidee in keiner Form Raum gegeben wird: für die Bewältigung der widersprechenden *auctoritates* (Schrift- und Väterstellen) benötigte man nicht historisches Verständnis[9], sondern immer stärker die rein dialektischen Harmonisierungsmittel; trotz der dynamischen Seinslehre[10] (*entia sunt propter actiones*), trotz der feinen

---

[7] Epistola de incarnatione Verbi, accedit . . . Floril. Patr. Fasc. XXVIII, recens. idem, 1931, S. 39 f. [8] W e b e r, Gottesbegr. S. 48.

[9] Das, nach G e y e r aaO (Note 2 zu S. 255) S. 114, Abaëlard noch verhältnismäßig stark besaß.

[10] Vgl. H. M e y e r, Thomas v. Aquin, sein System u. seine geistesgeschichtliche Stellung, 1938, S. 290 ff.

Untersuchungen über *actio* und *causalitas*, über Entstehen und Vergehen, trotz der besonderen Pflege der Ethik ist doch Thomas mit Recht der „universale Mensch ohne Geschichte"[11] genannt worden, der keine Geschichte braucht, weder die des Einzelnen, noch die der Völker, der Menschheit, der Kirche, weil er den Blick streng auf die Überzeitlichkeit der Wahrheit gerichtet hält. Es gibt in der Scholastik nicht mehr die Heilsgeschichte, die in der nichtscholastischen Theologie des Mittelalters einen so breiten Raum einnimmt.

Das Grundanliegen der Scholastik, mit streng rationaler Methode eine umfassende und widerspruchsfreie Gesamtkonstruktion des von den Vätern entfalteten, auf Schrift und kirchlicher Tradition basierten Wahrheitsgutes zu erstellen, führt zu einigen weiteren tiefgreifenden Unterschieden zur Wolframschen Geistigkeit. Indem ausschließlich die dialektische Schärfe und Kraft der *ratio* an die Probleme der Glaubenslehre und Glaubensüberlieferung herangebracht wurde, mußte das symbolische Denken[12], das von früh an in der christlichen Theologie eine große Rolle spielte und vor allem in der christlichen Liturgie eine ganz entscheidende Stellung hat, zurücktreten. Scharfe Wissenschaftlichkeit muß das symbolische Denken, dem die sichtbaren Weltdinge den unmittelbaren Durchblick auf eine hintergründige, transzendente, eigentliche Wirklichkeit gestatten, bis auf die dürftigen Restbestände einer flacheren, ungefährlicheren Allegorese verflüchtigen und es im übrigen durch den realeren Zusammenhang einer kausalen Verknüpfung ersetzen. Nun wird bei Wolfram der Kerngehalt des Romans, die Gralmythe, ganz in symbolischem Denken gestaltet, und wir sind in der Graldichtung so wirksam und so suggestiv in die Welt des Symbols hineinversetzt, daß nicht wenige ihrer Interpreten bis zur Stunde an reale, gegen die Kirche und das Reich

---

[11] A. D e m p f, Sacrum Imperium, Geschichts- und Staatsphilosophie des Mittelalters u. der politischen Renaissance, 1929, S. 381 und die Überschrift dazu im Inhaltsverzeichnis S. XIV; H. M e y e r aaO S. 406 f.

[12] Über Symbolik sei nur verwiesen auf J. B e r n h a r t, Der Symbolismus des Mittelalters in Summa 4 (1918) S. 48 ff; A. D y r o f f, Symbolismus u. Allegorie (=dritte Vereinsschr. d. Görres-Ges. 1907 S. 67 ff); M. R a d a k o w i c, Die Wiedergeburt des symbolischen Denkens in Hochland 29 (1931/32) S. 495 ff.

seiner Zeit gerichtete Absichten des Dichters denken, fast wie jener Vikar von Croydon, der allen Ernstes als Missionar in das Land Utopia, das Thomas More geschildert hatte, ziehen wollte. Thomas v. Aquin hat der symbolischen Haltung nur einen genau abgegrenzten Bereich in streng rationaler Durchleuchtung zugebilligt, nämlich einerseits das bei den Wirkursachen (insofern auch zwischen Gott und Welt, was fruchtbar wird für den vierten Gottesbeweis und für die Aussagen über Gottes Eigenschaften) mitspielende, doch nicht recht geklärte Urbild-Abbildverhältnis[13] und anderseits die im Glauben verankerte Vorbildlichkeit des Alten zum Neuen Testament[14]. Aber so wie er keine das Einzelne berücksichtigende Natur- und Geschichtssymbolik für die Theologie kennt, so spricht er auch der symbolischen Exegese[15] die selbständige theologische Bedeutung ab und trifft damit aufs empfindlichste jene Kräfte, die noch kurz zuvor, im deutschen Symbolismus des zwölften Jahrhunderts, sich zu reichster und zum Teil wildwuchernder Fruchtbarkeit entfaltet hatten[16], die aber seitdem bis über den Barock hinaus ein noch immer außerordentlich reiches, jedoch, was Gehalt und Substanz angeht, nur mehr leichtes Zierwerk für die abendländische Kulturentwicklung lieferten. Symbolische Haltung als Schlüssel zum tieferen Verständnis der Dinge wird abgelöst durch die mehr spielerische, unverbindliche Allegorie — für die wir ein glanzvolles Beispiel in Gotfrids, des rationaleren, Minnegrotte haben. Ein meisterhaftes Bild, an einer Stelle eingefügt, wo sich der Tristanroman zu den höchsten Höhen der Unwirklichkeit verstiegen hat, und von solcher Kühnheit, daß nur noch Bildersprache auszudrücken vermag — vielleicht auch wagt! — was gemeint ist, bleibt sie doch ein Bild nur, das an bestimmter Stelle eingesetzt ist, das mit seinem Licht wohl die ganze Dichtung deutend überstrahlt, aber sie

---

[13] Summa de Theol., 1a, qu. 4 a. 2 u. 3; qu. 13 a. 5; 1a 2ae, qu. 60 a. 1.
[14] Ebd. 2a 2ae, qu. 102 a. 2 ad 3m; a. 4 ad 6m.
[15] Ebd. 1a, qu. 1 a. 10 ad 1m — unter Berufung auf die einzige Stelle, in der Augustinus der symbolischen Exegese, sonst meisterhaft von ihm gehandhabt, in der Polemik eine Grenze zieht! Übrigens wirkt das symbolische Denken doch auf Thomas noch nachhaltig ein, wie zB sein Aufbau des Sakramentensystems ergibt.
[16] D e m p f, Sacrum Imperium S. 229 ff.

nicht mit ihren eigenen Kräften durchwirkt; die Minnegrotte bleibt im letzten doch ein literarästhetisches Motiv, rational auch darin, daß es sofort Zug um Zug vom Dichter erklärt wird; sie verdient es, auch unter dieser Sehweise zu Wolframs Gralsymbolik in Kontrast gesetzt zu werden.

Symbolische Geistesart ist aus ihrer Natur heraus auch den Werten des Irrationalen leichter geöffnet als die Scholastik, für die irrational soviel besagt wie sinnentbehrend oder sinnwidrig, und hiermit treffen wir wiederum auf einen Sachverhalt, der für die Auslegung des Parzivals bedeutend ist. Wir brauchen nur zu erinnern an das dem Dichter so oft in den Mund kommende *wilt* für alles naturhaft Ursprüngliche, frei sich Gestaltende, in kein Gesetz Einzufangende, in keine Form sich Bindende, das mit den Namen Munsalväsche = Wildenberg, Fontane la salväsche = Wildborn und in den undurchdringlichen Wäldern um die Gralburg in den innersten Bereich der Dichtung eingelassen ist; selbst der helle und klare Gawan, der stets die lichten Landschaften um sich hat und mit leichter Gewandtheit die Schwierigkeiten des Lebens meistert, wird gegen Schluß noch in *wilde* Abenteuer (503, 1) verwickelt, ja das ganze Epos ist eigentlich ein *wilder funt.* Irrational ist es, wenn der Parzivaldichter dem Urtümlich-Seelischen so manche kleinere und größere Durchbrechungen höfischer Gesellschaftszucht und Formkultur gestattet, wenn er den fast mythisch-mystischen Kräften des Bluterbes eine so große Rolle zuweist.

Nicht ganz glücklich scheint das Wort irrational zwar für den Wolframschen Gottesbegriff, aber schon gar nicht für den der Scholastik, und es ist kaum begreiflich, wie W e b e r auf diesen Gedanken hat kommen können; wenn darunter die Eigenschaften Gottes als des „Grenzenlosen, Geheimnisvollen, Unwandelbaren, unbegreiflich Wundergewaltigen, Allwissenden und Allmächtigen, das *durchliuhtic liebt,* das die verborgensten Gedanken der Menschen durchstrahlt"[17] verstanden sein soll, so ist das altbiblische und gut christliche Ausdrucksweise, die in der vorscholastischen Theologie immer wiederkehrt. Wenn eine Gotteslehre in einem guten Sinn als irrational bezeichnet werden darf, so ist es die vorscholastische ebenso sehr

---

[17] W e b e r, Gottesbegriff S. 26.

wie die bei allem Agnostizismus[18] doch ungeheuer kühne und in die verborgensten Geheimnisse der Wesenheit Gottes sich vorwagende Rationalität des hl. Thomas. Greifen wir nur z. B. die hl. Hildegard heraus, deren prophetische Theologie keine Nachwirkungen in die Zukunft und schon gar nicht auf die Scholastik hatte, aber ganz gespeist ist aus dem alten Erbe; sie spricht oft von der Unfaßbarkeit Gottes: „Das gewaltig große, runde, dunkelfarbene Gebilde [das Weltall] deutet hin auf den allmächtigen Gott, der unfaßbar ist in seiner Majestät, unerforschlich in seinen Geheimnissen, die Hoffnung aller Gläubigen"[19]; oder: „Die Geister der zweiten Reihe stehen da in so lichter Klarheit, daß du sie nicht anzuschauen vermagst. Es sind die Mächte. Sie strahlen die Huld und Schönheit der göttlichen Macht wieder, welche die Ohnmacht der Sterblichen, Sündenbefangenen nie begreifen noch erreichen wird, denn die Macht Gottes erschöpft sich nie"[20]; ferner: „Auf Gott deutet also das helleuchtende Feuer, das unbegreiflich, unauslöschlich, ganz lebendig und ganz Leben ist. Denn er ist der allmächtige, lebendige Gott, dessen Klarheit durch keine Bosheit je verdunkelt wird. Er ist unbegreiflich, denn er ist unteilbar, ohne Anfang und ohne Ende, und er wird nicht von dem Funken geschöpflicher Erkenntnis erfaßt. Er ist unauslöschlich, denn er ist die Fülle, die nicht erschöpft werden kann. Er ist ganz lebendig, denn vor ihm ist durchaus nichts verborgen, sodaß er es nicht weiß. Er ist ganz Leben, denn alles, was lebt, empfängt von ihm das Leben."[21]

Zutreffend ist das in Frage stehende Wort jedoch bei Wolfram wieder für die formale Seite der Komposition und des sprachlichen Gewandes, und hierin wieder eine denkbar große Kluft zur Scholastik aufreißend. Es wurde schon angedeutet,

---

[18] Den Agnostizismus bei Thomas kehren stark hervor S e r t i l l a n g e s, Thomas v. Aquin (Deutsch von R. Grosche, 1928) S. 242 ff, bes. S. 243, u. E. P r z y w a r a, Ringen der Gegenwart 12, S. 921 ff.

[19] S. H i l d e g a r d i s, Scivias, Visio 3 (Migne, Patr. Lat. 197 Sp. 405 A).

[20] Ebd. Visio 6 (M i g n e ebd. Sp. 439 BC).

[21] Ebd. Lib. 2 Visio 1 (M i g n e ebd. Sp. 443 BC). (Übersetzung der drei Stellen nach „Hildegard v. Bingen", Wisse die Wege, übtr. u. bearb. v. D. Maura B ö c k e l e r OSB, 1928, S. 54, 102 u. 111 f.)

daß deren Kompositionstechnik auf äußerst strenger logischer Gliederung beruht; Wolframs Zielstrebigkeit ringt sich durch vielfältige unbekümmerte Ordnungslosigkeiten, kleine Unstimmigkeiten, größere Abschweifungen, nicht zu vergessen die gewaltigen Irrungen des Haupthelden endlich siegreich durch. Ebenso verlangt die theologische Wissenschaft höchste Präzision vom sprachlichen Ausdruck: die scholastischen Werke sind angefüllt mit terminologischen Untersuchungen, die auch die Mehrdeutigkeiten der einzelnen Worte scharf umgrenzen und in der Reihenfolge der einzelnen Bedeutungen festlegen. Auf diese Weise ist die scholastische Sprache ein in der menschlichen Geistesgeschichte einzigartig präzises, aufs feinste durchkonstruiertes, fast mechanisch funktionierendes Instrument zum Zweck der Gedanken- und Wissensübermittlung geworden; das Ziel des Einklangs zwischen Wort und Begriff ist in ihr fast vollkommen erreicht — ob vielleicht unter Opfern, die man bedauern könnte, steht hier nicht zur Frage. Bei Wolfram hingegen, dem Dichter, für den die Sprache das Material ist, darin er (nämlich Wolfram, nicht irgendwelcher andere Dichter, nicht Hartmann oder Gotfrid!) in schöpferischer Künstlerarbeit seinen Parzival gestalten muß, dazu noch diese mittelhochdeutsche Sprache, die bei ihrer prächtigeren Klangschönheit, ihrem größeren Wortreichtum, ihrer frischeren Ursprünglichkeit doch entfernt noch nicht so durchgearbeitet und bildsam war wie unser nachgoethisches Neuhochdeutsch, werden die Schwierigkeiten dieses Materials an allen Ecken und Enden fühlbar. Volle Übereinstimmung zwischen den oft dürftigen Worten und den reich mit wechselnden Tönungen abgeschatteten Begriffen, Gefühlen wäre bei ihm unmöglich: durch eine ungeheure Prägnanz ist die kennzeichnend mangelhafte Präzision seiner Ausdrucksweise verursacht, für die er ja auch von Gotfrid gerügt wurde, durch die er aber dem Lebendigen, Organischen näher kommt als die messerscharfe Klarheit des rationalen Geistes, wenigstens in gewissen Hinsichten.

Ein weiterer beachtlicher Unterschied zwischen dem Dichter und der zeitgenössischen Glaubenswissenschaft, der von Weber mit einer merkwürdigen Geschicklichkeit in volle Übereinstimmung umgewandelt wurde, hängt enge mit dem eben besprochenen zusammen. Eine der wichtigsten und darum am vollendetsten ausgebildeten Techniken der scholastischen Methode ist das Distinguieren, das saubere Scheiden von verschiedenen Sinnbereichen, die sich in den realen Dingen verquicken und überschneiden, und eine ihrer spezifischsten Leistungen ist die Sonderung zwischen Natur und Übernatürlichem; aber mit Überraschung liest man, daß diese Errungenschaft der Scholastik auch aus Wolfram soll belegt werden können: „Trevrizent ... kennt, wenngleich er besondere Bezeichnungen nicht anwendet, in seinem faktischen Erleben und Lehren die Scheidung zwischen übernatürlichem und natürlichem Vermögen im Menschen voll und ganz."[22] Indessen ist das, was die Scholastik unter natürlich und übernatürlich versteht, Wolfram so wenig deutlich, daß die Einheit, die er intendiert, von scholastischem Standpunkt aus gesehen, gar nicht mit diesen Worten bezeichnet werden könnte: es handelt sich für Wolfram nicht um die Einheit von Natürlichem und Übernatürlichem, sondern um die viel andere, viel schlichtere von Religiösem und Weltlich-Profanem.

Natürlich-übernatürlich[23] ist für die Scholastik ein Gegensatz, der zunächst innerhalb des Religiösen selbst spielt und das Weltlich-Profane erst angeht, nachdem und insoweit es in Synthese mit dem Religiösen gebracht ist: die Tugenden, auch die auf Gott bezogene der Religion, gehören an sich der natürlichen Ordnung an, die Welt, auch als Geschöpf Gottes und als Ausgangspunkt für unsere Gotteserkenntnis ebenso. Die Frömmigkeit, auch die christliche, beginnt keineswegs erst mit dem Übernatürlichen, sondern senkt ihre Wurzeln tief ins Natürliche herab. Im Unterschied zum Übernatürlichen bezeichnet Natur alles, worauf ein Wesen als Geschöpf Gottes Anspruch hat, also seine Wesensbestandteile mit den daraus sich ergebenden Anlagen, Kräften, Betätigungen und Errungenschaften und darüber hinaus noch alle jene Einflüsse, Anregungen, Hilfeleistungen, die es zum Fortbestand in seiner Natur und zur Betätigung seiner Kräfte als *causa secunda* vonseiten der allwirksamen *Causa Prima* nötig hat. Naturordnung ist die Gesamtheit der Bezie-

---

[22] W e b e r , Gottesbegr. S. 29.
[23] Für das Folg. ist die Literatur unübersehbar; vgl. die dogmat. Werke sowie die weiterführenden Angaben in LfThK unter Natur u. Übernatürlich.

hungen, in denen die Geschöpfe aufgrund ihrer Natur zu Gott, ihrem Urheber, und zueinander stehen. Übernatürlich dagegen ist dasjenige, was über den gesamten Bereich der von Gott geschaffenen Natur hinausgeht, indem es weder Bestandteil, Eigenschaft oder Vermögen, noch Wirkung oder Ziel derselben ist und worauf es in keiner Weise im Namen seiner natürlichen Wesenheit Anspruch erheben kann, nämlich konkret die Berufung und Befähigung des geschaffenen Geistes zum Mitgenuß des göttlichen Seins, des innertrinitarischen Lebens — etwas alle Anlagen und Ansprüche desselben Überragendes, das ihm nur in freier Liebe von Gott geschenkt werden kann, wenn anders es ihm überhaupt irgendwie zugänglich sein soll. Als übernatürlich bezeichnet daher die Scholastik die gnadenhafte Ausstattung des Menschen mit der sog. heiligmachenden Gnade, den sakramentalen Charakteren, den eingegossenen sittlichen und göttlichen Tugenden, den Gaben des Hl. Geistes usw. sowie die in dieser Ordnung wirksamen aktuellen Gnadenhilfen, was alles Ziel und Vollendung findet in der beseligenden Gottschau, grundgelegt ist in Menschwerdung und Erlösung, uns zur Kenntnis gebracht in der Offenbarung.

Es ist danach klar, daß das Übernatürliche nirgends (außer in Gott selbst und beziehentlich in Christus, wo es indes nicht „Über"natur ist) eigenständige Subsistenz gewinnen kann wie die Natur, sondern daß es immer nur Dingen verliehen werden kann, die bereits in ihrer Natürlichkeit subsistieren, ungefähr analog der Art, wie diese mit ihren Eigenschaften behaftet sind, — sowie auch das dieser Ordnung zugehörige Erkenntnismittel, die *fides*, nicht eine neue Fähigkeit ist, die selbständige Originalbegriffe bilden kann, sondern eine besondere Befähigung des rationalen Intellekts, Urteilen gläubig zuzustimmen, in denen an sich bekannte Begriffe zu neuartigen, aller natürlichen Erfahrung fremd bleibenden Verbindungen zusammentreten (vgl. etwa das Geheimnis der heiligen Dreifaltigkeit als des einen Gottes in drei Personen). Umgekehrt verkennt die Scholastik nicht, wie das Übernatürliche nicht in eigenständiger Verwirklichung vorkommen kann, so das Rein-natürliche aber auch in der Wirklichkeit nicht vorkommt: in ihr gibt es ja n u r den zur beseligenden Gottschau berufenen und befähigten, d. h. zur

Übernatur erhobenen Menschen. Das Rein-natürliche ist eine rein theoretisch-wissenschaftliche Angelegenheit, das Ergebnis der abstrahierenden *ratio*.

Von solchen Überlegungen oder deren Ergebnissen ist bei Wolfram nicht eine Spur zu entdecken; er kennt gar nicht den Begriff des rein Natürlichen, wie ihn die Scholastik als einen positiven Gedanken herausgearbeitet hat; bei keinem seiner wichtigen Begriffe wie *triuwe*, Ehe, Ritterschaft usw. achtet der Dichter darauf, daß innerhalb ihrer durch eine feine Grenzlinie die übernatürliche Werthaftigkeit gegen eine natürliche abgehoben wäre. Und deshalb besteht die Wolframsche Synthese nicht aus dem Natürlichen und Übernatürlichen als Bestandteilen, obwohl sie sich selbstredend in einem Ganzen vollzieht, darin die Scholastik eine Einheit von Natur und Übernatur erkennen könnte. Ehe und *triuwe* und die andern Wolframschen Menschheitsgüter, alle sind vollwertig natürliche Dinge, aber eben diese natürlichen Dinge sind bis in die Wurzel hinein oder von ihrer Wurzel aus gnadenhaft, heilig und heiligmachend — warum? Weil er die e c h t e Ehe, die w a h r e *triuwe* im Auge hat, die von vornherein und unmittelbar gut in ihrer ganzen Breite, gut für dieses und fürs andere Leben ist.

Mit gutem Grund ist das Echte, Rechte, Wahre in der Werttafel des Parzival oft so nachdrücklich betont (die Belege sind zahllos, schon gleich der Einschub gegen Gotfrid handelt recht eigentlich davon; man prüfe seine Bilder und besonders die beiden den Frauen gewidmeten Abschnitte mit 3, 1. 4. 7. 19. 20; wohl schon *unverzaget* von 1, 5 gehört hierher, dann 3, 26; 4, 10 ff; 5, 30 usw.; besonders augenfällig z. B. 2, 17; 319, 8; 440, 3; 474, 17 u. a.), dessen Mangel den von Wolfram so verabscheuten *valsch* ergibt; um aber die Echtheit und Wahrheit der Werte festzustellen, braucht man von der scholastischen Unterscheidung zwischen Natur und Übernatürlichem nichts zu wissen. Denn nicht, um in der scholastischen Sprechweise zu bleiben, das Hinzukommen des übernatürlichen Glanzes verleiht den zunächst natürlichen Werten die Echtheit und Wahrheit: ihr Ausfall versehrt vielmehr immer zugleich, ja in erster Linie, das Natürliche selber. Das einfach lautere Gewissen vermag am schlichten Erscheinungszustand der Tugenden und sittlichgeistigen Güter nachzuprüfen, wie es bei ihnen um Echtheit und Wahrheit steht, und falls sie sich hierin vor diesem Richterstuhl als heil erweisen, dann darf der — lebendige — Mensch wegen des Übernatürlichen ganz beruhigt sein. Wer sich aufrichtig um die echten, wahren Tugenden bemüht, braucht nicht zu besorgen, daß er etwa nur ins Natürliche treffen könnte.

Dagegen ist es sehr wohl möglich und für den Ritter offenbar eine Alltagserfahrung, daß man über dem Streben nach der Huld der W e l t diejenige G o t t e s verlieren kann, denn hier liegt ein ganz anderes Gegensatzpaar vor, und zwar eines, das dem lebendigen Menschen viel unmittelbarer spürbar (auch gerade als Gegensatzverhältnis spürbar und eben deshalb dringend der Lösung bedürftig) ist, nämlich das von Frömmigkeit und Weltlichkeit (Sinn für die Welt und Arbeit an ihr, Weltdienst und Weltgenuß) — wobei natürlich Welt n i c h t primär als Schöpfung Gottes und als gottbezogen empfunden wird und folglich Weltdienst nicht schon als Gottesdienst. Somit erhebt sich für den lebendigen Menschen die begründete Forderung, daß er nicht vor dem einen das andere aus den Augen lasse, nämlich vor dem Streben nach der Huld der Welt, das stets das Gefährdende ist, das gefährdete Verhältnis zu Gott. Erst wenn zwischen diesen beiden, oder besser indem zwischen diesen die harmonisch ausgeglichene Synthese hergestellt ist, sind die e c h - t e n Tugenden, ist die w a h r e Ehe sichergestellt, denen es nunmehr wesenhaft eignet, Ausdrucksgestalt der vollzogenen Synthese zu sein — nicht weil in ihnen das Natürliche mit dem Übernatürlichen in Einklang gebracht wäre (was freilich auch der Fall ist, was aber nur ein Scholastiker zu sagen vermöchte), sondern weil sie sowohl dem Bedürfnis nach weltlicher Ehre und irdischem Genuß wie dem Verlangen nach himmlischem Lohn verdiente Erfüllung bringen, weil sie sowohl die Ansprüche Gottes wie die berechtigten Wünsche der Welt zufrieden stellen.

Darum ist es auch angebracht, daß man zur Vermeidung von Mißverständnissen dem Wortgebrauch des Dichters folgt und anstelle von natürlich und übernatürlich von Gott und Welt spricht, bzw. in der anthropologischen Entsprechung von Leib und Seele. Auch diese beiden Ausdrücke sind nicht von der Sprache und Denkwelt der Scholastik her verständlich, wo die

Seele das Seins-, Lebens- und Tätigkeitsprinzip des Leibes ist und beide zusammen primär dem philosophischen Bereich angehören, nicht eigentlich dem theologischen und nicht dem religiösen. *Lîp* kann sogar nur selten mit dem nhd. Leib wiedergegeben werden, denn es heißt oft genug einfach Leben und meint den ganzen personalen Menschen, aber vom Körperlich-Irdischen her, insofern er d i e s e r Welt besonders angehört, während *sêle* über das Körperliche hinweg vor allem auf das Innere, Unsichtbare, auf das Unsterbliche und für Gott Bestimmte am Menschen geht.

Im besonderen soll sich nach W e b e r die scholastische Unterscheidung zwischen Übernatürlichem und der Natur auf dem Gebiet der Erkenntnistätigkeit (als Glaube und Wissen) und des Willensstrebens (als Gnade und Freiheit) bei Wolfram finden. Was jene angeht, so wurde schon oben[24] darauf aufmerksam gemacht, daß das dreifache *nu prüevt* einen starken Anruf an Vernunft und Einsicht darstellt, jedoch keineswegs an die sog. rein natürliche Vernunft, sondern an die des vor unumstößliche Glaubenswahrheiten gestellten Christen, auf daß er nachdenklich werde. Das Wort *ratio* ist ja in der Vätertheologie nicht einfach ausgefallen, nur hatte es nicht den Klang des rein und positiv Natürlichen; dieser Klang fehlt ebenso bei Trevrizents Erinnerung an die fünf Sinne als Zusammenfassung der n a t ü r l i c h e n Seelenkräfte[25], wie denn diese fünf Sinne als eines der beliebtesten und meistgebrauchten Symbole für den Menschen in der Augustinischen und der gesamten Väterliteratur erscheinen.

Was die freie Willensentscheidung anlangt, so soll in den Versen 466, 5—14 die neue Wendung liegen[26], die Verlegung des Schwergewichts von der göttlichen Gnade auf den eigenen Willen, die ihren künstlerischen Ausdruck gefunden hatte, indem die Bedingung der u n w i s s e n d e n Gralfindung, Symbol der Alleinwirksamkeit der Gnade, in die höchst bewußte, unentwegt mannhafte, kämpferische Gralsuche und Gralerringung umgewandelt wurde. Allein es handelt sich bei dieser Motivumwandlung nicht um das Problem Gnade und Freiheit, sondern, wie

---

[24] S. oben S. 93.   [25] W e b e r, Gottesbegr. S. 30.
[26] Ebd.

oben gezeigt[27], um die Ersetzung des M ä r c h e n motivs durch
ein dem ritterlichen Sittlichkeitsempfinden angepaßtes; und in
jenen Versen, die Parzival vor die Wahl der freien Entscheidung
zwischen Gottes Liebe und Haß stellen, geht es um eine Freiheit, die genau so dilemmatisch schon in der Hl. Schrift ver-
kündigt wurde: „Bedenke, daß ich dir heute vorgelegt habe
Leben und Gutes und anderseits Tod und Böses; zu Zeugen rufe
ich heute Himmel und Erde, daß ich euch vorgelegt Leben und
Tod, Segen und Fluch. So wähle denn das Leben, auf daß du
lebest, du und dein Same."[28] Diese Freiheit ist für das Zustandekommen einer sittlichen Tat eine der wesentlichsten Voraussetzungen und wurde von der Kirche darum nie preisgegeben,
wie z. B. die Verurteilung Gottschalks des Sachsen und seiner
allzu augustinischen oder allzu „paulinischen" Gnaden- und
Prädestinationslehre bereits im neunten Jahrhundert dartat[29].
Freilich wie schwer es ist, die kirchliche Lehre von der Gnade
und von der Freiheit miteinander in Einklang zu bringen, das
haben die christlichen Denker und die Theologen bis auf den
heutigen Tag empfunden, und es ist ein böser Satz, der in
W e b e r s sonst ausgezeichneter Skizze des thomistischen Systems die Lehre des hl. Thomas also beschreibt: „Erst dann . . .
kann die Gnade wirksam werden, wenn der menschliche Wille
z u v o r (Sperrung nicht von W e b e r) das sittliche Ziel erkoren
hat und es mit aller Kraft zu erreichen strebt . . . Zur Erreichung
eines edlen Zieles, zur Vollendung einer sittlich guten Handlung sind zwar beide notwendig. Das Entscheidende aber ist
dabei stets das eigene menschliche Wollen."[30] Gerade umgekehrt
wird den Bewahrern und Verfechtern des thomistischen Lehr-
gutes von ihren Gegnern seit Jahrhunderten vorgeworfen, sie
vernichteten die menschliche Freiheit, da sie in Übereinstimmung
mit ihrem Meister behaupten, freie Willensbildung und erst
recht freie Willensbetätigung, so wie sie die Natur des Willens
als einer frei sich selbst entscheidenden Macht eben bedinge, sei

[27] S. oben S. 72 ff.   [28] 5. Buch Mos. 30, 15 u. 19.
[29] D e n z i n g e r, Enchir. Symbol. Nr. 316 f. — Über Augustinus gehen
übrigens die Meinungen sehr auseinander, vgl. bei M a u s b a c h, Die Ethik
des hl. Aug. Bd. 2 (1929), S. 25 ff u. Anm. 1.
[30] W e b e r, Gottesbegr. S. 38.

nur in Kraft der göttlichen Gnadenwirksamkeit und gemäß der göttlichen Vorherbestimmung möglich. Wir brauchen hier nicht des näheren darauf einzugehen, wie die Scholastik, insbesondere der Thomismus sich die unserm menschlichen Begreifen fast völlig unzugängliche Vereinbarkeit der beiden Komponenten einer menschlichen Handlung zurechtlegt, aber dies muß betont werden, daß von diesen schwierigen Fragen wiederum nichts und noch weniger als nichts im Parzival zu finden ist. Dort gibt es dagegen, was es je in der christlichen Lebensführung gab: einerseits den schlichten und ernsten Glauben an die Auserwählung, Vorsehung und Gnadenwirksamkeit Gottes, und anderseits einen hohen, ritterlichen Willen und ein nie erlahmendes Streben, dem der endliche Sieg nicht vorenthalten wird. Würde man eines betonen unter Vernachlässigung des anderen, man würde Wolfram mißverstehen, der sich vielmehr anbetend mit Trevrizent vor dem unergründlichen Mysterium Gottes neigt: *got vil tougen hât, wer gesaz ie an sînen rât ode wer weiz ende sîner kraft?* (797, 23 ff). Wenn Parzival endlich nach so langem und heißem Bemühen zum Ziel seines Verlangens b e r u f e n wird und wenn er alsdann in stammelnden Worten eine Erschütterung bekundet, die seine Seele bis auf den Grund zu entschleiern scheint, die unsern Blicken auf einen Augenblick sein innerstes Empfinden freigibt, da wird er nicht sagen: „Nun endlich habe ich das schwere Werk vollendet", nicht einmal: „Mit der Hilfe der Gnade habe ich das Ziel erreicht", sondern vom Glücksgefühl des unverdient begnadeten Sünders, dem Gott einen Blick der Huld geschenkt hat, und von der Freude des Mannes, daß Weib und Kind an seiner Auserwählung teilhaben dürfen, überwältigt, denkt er bloß, lauter und schlicht: *sô hât got wol zuo mir getân* (783, 6—10; vgl. auch 16 sowie das ganze letzte Schuldbekenntnis ebd. 11—17). Das ist eine Seelenverfassung, die um nichts von dem verschieden ist, was eh' und je als die vollkommene christliche Haltung vor Gott gegolten hat, dargestellt an einem Rittersmann, der im Ritterlichen die glänzendste Verkörperung des Ideals ist, im Menschlichen treu und echt dasteht wie nur einer und im Religiösen Tiefen und Breiten durchmessen hat wie sonst niemand zu seiner Zeit; das ist genau die Demut, die der treue Rater seinem

Neffen im allerletzten Wort noch nahelegen wird — denn es wäre wahrhaftig ein Zynismus des Dichters gegen sein eigenes Werk, wollte er dem Alten hier noch eine Entgleisung auflasten — und diese tiefe Demut bleibt nach den unerwartet glücklichen Wendungen (auch das sollte man nicht a l l z u leicht und nicht a l l z u selbstverständlich nehmen, daß ein Mann wie Trevrizent die Parzival zuteil gewordene Gnade als etwas ganz Außergewöhnliches ansieht!) das allein noch Notwendige, da in ihr die ganze christliche Existenz beschlossen liegt gemäß dem Wort des hl. Augustinus *humilitas paene tota disciplina christiana est*[31].

Es ist also, wie wir rückschauend sagen dürfen, nicht förderlich, sondern geradezu hemmend, wenn man zum Verständnis Wolframs auf die große theologische Bewegung der Scholastik zurückgreifen will, und es ist begreiflich, daß die bisherigen Versuche, eine Verbindung herzustellen, völlig unbefriedigend geblieben sind. W e b e r hat sich offenbare Unrichtigkeiten zuschulden kommen lassen, sowohl gegen die Scholastik wie gegen Wolfram, vor ihm hat E h r i s m a n n das Rittergedicht in unzulässiger Weise vergeistlicht; S a n M a r t e und D o m a - n i g - S e e b e r seinerzeit standen noch zu sehr unter dem Einfluß romantischer Mystifizierung und dazu konfessioneller Polemik. Einzig der S c h ö n b a c h schüler S a t t l e r schlug den Weg einer sauberen Vergleichung von Wolframstellen mit Theologen des 12. Jahrhunderts ein, und sein Ergebnis war äußerst dürftig; Z w i e r z i n a schrieb dazu: „Daß Wolfram an die Artikel des Credo glaubte, an Buße und Beichte usw. festhielt, versteht sich von selbst. Für diese Dinge ausführliche Belege zu bringen, geht nicht an, das hieße doch allzusehr unsere mittelhochdeutschen Dichter an der Hand des kleinen Katechismus interpretieren."[32] Es wurde gerügt, daß das, was in S a t t l e r s Untersuchungen fehlt (dem ganzen Gralkomplex ist z. B. keine Silbe gewidmet![33]) beinahe wichtiger sei als das Vorhandene und daß seine Methode[34], um zur Erkenntnis von

---

[31] A u g u s t i n u s, De virginibus, cap. 31.
[32] Z w i e r z w i n a (üb. Sattler) S. 50.
[33] S a t t l e r, Rel. Ansch. S. XI: „Die Gralfrage selbst ließ ich beiseite." Dieser Satz im Vorwort ist alles, was dazu gesagt wird.
[34] M i n o r (üb. Sattler) Sp. 707.

Wolframs religiösen Anschauungen zu gelangen, überhaupt nicht als zureichend betrachtet werden könne[35].

Wenn schon eine Annäherung an irgendwelche theologisch-geistigen Erscheinungen versucht werden dürfte, dann käme nur eine gewisse Analogie des Denkens (denn für konkrete Beeinflussungen waren die gesellschaftlichen Bedingungen überhaupt nicht vorhanden; die mittelalterliche Standesexklusivität ermöglichte gar keinen geistigen Austausch zwischen Rittern und Theologen[36], und die Predigt war keine Brücke, um ein breiteres oder tieferes theologisches Wissen ins Laientum zu vermitteln) zu der bis zum Anbruch der Scholastik vorherrschenden geschichtlich-symbolischen Sehweise in Frage, aber auch deren rein sakrale Auffassungsart wurde von Wolfram verändert durch Öffnung zum Weltlich-Irdischen hin und ihr zusammengreifender Blick auf die großen Gemeinschaften, Kirche, Reich, Welt usw., durch die Beachtung der Einzelgestalt und ihre psychologisch-religiöse Entwicklung.

Wolfram schrieb als Laie für Laien, als bewußter und verantwortlicher Erzieher des weltlichen Ritterstandes, in wohl märchenhaft unwirklicher Einkleidung, aber von Dingen, die das Leben eines Laien sehr tief angingen. Er schrieb nicht über den Gottesbegriff, sondern über das Verhältnis und das Verhalten des Menschen zu Gott; nicht über die Unzulänglichkeit und Neuersetzung einer veralteten Gottesvorstellung[37], sondern darüber, wie ein Mensch, der das Vertrauen zu Gott verloren hat, es später zu vertieftem und unverlierbarem Besitz wiedergewinnt. Daß sich mit dem Erscheinen der Wolframschen Epik etwas in der Gottesvorstellung der christlichen Laienwelt änderte, dafür liegt kein Anzeichen vor, und weil der Dichter auch nirgends verrät, daß er sich einer solchen Funktion seines Werkes bewußt wäre, so wäre dies selbst zutreffenden Falles für das Verständnis Wolframs nebensächlich; wessen sich aber der Dichter sehr genau bewußt ist, ist dies: ein Ritter, der im Streben nach weltlicher Ehre als der äußeren Anerkennung und

---

[35] Michels (üb. Sattler) S. 738.

[36] Nach Darlegungen von Prof. Dr. Quint - Bonn (jetzt Breslau) in der Vorlesung. Ob darüber Literatur besteht, konnte ich nicht feststellen.

[37] Dies ist die Grundthese Webers.

gültigen Dokumentierung seiner inneren Werthaftigkeit einen schweren Rückschlag, nicht einmal ohne eigenes Verschulden, erlitten hat, verfällt in den Haß Gottes und will von seinem Schöpfer nichts mehr wissen. In diesem Punkt, wo die Entziehung der, im Grunde vielleicht tatsächlich verwirkten, Weltgeltung ein Aufbegehren gegen den vermeintlich ohnmächtigen oder treulosen Gott zur Folge hat, allgemeiner ausgedrückt, wo sich die erstrebte und zum kulturellen Schaffen auch unentbehrliche Weltgeltung mit dem Dienst gegen Gott schneidet, wird das Problem des Laienrittertums akut. Es handelt sich nicht um irgendeine beliebig konstruierte Sünde, die durch Beichte und Absolution nachgelassen werden könnte, sondern um die Spannung des Laienrittertums und seiner selbstverständlichen Ansprüche zur Religion als solcher, die eine tiefgründende Lösung erforderte[38]. Es handelt sich also um eine geschichtliche Problematik des Rittertums und nicht des Gottesbegriffes. Nur ein Ritter, ein Laie, und nicht ein Kleriker war letzten Endes in der Lage, diese Spannung zu spüren, und mußte sich um die Lösung bemühen; er konnte eine befriedigende Lösung freilich nur dann finden, wenn er die religiösen Dinge hinreichend tief und ernst nahm — was allerdings für Wolfram zutrifft, denn folgenden Satz G. Webers unterschreiben wir durchaus: „Wolfram ... ist vieles andere eher als ein Theologe oder ein theologienaher Dichter. Ihm gebührt vielmehr die Kennzeichnung als urtümlicher religiöser Genius."[39]

Mit diesem Gedanken aber kommen wir an den zweiten Teil unseres Schlußkapitels, denn nach weitverbreiteten Vorstellungen ist das religiöse Leben im Mittelalter so stark von Kirchentum eingefangen und überdeckt, daß man meint, ein urtümlich religiöser Genius habe sich nur als Ketzer die nötige Entfaltungsmöglichkeit sichern können.

2. Die Kirchlichkeit im Parzival

Zahllos sind die Abstufungen, in denen die verschiedenen Wolframinterpreten glaubten, die Vorbehalte des Dichters

---

[38] S t e i n b ü c h e l wird in seinem Buch Christliches Mittelalter, 1935, dem religiösen Ernst, der in dem Laienrittertum herrschte, nicht voll gerecht, vgl. S. 183.   [39] W e b e r Gottesbegr. S. 46.

gegen die mittelalterliche Kirchenfrömmigkeit mit ihren Dogmen, Kultformen, juristischen Satzungen zeichnen zu können. Wenn man absieht von den oft in unhaltbarster Form vorgetragenen Ansichten über theosophische, anthroposophische, naturreligiöse Frömmigkeit des Graldichters, kann man unter den Bemühungen um ein ernstes und wahres Verständnis in der Hauptsache drei Richtungen unterscheiden. Die meisten wohl nehmen ihn für eine Lockerung des mittelalterlichen Kirchentums in Anspruch und machen ihn in geringerem oder stärkerem Grade zu einem Vorläufer der Reformatoren des 16. Jahrhunderts; andere mutet das vorgeblich priester- und sakramentsfreie Laienchristentum keineswegs lutherisch, sondern sehr germanisch an; wieder andere entdecken ein verborgenes manichäisch-albigensisches Ketzertum in dem Parzivalepos. Ernsthafte Aufmerksamkeit erfordern im Grunde nur die verschiedenen Auslegungen der ersten Richtung; insofern nämlich die Reformation gern als ein Durchbruch des alten germanischen Geistes angegeben wird, den sie aber vielleicht nicht vollkommen zu Ende geführt hat, ist der Unterschied gegen die zweite Richtung nicht allzu bedeutend. In größtmöglicher Unbefangenheit hoffen wir zu prüfen, wie es mit Wolframs „vorlutherischem Protestantismus" steht, schon um der Reformation selber willen, die ein zu bedeutsames Ereignis in der Geschichte unseres Volkes und der Kirche ist, als daß wir nicht mit aller Aufmerksamkeit ihre Wurzeln und kleinsten Würzelchen in den voraufgegangenen Jahrhunderten aufzuspüren hätten. Was indessen von der dritten Gruppe vorgebracht wird[40], macht uns, wir müssen es gestehen, keine große Beschwerde. Es genügt nämlich schon eine recht flüchtige Kenntnis des Ketzertums, um den Abstand Wolframs von ihm richtig einschätzen zu können. In gedrängter Kürze stellt das kirchengeschichtliche Handbuch von B i h l m e y e r die Hauptpunkte der albigensischen Lehre zusammen: „dualistische Lehre (Annahme eines guten und bösen Prinzips), Geringschätzung der Materie, Leugnung der Auferstehung des Fleisches, strenge Aszese, doketische Christologie. Sie verwarfen mit großer Gehässigkeit alles

---

[40] Zuletzt S c h r ö d e r, Parzivalfr.; R a h n, Kreuzzug; K a m p e r s, Gnostisches; vgl. K a m p e r s (üb. Schröder).

äußere Kirchentum, die Priester, Sakramente, Altäre, Kreuze, Reliquien- und Bilderverehrung, den Eid und Krieg, die Todesstrafe und weltliche Obrigkeit."[41] Nicht mit einem einzigen dieser Punkte, die Stellung zur Todesstrafe eingeschlossen (341, 28) würde sich Wolfram einverstanden erklären, wie jeder, der ihn gelesen hat, zugeben wird; der erste, das dualistische Prinzip, ist geradezu das kontradiktorische Gegenteil zu dem, was Wolfram mit seiner Synthese will. Soweit von Vertretern dieser Auslegung die Gralmystik ins Feld geführt wird, hat unsere Erklärung ihnen den Boden entzogen.

Die Spannweite, in der Wolframs mittelalterlicher Protestantismus erblickt wird, ist ziemlich breit. Einige Formulierungen mögen es veranschaulichen. V. M i c h e l s nennt den Parzival das Werk eines Mannes, „der von gewaltiger Höhe auf den Glauben der Menge herunterschaute, der gewiß nicht unkirchlich, gewiß nicht unkatholisch war, der aber sich sein eigen Reich in die Wolken baute und dem die Geister der reinen Lüfte, in denen er lebte, schon — ganz leise — das Wort in die Ohren flüsterten, das die greise Mystik seines gewaltigen protestantischen Nachfahren geprägt: daß alles Vergängliche nur ein Gleichnis. Auch in religiösen Dingen."[42] M. v o n E s c h e n: „Indem aber Wolfram den Gral an die Stelle der Kirche, dieser Verwalterin und Spenderin alles Heils im Himmel und auf Erden für das Mittelalter, gesetzt hat, beweist er, daß er durch die Form zu dem Geist hindurchgedrungen ist, mit dem sie, wie er ja auch ihren Satzungen zugrunde liegt, auch allein ihre wahre Bedeutung für den Christen haben kann, dem dieser innerhalb derselben auch erst seine wahrhafte Beseligung durch den empfängt: als in einer wirklich i n n e r - l i c h e m p f u n d e n e n Lebens- und Liebesgemeinschaft mit Gott. Man kann sagen, Wolfram steht hier hoch über seiner Zeit. Er war beinahe Protestant."[43] R. P e s t a l o z z i: „Das Thema der Parzivaldichtung ist dasselbe wie das der Lutherbiographie: der — treuherzige — Versuch des originalen Indi-

---

[41] K. B i h l m e y e r, Kirchengeschichte 2. Teil⁹, 1932, S. 147; nach I. v. D ö l l i n g e r, Beiträge zur Sektengeschichte des Mittelalters, 1890, findet sich keine Parallele zum Katharertum bei W.

[42] M i c h e l s (üb. Sattler) S. 741.   [43] E s c h e n Pz S. 46.

viduums, die Entwicklung innerhalb der Konvention, des Zeit-
geistes zu finden, der Zusammenstoß des Individuums mit dem
Kollektivgeist in einer furchtbaren Krisis, der schmerzvolle
Zusammenbruch der alten Einstellung, die Auffindung der persönlichen Formel."⁴⁴ Endlich Fr. K n o r r, der glaubt, es könne
nach seinen Darlegungen „kein Zweifel darüber bestehen, daß
Wolframs Dichtung nicht nur einzelne Ideen der Reformation
vorwegnahm, sondern deren Grundansatz überhaupt (nämlich
indem beide Male das Phänomen der Existenz in der Tiefe
gesehen und von da her nicht nur die Welt ausgelegt, sondern
auch ein neuer Zugang zum Christentum gefunden werde, der
die christliche Botschaft für den deutschen Menschen erst in
ihrer ganzen Bedeutung erschlossen habe). So nimmt es uns
auch nicht mehr wunder, außerordentliche Übereinstimmungen
der beiden Männer in der Behandlung bedeutender Einzelfragen
zu finden. Alle jene Probleme, die in Luthers Theologie infolge
ihres Ausgangspunktes und ihres Aufbaues Hauptfragen der
neuen Auslegung des Christentums sind, treffen wir auch in
Wolframs Werk als solche entscheidende Richtpunkte seines
Denkens an", und als solche werden dann aufgezählt: die Sünde
als dunkle Verstrickung des Daseins, die Unmittelbarkeit des
Menschen vor Gott, der freudige Glaube an die Erlösung und
das Problem der Rechtfertigung, eine antischolastisch gerichtete
Gotteserkenntnis, für die Gott ist „der absolut Ferne, der sich
weder der Anstrengung der Vernunft noch der mystischen Ver-
senkung erschließt, wohl aber in der Wirkung der Gnade sich
zu den Menschen neigt, wie es Parzival nach seinem Einzug in
die Gralsburg ausspricht."⁴⁵

Dreierlei ist es, worauf man sich berufen kann, wenigstens
dem äußeren Anschein nach, um Wolframs freiere Kirchlichkeit
zu begründen: der in der Tat beträchtlich geminderte Bestand
an kultisch-sakramentalen Einzelheiten gegenüber der fran·
zösischen Vorlage im allgemeinen, der völlige Verzicht auf sie
und auf die kirchliche Hierarchie für die wesentlichen Motiv-
strukturen des Epos, sowie die Ersetzung der Kirche durch den

---

⁴⁴ P e s t a l o z z i, Probl. S. 200.
⁴⁵ K n o r r, Welt ZfThK 16, S. 89 f.

Gral. Stellen wir kurz zusammen[46], so findet man in den Belehrungen weder der Mutter, noch des Gurnemanz oder des Einsiedlers die Mahnungen zu eifrigem Kirchenbesuch, verschwunden ist die feierliche Prozession mit Mönchen und Nonnen, die den ausziehenden Helden geleiten, getilgt sind dessen Bemerkungen, er wolle die Mutter veranlassen ins Kloster zu gehen oder werde gegebenenfalls ein Requiem für sie lesen lassen, der Schwur auf die Hostie wird wenigstens in einen auf eine *kefse* [=Kapsel, d. i. Reliquienkästchen] verwandelt. Besonders auffällig ist, worauf erst P a e t z e l zum ersten Mal 1931 hingewiesen zu haben scheint [46a], daß bei Wolfram sogar der Karfreitagsgottesdienst mit der adoratio crucis, der eigentliche Höhepunkt des französischen Romanfragments, gestrichen ist; indes mag Wolfram bestärkt worden sein durch die Beobachtung, daß in Eremitenklausen der große und feierliche Karfreitagsgottesdienst nicht gefeiert wurde, und da sein Trevrizent keinen Priester bei sich hatte, wie der französische Einsiedler, konnte ein solcher Gottesdienst auch nicht gefeiert werden. Die Angst des schwer verwundeten Ritters (Urjans) vor dem Teufel und sein Wunsch zu beichten werden beseitigt. Die andern Dinge sind uns schon bekannt, die Weglassung des Priesters aus der Einsiedlerklause, im Gefolge davon die „Lösung" von der Sünde ohne kirchliche „Lossprechung" und die fehlende Kommunion als Abschluß der Bekehrung Parzivals, ferner die humoristisch behandelte Taufe des Feirefiz, das Fehlen kirchlicher Eheschließungen und kirchlicher Schwertweihen, die zum mindesten selbständige Deutung des Christentums als *triuwe;* auch die Verschleierung der deutlichen Eucharistiebezüge durch Gralstein und Verweltlichung der Gralfeier gehören hierher und die Bemerkung, daß Sigune nicht zur Messe kommt. Es war uns im Lauf der Untersuchung möglich, für jedes einzelne dieser Elemente einen verständlichen Grund anzugeben, dennoch stellt ihr Zusammenklang erneut die Frage, ob nicht doch an dem vorgeblichen Abstand gegen die Kirche etwas Ernstes daran ist.

---

[46] S. dafür W e b e r, Wolfram S. 51 f.
[46a] P a e t z e l, W. u. Chrestien, S. 52, s. auch S. 120 f; vgl. B i n d a c h, Gral S. 526 f.

Es ist nun gewiß festzuhalten, daß das Kirchliche durchaus nicht völlig ausgeschaltet wird, weder aus dem Roman im ganzen noch im besonderen aus der Geschichte Parzivals, wie schon oben[47] bewiesen. Und wo deutlichere Motive umdunkelt werden, da geschieht dies doch nicht bis zu gänzlicher Unerkennbarkeit, wie es die Gralsymbolik besonders gut nachprüfen ließ. Auch bleibt der Glaube an die Kraft und Heilsnotwendigkeit der Sakramente, wenn sie schon für die religiöse Entwicklung Parzivals nicht sonderlich beansprucht werden, voll anerkannt (nur z. B. 453, 29), und das Priestertum zur Verwaltung der Sakramente, zum Spenden der Taufe und zur Feier der Messe braucht man auch auf der Gralburg.

Es gibt im Parzival eine ausgesprochene Stellungnahme zu dem ganzen Fragenbereich, die bekannten Abschiedsworte Trevrizents an seinen bekehrten Neffen. Man wird es uns nicht verargen, daß wir sie nicht als ein Tarnungsmanöver ansehen können, womit der Dichter seine bewußte häretische Gesinnung verdeckt habe, „sei es, daß er als Angehöriger einer mittelalterlichen häretischen Sekte zu strengstem Schweigegebot verpflichtet war, oder sei es, daß er im Bewußtsein des häretischen Charakters dieser Vorstellungen sie aus Furcht vor der allmächtigen katholischen Kirche unterdrückt hat."[48] Eine solche Interpretation zerschellt an des Dichters *unverzaget mannes muot* so sehr wie an seiner reinen *triuwe*. Ein anderer Einwand weist zu ihrer Entkräftung darauf hin, daß sie als blindes Motiv ganz unmotiviert im Roman stehe, daß sie offenbar nur dem Original zuliebe noch geblieben sei und so das Fehlen des geistlichen Mittlertums beim Deutschen erst recht deutlich mache, daß es auch ganz an den Schluß des Buches gedrängt sei und den Dienst an den Priestern überhaupt nur in zweiter Linie wegen ihrer besonderen Beziehungen zu Gott und den Sakramenten empfehle, in erster wegen ihrer Wehrlosigkeit, die sie mit den Frauen gemeinsam haben[49]. Aber das „blinde Motiv" ist ein etwas verfänglicher Gedanke; könnte es nicht das gerade Gegenteil beweisen? Denn wir fragen sofort: warum ist dieses blinde Motiv denn in den Roman hineingesetzt? Nur „dem

---

[47] Vgl. Kap. II.   [48] S c h r ö d e r , Parzivalfr. S. 42 f.
[49] N a u m a n n , Stauf. Ritter S. 79.

Original zuliebe"? Das ist bei Wolfram, der sich immer genau
überlegt, warum und wie weit er dem Original folgt und welche
Änderungen er vornehmen muß, kaum anzunehmen. Wir
kennen ja bei diesem Dichter die Methode kompositionell un-
begründeter und mit dem Romanganzen nur locker oder gar
nicht verbundener Einschaltungen und wissen, daß es sich dann
allemal um Dinge handelt, die demselben sehr ernst am Herzen
liegen; man vergleiche nur den Einschub gegen Gotfrid, die
beiden Selbstverteidigungen gegen die Damenwelt, die mit so
feinem Humor verdeckte Bitterkeit über die Armut in seinem
Hause, die Schlußbemerkung nach der Apostrophe an die
Minne: *ich hân geredet unser aller wort,* und ähnliche Bemerkungen, in denen immer die reale Wirklichkeit in die Dichtungswelt hineinflutet und in denen der Dichter sich ein Mittel für
die Anbringung ganz persönlicher Ansichten vorbehalten hat.
Gerade weil die Stelle so losgelöst in dem Epos steht, enthält
sie zweifellos einen Gedanken, an dessen Hervorhebung dem
Verfasser viel gelegen ist, nachdem die Eigengesetzlichkeit des
Kunstwerkes seine organische Einflechtung nicht recht zuließ;
es ist genau, als habe Wolfram Mißverständnisse befürchtet,
die sich aus der Anlage des Werkes ergeben könnten und sich
bemüht, ihnen durch ein paar unmißverständliche Verse vor-
zubeugen. Darum halten wir die Erklärung dieser Stelle von
G. W e b e r sehr zutreffend (obschon an den von uns gesperr-
ten Stellen wohl ein wenig übersteigert): „Die oft wiederholten,
aber gänzlich abwegigen Behauptungen, der Parzivaldichter
habe einer irgendwie gearteten übermittelalterlichen Lockerung
der Kirche das Wort geredet, widerlegt allein schon das un-
zweideutige feierliche Bekenntnis Trevrizents zum Priestertum
(502, 7—9) und seine Mahnung an Parzival in einem der
h ö c h s t g e s p a n n t e n Augenblicke der Dichtung (502, 12;
ist Vers 11 gemeint?), nämlich anläßlich des vom Dichter s o
s t a r k u n t e r s t r i c h e n e n Abschieds (502, 29. 30) von
seinem Schützling. Der höchste von allen dem Erdendasein
zugänglichen Werten ist der geistliche Beruf (502, 13. 14) . . .;
der Geistlichkeit gegenüber muß man eine grundsätzlich be-
jahende Haltung einnehmen (502, 12); sie hält die beiden Angel-
punkte, Buß- und Altarsakrament, in ihrer Hand (502, 15—

19); ein reines Priesterleben ist heiligmäßig zu nennen (502, 20—22)."[50]

Wenn sonach über Wolframs von Eschenbach persönliche Überzeugung hinsichtlich Kirche, Priestertum, Sakrament und der Ehrfurcht der Menschen vor diesen Institutionen des Heilswillens Gottes kein Zweifel bestehen kann, so bleibt aber noch immer die Frage ungelöst: Warum hat er dann seinem Werk eine Gestalt verliehen, kraft deren von diesen Gedanken nur selten und nur ziemlich peripherisch die Rede sein kann? Die Antwort nämlich, die sich uns bei den verschiedenen Gelegenheiten bereits mehrfach durch die einfache Phänomenanalyse aufdrängte, daß es sich im Parzival um Probleme handele, deren grundsätzliche Lösung nicht in einem einfach schlichten Anschluß an die Kirche, ihre Leitung und ihre Gnadenmittel liege, scheint das Eingeständnis zu enthalten, Wolfram habe die tiefste Lösung seiner Probleme eben doch nicht von der Kirche erwartet, oder anders gewendet, er habe das Wesen der Kirche doch nicht so tief verstanden, daß sie ihm zur Lösung ausgereicht hätte.

Um hier klar zu sehen, müssen wir einige Erwägungen vorausschicken. Es muß von vornherein als eine geschichtliche Selbstverständlichkeit betrachtet werden, daß Wolfram keinen Kirchenbegriff mehr besaß, wie ihn die Väterzeit im Anschluß an den hl. Paulus gewonnen hatte, der ganz aus dem Mysterium geflossen war. Wie hätte er an ihn kommen sollen, da die Theologen selbst diesen Begriff kaum mehr kannten? Ein Blick in die Ekklesiologie der Scholastik zeigt dies ganz deutlich, zeigt auch, daß in ihren theologischen Werken die der Kirche gewidmeten Untersuchungen überhaupt nur einen geringen Raum einnahmen im Vergleich mit den anderen Problemen. Freilich gab es damals sehr brennende Kirchenprobleme, sie lagen aber auf ganz anderem Gebiet. Sie betrafen die Läuterung der Kirche von unheiligen Männern und Zuständen und ihre Loslösung aus der Umklammerung durch die weltliche Macht[51]. Dem einzelnen trat die Kirche als Ausspenderin der

---

[50] W e b e r, Gottesbegr. S. 43.
[51] Hierfür wurden natürlich auch die geistig-spekulativen Unterlagen geschaffen, aber nicht so sehr von den eigentlichen Fachtheologen, sondern

Gnade und als Verkünderin des Wortes Gottes durch Predigt
und Verwaltung der Sakramente entgegen, aber eine Seelsorge
in dem heutigen intensiven Sinn, in deren Mittelpunkt die Person des Seelsorgers steht und die mit allen Erkenntnissen einer
verfeinerten Individual- und Gemeinschaftspsychologie den
Menschen nahe zu kommen sucht[52], wurde weder geübt noch
erwartet; schon gar formale „Kirchlichkeit" als Wesensbestand-
teil der Frömmigkeit anzusehen, dafür war das Bewußtsein des
anfechtungslos kirchlichen Mittelalters noch nicht reflex genug.
Es wäre eine geistesgeschichtlich unerhörte Leistung Wolframs
gewesen, hätte er, wie das etwa in einem Roman unserer Tage
geschehen kann, die Problematik der ethisch-religiösen Entwicklung Parzivals, die an sich und zunächst psychologischer Art
ist und nicht liturgisch-sakramental, im Mysterium der Kirche
ihre Lösung finden lassen: ohne den lebendigen Zusammenhang mit diesem Mysterium hinwiederum wären allerdings
Kult, Priester, Sakrament usw. nur als Äußerlichkeiten in dem
Roman anzubringen gewesen — wie sie ja nun auch in demselben vorkommen, und darum stilnotwendig, dafür hat das
feine Gefühl des Dichters Sorge getragen, auch nicht in den
zentralen Motivgruppen, sondern einigermaßen am Rande.
Daß Wolfram die Mysterien der Kirche nicht in gleicher Tiefe
wie die religiöse Psychologie verstand, daß er insonderheit nicht
sah, wie die religiös-ethischen Nöte und Fragen des menschlichen Herzens in diesen Mysterien, ohne Eintrag für beteilig-
teste und unter Umständen notvollste Selbstbemühung, eine
wunderbare und beglückende, eine wahrhaft gottgeschenkte
Lösung finden, dafür lagen die Gründe nicht bei ihm; indem
er aber, was ihm nur mehr oder weniger äußerlich zugänglich
war, nicht in den Mittelpunkt seines durch alle Äußerlichkeiten
durchstoßenden Werkes erhob und ihnen auch in dessen übrigen
Teilen keine vordringliche Breite gestattete, hat er dasselbe vor

von den Juristen und den Trägern der geistigen und politischen Bewegun-
gen, vgl. E. B e n z, Ecclesia spiritualis, 1934. Der alte Kirchenbegriff ging
unter mit der ungefähr in H i l d e g a r d v. Bingen und R u p e r t v. Deutz
zum letztenmal auflebenden alten Theologie.

[52] Vgl. den Art. Seelsorge von K. A l g e r m i s s e n in LfThK Bd. IX
Sp. 416 ff.

aller Verflachung bewahrt. Gerade eine Verflachung durch die Mittel einer religiös-liturgischen Verbrämung wäre für den Parzival vom Übel gewesen; bei Kristian wirkt in der Tat das vermehrte kirchliche Material keineswegs religiös vertiefend, sondern bestenfalls rein erzählerisch unterhaltsam. Immerhin aber müssen wir festhalten und können es nicht als belanglos betrachten, daß die höchst zentrale Gralsymbolik ganz aus einer eucharistischen Vorstellungswelt geformt ist und es sogar einen Gralpriester gibt, wie ferner, daß gerade der Führer Parzivals zu Gott, der betontermaßen als Laie vorgestellt wird, das hohe Lob auf das Priestertum und ein reines Priesterleben singt. Von einer auch bloß im Unterbewußtsein erstrebten Lockerung des Kirchentums zu reden, dazu fehlt die Berechtigung wohl doch, umso mehr, als Trevrizent keineswegs die im Mittelalter fast einzig gesehene amtlich-juristische Seite der priesterlichen Tätigkeit für sich in Anspruch nimmt, sondern die damals kaum wahrgenommenen Aufgaben einer persönlich-pädagogischen Seelenleitung, die zwar heute überwiegend den Priestern obliegen, aber keineswegs ihnen kraft der Weihe oder des Amtes vorbehalten sind.

Es scheint nicht unstatthaft, auf eine Parallele hinzuweisen, die zunächst überraschen könnte, denn gemeint ist die Mönchsregel des hl. Benedikt. Zur Zeit ihres Verfassers waren die Mönche noch durchweg Laien, und für Laien ist also das Büchlein gedacht, ihre sittlich-religiöse Vervollkommnung hat es im Auge. Darin darf man eine gewisse Übereinstimmung zwischen den so grundverschiedenen Werken erblicken. Das Erstaunliche ist nun, daß in dem Regelbuch Benedikts[53], dem man gewiß keine Vorbehalte gegen Kirche und Kirchentum wird vorwerfen wollen, das bei Wolfram Vermißte ebenso wenig zu finden ist wie bei unserm deutschen Dichter. Daß das Kloster im Verband der hierarchisch geordneten Kirche steht, geht nur beiläufig aus zwei Stellen hervor, wo davon gesprochen wird, daß etwaige Unordnungen bei der Abtswahl, falls sie zur Kenntnis des Diözesanbischofs gelangten, diesen zum Einschreiten verpflichten und daß zur Verhütung von Parteibil-

---

[53] Ausgabe von B. L i n d e r b a u e r OSB (=Flor. Patr. Fasc. XVII) 1928.

dungen der Abt selbst, nicht aber der Bischof, der schon den Abt eingesetzt habe, den Prior im Kloster bestellen soll[54]. Zwei eigene Kapitel sind den Priestern im Kloster gewidmet[55], eines denen, die als Priester eintreten, und eines jenen, die der Abt sich aus seinen Mönchen weihen lassen will, aber nur um ihnen einzuschärfen, daß ihnen nichts von der Strenge der Regel erlassen wird, daß sie sich im Gegenteil eines vorbildlichen Lebens zu befleißigen hätten und selbst ihren heiligen Dienst nur im Gehorsam ausüben dürften. Von den heiligen Sakramenten ist fast befremdlich selten und nebenbei die Rede; in den genauen Bestimmungen zur Tagesordnung wird die Messe, die freilich wohl nur an Sonn- und Festtagen stattfand, nirgends erwähnt[56]; nur im Kapitel über den Küchendienst wird angeordnet, daß die mit demselben betrauten Brüder, die im allgemeinen eine Stunde vor Tisch eine Stärkung nehmen können, an Festtagen bis zur (nach der) Messe nüchtern bleiben müssen[57]. Die heilige Kommunion wird nur im Kapitel über die Rangordnung in der Gemeinschaft einmal erwähnt, wo bestimmt ist, daß die Mönche auch zu ihrem Empfang in der üblichen Reihenfolge herantreten sollen[58], sowie gelegentlich der Vorschriften über den Tischleser, der nach Messe und Kommunion seinen Wochensegen erhält und vor dem Essen einen kleinen Trunk bekommen soll „wegen der heiligen Kommunion"[59]. Keinerlei Hinweis auf die Wichtigkeit der Sakramente für das religiöse Leben, kein Buchstabe, wie es mit ihnen zu halten sei, in welcher Haltung man sie empfangen solle, geschweige denn, wann oder wie häufig. Die Beichte wird überhaupt nicht erwähnt; trägt man an einer in der Seele verborgenen Sünde, so soll man sie nicht wie die Verstöße gegen Gemeinschaft und klösterliche Ordnung vor dem ganzen Konvent bekennen, sondern sie nur dem Abt oder den *spirituales seniores*, geisterfüll-

---

[54] AaO Cap. 64 Zeile 8 ff S. 69; Cap. 65.

[55] Ebd. Cap. 60 S. 65 f und Cap. 62 S. 67.

[56] Weder in den sehr ausführlichen Bestimmungen über den liturgischen Gottesdienst Cap. 8—18 (aaO S. 32 ff) noch in der Tagesordnung Cap. 48 (ebd. S. 55 ff) wird sie auch nur genannt.

[57] Ebd. Cap. 35 Z. 18 S. 47.

[58] Ebd. Cap. 63 Z. 8 S. 67.

[59] Ebd. Cap. 38 Z. 4 u. Z. 17 S. 49.

ten alten Mönchen, eröffnen, die es verstehen, eigene und fremde Wunden zu heilen und sie nicht öffentlich bekannt machen[60]. Nichts deutet darauf hin, daß hier von sakramentaler Lossprechung durch den Priester gesprochen wird, es sind vielmehr ausgereifte, alte Mönche, Geistträger, die mit kluger, taktvoller Hand die Krankheiten der Seele zu behandeln verstehen[61]. Fast ganz das, was Trevrizent für Parzival ist! Alles in allem haben wir somit in einer R e g e l für Mönche, die in der Kirche höchste Anerkennung gefunden hat und für die Kirche des Abendlandes Außerordentliches geleistet hat, noch weit weniger Kirchlich-Sakramentales, als immerhin in unserm Parzival r o m a n vorhanden ist, der zwar ebenfalls für Laien, jedoch für solche, die in der Welt standen und der Weltkultur zugewandt waren, geschrieben ist. Mehr soll indes mit diesem Vergleich nicht gesagt sein, als daß man aus der von Wolfram geübten Behandlung der zur Frage stehenden Dinge nicht voreilig auf irgendwelche Distanzierung gegenüber der Kirche schließen sollte, nicht für ihn persönlich, aber vor allem auch nicht hinsichtlich der in und mit seinem Werk erstrebten Absichten; es soll nicht mehr gesagt sein, als daß die Parzivalfrömmigkeit durchaus noch nicht die Kirche sprengt: wo ihre Wurzeln liegen, das ist damit noch keineswegs ausgemacht.

Schließlich ist, um diese Frage allseitig zu behandeln, noch ein Gedanke in Erwägung zu ziehen, der nicht gering angeschlagen zu werden braucht. Es gibt keine Meinungsverschiedenheit darüber, daß zu den stärksten Unterscheidungsmerkmalen unserer Geistigkeit von der mittelalterlichen die Auffassung von der Stellung der Kirche in dem öffentlichen Leben gehört.

---

[60] Ebd. Cap. 46 Z. 7 ff S. 55.

[61] Vgl. Reginhard S p i l k e r OSB, Die Bußpraxis in der Regel des hl. Benedikt. Untersuchung über die altmonastische Bußpraxis u. ihr Verhältnis zur altkirchlichen Bußdisziplin (in Studien u. Mitteil. z. Gesch. des Benediktinerordens u. seiner Zweige 56, 1938, S. 281 ff). Beachtlich ist, daß unter den Regelkommentaren erst der von T o r q u e m a d a im 15. Jahrhundert und dann vor allem die des 17. Jahrhunderts in der angezogenen Stelle einen Hinweis auf die sakramentale Beichte erblicken, aaO S. 285; die alten Erklärer sahen in dem senior spiritualis gar keinen Priester, und auch die neueren drücken sich wieder vorsichtiger aus. Sp. beweist, daß es sich gewiß nicht um sakramentale Absolution seitens eines Priesters handelt.

Unsere heutige Auffassung von Kirche und Staat als zwei in sich vollkommenen, von einander unabhängigen, selbständigen Gesellschaften bestand damals nicht, vielmehr waren die Worte Kirche und Reich Namen, die die gleiche Gesellschaft unter verschiedenen Aspekten bezeichneten. Einheit der Kirche bedeutete damals ganz wesentlich auch Einheit von Kirche und Reich, eine Einheit, in welcher die religiösen Aufgaben wahrgenommen wurden vom *sacerdotium*, der Priesterschaft mit dem Papst an der Spitze, die weltlichen vom *regnum*, der politischen Macht mit dem Kaiser an der Spitze. Es gab nur die Reichskirche, in die die gesamte weltliche und geistliche Ordnung eingefügt war, denn „auch der irdische Staat gilt nun in allen seinen positiven Seiten als Werk des Heiligen Geistes."[62] Freiheit der Kirche von der weltlichen Macht erstrebte keineswegs eine Trennung von Kirche und Staat als selbständigen Gesellschaften, sondern Anerkennung der geistlichen Gewalt i m Reich. Der ganze Kampf zwischen der geistlichen und der weltlichen Macht spielte sich auf der Basis dieser Konzeption ab und war deshalb nicht ein Kampf zwischen Kirche und Staat, sondern im strengen Sinn ein Kampf zwischen Kaisertum und Papsttum als den beiden Spitzen der einen Christenheit, und selbst noch Friedrichs II. Kampf verleugnet diese Grundauffassung nicht. Noch als diese Reichskirchentheologie durch die konkreten Verhältnisse längst ausgehöhlt war und im Kern keine Entsprechung zwischen Idee und Wirklichkeit mehr vorlag, galt die Kraft dieser Vorstellung unbestritten weiter: die *Concordantia catholica* des großen Nikolaus von Kues, die in klarer Erkenntnis den Zerfall der mittelalterlichen Ordnung schildert und ihm Einhalt gebieten möchte, unterscheidet in einer eigentümlichen Ausprägung der Lehre vom Corpus Christi mysticum zwischen dem hochheiligen Priestertum als der Seele und dem heiligen Reich als dem Leib des gesamten Gebildes, das er die katholische Kirche des gläubigen Volkes nennt; und indem der deutsche Denker dieses Auffassungsschema seiner Studie als Gliederungsprinzip zu Grunde legt, hofft er, die „Erkenntnis der süßen und harmonischen Synthese (*Concor-*

---

[62] A. D e m p f, Sacrum Imperium S. 181; dessen Kapitel 4—8 des 2. Teiles entfalten diese Idee in ihrer geschichtsbildenden Kraft.

dantia), kraft deren das ewige und das irdisch-staatliche Heil seinen Bestand hat", zu vermitteln[63].

Wenn man also feststellt, daß bei Wolfram die „Kirche" stark zurücktritt, so ist das keine andere Erscheinung, noch um einen Grad erstaunlicher, als daß auch das Reich mit Kaiser und Fürsten in keiner Form in die eigentliche Welt dieses Romans hineinragt. Erstaunlich ist im Gegenteil, wie jemand allen Ernstes im Parzival ein deutsches Nationalkönigtum, das gegen die römische Idee des *sacrum Imperium* aufgerichtet sei, gefeiert und gefordert sehen konnte[64]. In gewissem Sinn geben wir D i l t h e y recht, der die Unmöglichkeit geltend macht, „die Phantasie vom Gralkönigtum zum wirklichen Leben der Christenheit in eine innere Beziehung zu bringen". Aber wir wissen ja auch längst, daß die Phantasie vom Gralkönigtum nicht ohne weiteres in die Geschichtswirklichkeit des zeitgenössischen Daseins hinausprojiziert werden darf. Und in diesem Betracht steht der Parzival Wolframs von Eschenbach nicht einmal vereinsamt in der Dichtung seiner Zeit. Es ist oft bemerkt worden, daß die großen Ereignisse der Geschichte, deren Zeugen, ja deren Mitwirkende die Dichter als Ritter waren, diese Dichter nicht zu unmittelbarer Verarbeitung in ihren Werken anregten. Der poetischen Gestaltung wurden stets nur Stoffe aus Märchen, Sage, Legende usw. gewürdigt, die schon in irgendwelcher literarischer Form sich darboten und nur immer vollendeter mit ritterlicher Idealität und Kultur durchformt wurden, die jedoch stets in einer gewissen Unwirklichkeit gehalten blieben. Zeitgeschichtliche Realität wurde in das Zauberreich der Dichtung nicht eingelassen, dafür aber wurde sie umso stärker mit symbolischer Kraft erfüllt. Die Kirche aber gehörte eben der Sphäre der Wirklichkeit an; ihre reiche Symbolik in Sprache und Kultgestaltung konnte doch nicht einfachhin in die Dichtung hinüber genommen werden.

Damit bleibt von der berühmten Problematik der Wolframschen Kirchlichkeit nichts mehr übrig, und eine auf Luther hinweisende Auslegung des Dichters wird nicht möglich sein. Es wird wohl auch unserer Deutung nicht vorgeworfen werden

---

[63] Faksimiledruck besorgt von G. K a l l e n, 1928, Schluß der Praefatio.
[64] Fr. K n o r r, Pz; ders., Reichsidee.

können, daß sie gewalttätig vorgehe mit der Dichtung. Wenn
man allenfalls daran festhalten möchte, daß das Zurücktreten
des Liturgisch-Sakramentalen zugunsten des Ethisch-Psycho-
logischen im Parzival auch darin einen Grund noch hätte, daß
jenes dem deutschen Dichter, sei es weshalb immer, nicht voll
zugänglich gewesen wäre und daß dieser Zustand vielleicht
nicht Wolfram allein unter den deutschen Laien betraf, wenn
man meint, daß die stark ethische Haltung in der gesamten
mittelalterlichen Theologie vielleicht in dieses Kapitel, das
dann später von Luther mit großer Energie zu Ende (oder fast
zu Ende) geschrieben wurde, gehöre, so braucht man dem nicht
allzu scharf zu widersprechen. Man hätte dann indes nicht
mehr, als daß Luther etwas innerhalb der Kirche durchaus
Tragbares, ja Notwendiges, einseitig und zum Schaden des
Ganzen übersteigert hätte. Aber es gibt einen anderen Punkt,
für den zwischen dem Dichter des 13. und dem Reformator
des 16. Jahrhunderts ein höchstens durch geistvolle Konstruk-
tionen (die ja bekanntlich das Unmögliche können) zu über-
brückender Gegensatz besteht. Und das ist der Gedanke, der
nicht bloß in den Schlußversen proklamiert wird, sondern die
Gestaltung des Wolframschen Epos vom Anfang bis zum Ende
beherrscht und der an keiner Stelle aus seiner Erstrangigkeit
zurücktritt, nämlich der Gedanke der Synthese. Die theologische Anthropologie Luthers, die als die gedankliche Grundlage
seines ganzen Werkes sich in allen einzelnen Lehrteilen auswirkt, ist absolut dualistisch, sodaß man mit Recht von einer
Zweiköpfigkeit des Lutherschen Menschen[65] hat sprechen können. Es genügt, daß man sich an einige Punkte der Lehre des
Reformators erinnert, um die ganze Wucht des Gegensatzes
zu empfinden; man denke nur an die Zerstörung, die die Erbsünde im Bild des Menschen angerichtet hat, an das Verhältnis
der Tätigkeit Gottes zu der des Menschen bei der Wiedergeburt, an das Verhältnis der Gnade zur menschlichen Freiheit,
an die Gestalt des Gerechtfertigten und an die Lehre von den
guten Werken. Man wird finden, daß dies Dinge sind, für die

---

[65] J. Lortzing, Die Rechtfertigungslehre Luthers im Lichte der Hl.
Schrift, 1932, S. 1; vgl. ders., Wie ist die abendländische Kirchenspaltung
entstanden? 1929, S. 113 ff.

man aus Wolfram nicht das mindeste Verständnis für die Anschauungen Luthers belegen kann[66]. Und die hier sich auftuen-
den Unterschiede betreffen das W e s e n t l i c h e bei Wolfram, es lenkt vom Wesentlichen ab, wenn man den Blick auf
das Kirchliche und Kultische richtet, das in Wolframs Dichtung
ein wenig in den Hintergrund gerückt scheint.

Das hohe Verdienst Wolframs liegt darin, daß er seine
dichterische Kraft dem ritterlichen Laien widmet, daß er seine
religiösen Fragen sieht und anpackt, daß er ihn religiös auf
festen Boden zu stellen und mündig zu machen sucht — damit
die weltliche Kultur, der er dient, auch ihre metaphysische Verankerung in Gott und in der Frömmigkeit habe. In d i e s e m
Verstande halten wir N a u m a n n s Wort vom „frommen
Laienchristentum"[67] für eine ausgezeichnete Prägung, die wir
gerne annehmen: sie gibt recht eigentlich das Motto für unser
Wolframverständnis an.

Bezüglich der Formen und Äußerungen dieser Laienfrömmigkeit läßt sich der Dichter nicht weiter auf Einzelheiten ein.
Er spricht nicht davon, wie ein Ritter das Gebetsleben pflegen,
das Tugendstreben vertiefen kann, wie er es mit Beicht und
Kommunion halten soll u. dgl. Keinesfalls sind Formen gewünscht, die in der höfischen Gesellschaft auffallen würden.
Mit Entwicklungen, die man auf diesem Gebiet durchzumachen
hat, verbietet es das Taktgefühl, die Öffentlichkeit zu behelli-
gen; den in seinem Verhältnis zu Gott erschütterten Parzival
läßt der Dichter sich selber aus dem Kreise der Ritter und
Damen lösen und allein die Grundlagen seines Daseins neu
suchen. Das ist nicht der Individualismus, den man nicht selten
hierin hat erblicken wollen, sondern es ist die für die Seele notwendige Einsamkeit, in der sie über ihre schweren Fragen nach-
sinnen kann, die kein Gesprächsthema für eine höfische Gesellschaft bilden. Da der Einzelne allein, und wäre er selbst Parzival, aber nicht durch die Not dieser Einsamkeit hindurch-
findet, wird er zur rechten Stunde in die Klause eines heiligen
und weisen Mannes, seines Oheims, geführt und findet an ihm,

---

[66] Vgl. hierüber die §§ 6, 11, 12, 14, 22 bei J. A. M ö h l e r, Symbolik.
[67] N a u m a n n, St. Ritter, das ganze Kap. 7 „An den christlichen Adel
deutscher Nation" S. 78 ff dient dieser Prägung zum Nachweis.

der sich dem Hilfesuchenden gegenüber nicht so sehr als Priester, sondern als verstehenden Mitmenschen und Mitchristen
gibt, einen vertrauenswürdigen Seelenführer; ganz gewiß hat
in der Gestalt des Trevrizent ein dringendes Anliegen Wolframs für die seelische Lage manches Ritters sich kundgetan,
welchem der helfende Berater viel stärker notwendig war als
der absolvierende Priester. Sobald der Held wieder auf den
festen Boden jenes Glaubens gestellt ist, der die Grundlage
aller ritterlichen Kultur bildet, kann es nicht ausbleiben, daß er
auch in die Gemeinschaft, die er ehedem auf eine Zeitlang verlassen hatte, zurückkehrt. Sonach findet auch die Frage nach
Gemeinschaft und Individuum bei Wolfram eine wohltuende
und harmonische Lösung: seine persönliche Entwicklung soll
der Einzelne für sich selbst durchmachen, nur unter der Leitung
eines ausgereiften, verständigen Freundes, ihren Ertrag aber in
die Gemeinschaft mitbringen und ihr damit dienen.

Im übrigen gibt Wolfram in dichterischer Gestaltung nur
die großen Grundsätze, die leitenden Ideen für die ritterliche
Frömmigkeit. Er läßt seinen Helden in eigener Erfahrung er-
kennen, daß das Leben in tiefer und ernster Frömmigkeit auf
Gott begründet sein muß und daß diese Verbundenheit mit
Gott sich in die ganze praktische Lebensgestaltung hinein aus-
wirken muß, ins Minneleben und ins Kämpfertum vor allen
Dingen[68]. Eckstein dieser Frömmigkeit ist der Kreuzestod Jesu

---

[68] Weniges in der Literatur ist so unrichtig und schwülstig wie folgende
Sätze K. L a s e r s t e i n s: „Wolframs Menschen haben in jedem Augenblick
das Bewußtsein der Unendlichkeit und Unbegrenzbarkeit des sie umgeben-
den Alls. Wolframs einsamer, selbstverantwortlicher und durch keine kon-
fessionelle Form begrenzter Transzendentalismus nimmt die deutsche Mystik
Meister Eckarts, den Protestantismus Luthers und die romantische Verbundenheit Schleiermachers oder Novalis' vorweg, drei religiöse Epochen germanischen Geistes, in denen der Gehalt alles und die Form nichts war und
die sich an gar keine Gemeinschaft, sondern an die suchende Einzelseele
wandten." Wir erinnern demgegenüber nur an die Notwendigkeit einer
einigermaßen richtigen Vorstellung von Religion, s. oben S. 14 ff. Von
Parzival selber sagt die Verfasserin im Zusammenhang kurz vorher: „Seine
Verbindung mit Gott ist nicht die des optimistischen Gebets, sondern die
des einsamen Kampfes . . . Es ist in erster Linie eine Religion der einsamen
Verantwortlichkeit. Wolfram meidet die vergesellschaftete Form der Religion selbst, wenn sie ihm von Chrestien berichtet wird." L a s e r s t e i n,
Sendung 69 ff.

Christi, der, wie wir sahen, in vielfältiger Weise in die Mitte
der Dichtung gerückt ist. So überrascht man daher beim erstmaligen Lesen von der Behauptung G. W e b e r s sein mag,
daß die Parzivaldichtung, „da der Stifter der christlichen Religiosität in den Mittelpunkt gestellt wird, zu einem mittelalterlichen ‚omnia instaurare in Christo'" geworden sei[69], sie ist doch
nicht unzutreffend. Überraschend wirkt sie, weil im allgemeinen
die starke und frohe Weltlichkeit die religiösen Verankerungen
überdeckt, wenn wir aber diesen religiösen Verankerungen nach-
spüren, dann leuchtet uns in ihnen immer wieder die *triuwe*
des für uns am Kreuz gestorbenen Herrn entgegen.

Indem die Gottesoffenbarung am Kreuz sich als den Lebens-
mittelpunkt der Wolframschen Ritterfrömmigkeit darstellt,
ersehen wir, daß diese Frömmigkeit nicht einem „höfischen
Gott" gilt und nicht zu einer anthropomorphistischen Sonder-
frömmigkeit, sei es innerhalb, sei es neben der kirchlichen wird.
Zur Frage des Anthropomorphismus sind noch einige Gedanken anzufügen, nachdem bereits oben dargetan wurde, daß
Wolfram der Sache nicht verfallen ist, obschon in der Sprache
sich anscheinend anthropomorphe Äußerungen finden. Es ist
für den Menschen gar nicht anders möglich, als daß er von
Gott und den göttlichen Dingen anders redete als in menschlicher Sprache, die natürlich mit menschlich-irdischen, demgemäß
auch zeit- und kulturgebundenen Vorstellungen erfüllt ist. Es
gibt wohl Worte und Wendungen, die vorwiegend, zu Zeiten
gar ausschließlich für religiöse Dinge vorbehalten sein können,
ja nicht selten selber wie von religiöser Weihe umkleidet erscheinen; aber damit haben wir doch noch nicht im strengen
Sinne eine religiöse Sondersprache mit eigenem Vorstellungs-
gefüge, eigenem Wortschatz und eigener Grammatik. Nun ist
die Sprache nur der Ausdruck des Gedankens, in diesem wiederum spiegelt sich nichts anderes als die Wirklichkeit. Der einzige Weg, um aus dem Bereich der sichtbaren Dinge, darin wir
uns befinden, zu Gott aufzusteigen, ist der, diese Dinge, wähle
man nun die des rein Naturhaften oder die des Gesellschaftlich-
Kulturellen, zum Ausgangspunkt zu nehmen und in der berühmten dreifachen Weise der Bejahung (dessen, was sich in

---

[69] W e b e r, Gottesbegr. S. 21.

den Dingen Positives findet), der Abstreichung (dessen, was ihnen an Unvollkommenheit anhaftet) und der Überhöhung (dessen, was an ihren Vollkommenheiten noch begrenzt ist) den Aufstieg zu versuchen, der freilich nur dann zum Ziele führen kann, wenn man eine tiefwurzelnde Verhältniseinheit der Dinge aller Seinsstufen einschließlich Gottes als der höchsten annehmen darf. Als diese Einheit, die auch die abgründigsten Wesensverschiedenheiten noch überbrückt, wurde von der Scholastik die Analogie des Seins erkannt, die also die ontologische Voraussetzung für unsere menschliche Gotteserkenntnis darstellt. In ihr gründet für uns der einzige Zugang zur Erkenntnis Gottes, aber auch, wie man leicht erkennt, die ewige, weil wesensmäßig unausrottbare Gefahr des Anthropomorphismus. Doch braucht es keine philosophischen Reflexionen, nur einen schlichten und klaren Blick, um diese Gefahr für die Religion zu bannen.

Diese Dinge, deren geistige und sprachliche Bewältigung zu den großen Verdiensten der mittelalterlichen Philosophie gehört, sind dem einfältig und ernsthaft frommen Gemüt naturhaft vertraut, dem Dichter sind sie in müheloser Unmittelbarkeit geschenkt. Man konnte z. B. sagen, daß „Goethe, a u ß e r i n d e r D i c h t u n g, die anthropomorphe Sprechweise nicht ertrug"[70], weil diese Sprechweise, die sonst nur üble Zerrbilder des unfaßbaren Gotteswesens ergibt, in der Dichtung alle Gefahr verliert, denn in ihr nahm Goethe die Metapher, das Bild nicht als äußeres Schmuckmittel um einer zufälligen Ähnlichkeit willen, sondern in ihr erhellte sich ihm an Hand der sinnlichen das Wesen der übersinnlichen Dinge aufgrund ihrer verborgenen Wesensidentität[71]. Bei Wolfram ist es nicht die Wesensart des Bildes, sondern der andernorts[72] schon berührte Tiefenspielraum der Worte, womit er die Gefahr des Anthropomorphismus vermeidet. Die höfische Ausdrucksweise für Gott und die Beziehungen des Menschen zu ihm sollen nicht Gott und Frömmigkeit vermenschlichen, verhöfischen; die höfischen Wert-

---

[70] Karl M u t h, Schöpfer und Magier, 1935, S. 96.
[71] Nach Ausführungen von Prof. M. K o m e r e l l in einer Bonner Vorlesung SS 1934.
[72] S. oben S. 209.

anschauungen und Gesellschaftsformen lassen sich deshalb mit Recht in unpathetischer Weise zur Veranschaulichung der Religion gebrauchen, weil sie irgendwie ein Widerschein der Vollkommenheit Gottes und der zwischen ihm und den Menschen obwaltenden Verhältnisse sind. Höchstens dies kann man bei dem Verfasser des Parzival feststellen, daß er eine in der Ritterwelt wahrscheinlich zu flach und zu leichtherzig gebrauchte Redeweise zu läutern sucht, indem er ihr wieder die ursprüngliche Tiefe zurückgibt.

Der Parzival ist kein Dichtwerk kirchenfreier Frömmigkeit. Es wird ihn aber auch niemand als ein solches ausgesprochener Kirchlichkeit bezeichnen; er ist vielmehr das Zeugnis einer religiösen Urkraft in einem ernsthaft christlichen Ritter und Laien. Überall beweist er eine naturnahe, ja naturhafte, doch keineswegs naturalistische Frömmigkeit, und anderseits eine stets kulturfrohe, doch nie in bloßen Kulturpositivismus umgeschlagene Religiosität. Der Bedarf an spezifischen Äußerungen der Frömmigkeit in Brauchtum, Kirchentum, Gebetsübungen u. dgl. ist gering, was davon auftaucht, ganz dem Eigenwesen des Kunstwerks einverwandelt; ebenso ist der Aufwand an religiösen Einzelwahrheiten nicht so bedeutend, daß er unsere theologische Aufmerksamkeit wachrufen könnte. Was uns seinen Schöpfer für die Geschichte der deutschen Frömmigkeit bedeutsam macht, sind in der Hauptsache zwei Dinge, die jedoch in eines zusammenfallen. Es wird die religiöse Problematik des der Weltkultur zugewandten Rittertums aufgegriffen und durchbehandelt, und dabei wird die Religion als solche zur Grundlage dieses Rittertums gemacht, die sich ins Leben hinein auswirken soll — nicht so fast durch äußerlich hinzutretende religiöse Übungen und Betätigungen, sondern durch religiöse Auffassung und Gestaltung der ritterlichen Lebensäußerungen selber. Und hierin liegt die von Wolfram verkündigte Synthese: Minne in rechter Ehe, Kampfesnot aus Hilfsbereitschaft oder als Buße, kurz *triuwe* als Form alles Lebens.

Nicht als erster hat Wolfram dem Laientum eine religiöse Aufmerksamkeit gewidmet. Vorausgegangen waren zwei große Laienbewegungen. Die erste war das sog. Konversentum. Kirchenrechtlich gesprochen sind die Konversen Laienbrüder;

aber ihr frömmigkeitsgeschichtliches Verständnis kann man nicht von dem heutigen Laienbrüdertum in den kirchlichen Orden aus suchen. Da das Mönchtum, ursprünglich eine Angelegenheit, die weit überwiegend von den Laien getragen wurde, schon längst von der Kirche mit der priesterlichen Weihe ausgezeichnet war und demgemäß auch Forderungen stellte, die nicht mehr jeder einfach fromme Mann erfüllen konnte, war es etwas ganz Neuartiges, als in den Klöstern das Institut der Konversen geschaffen wurde, in dem Laien die Möglichkeit hatten, ein klösterliches Leben zu führen, ohne Mönch und Priester zu werden. Der starke Zustrom, der nun einsetzte, zeigte, welch lebhaftem religiösem Bedürfnis diese Schöpfung entgegenkam; Männer, die in der Welt große Namen hatten, die in Ansehen und Reichtum gestanden und auch schon manches geleistet hatten, vertauschten nun ihren Adel und ihr Rittertum mit dem unscheinbaren und bescheidenen Dasein eines Laienbruders. Alle Welt schaute mit Bewunderung auf diese Männer, die Priestermönche in den betreffenden Orden mit an erster Stelle, wie man z. B. aus Cäsarius von Heisterbach deutlich spürt; der Konverse war in der Zeit seines Aufkommens, man kann fast sagen, die große Form der modernen christlichen Frömmigkeit.

Eine neue Form gestalteter Laienfrömmigkeit stellten sodann die Ritterorden dar, die nicht mehr innerhalb der alten Orden unter Verzicht auf das Rittertum die schlichte Stellung von Laienbrüdern einnahmen, sondern die selbständige Orden waren und Kampf und Krieg als die Haupttätigkeiten des Ritters in ihr Ordensleben mit hinübernahmen. Man weiß, mit welcher Freude dieses Ordensrittertum im ganzen Abendland begrüßt wurde.

Während nun gerade zur Zeit Wolframs in den sog. Dritten Orden etwas entstand, was man schon als „Monachisierung der Laienwelt" selber bezeichnen muß — verheiratete Laien bleiben in der Welt und leben doch eine Art Ordensleben nach einer Regel und unter der Leitung des sog. ersten Ordens — schuf dieser Dichter das Parzivalepos, in dem die Frage der Laienfrömmigkeit nicht mehr durch den Anschluß an das Ordensideal in irgendwelcher Form gelöst wird, sondern ganz allein mit den religiösen Möglichkeiten des Laientums selber. Die

Lebensinhalte sind die des durchaus weltlichen Rittertums: Kampf als ordnungschaffende Arbeit und Minne als freudespendende, sippenaufbauende Eheliebe. Das Formprinzip ist die auf Zucht und Mannesmut basierte *triuwe*, deren höchste und ergreifendste, im eigentlichen Verstand urbildhafte Verwirklichung der am Kreuz für uns gestorbene Gottessohn geleistet hat. Zu diesen, im Gral zum Symbol verdichteten Idealen soll der Wolframsche Held heranwachsen — aus einem völlig ursprünglichen und unberührten Dasein, aus welchem kommend er das ritterliche Kulturideal, das ihm zunächst nur in seinem berückenden äußeren Glanz aufleuchtet, allzu flachoptimistisch erfaßt, um dann nach dem Zusammenbruch dieses Scheinideals das echte, auf den wahren und tragfesten Grundlagen erbaute Rittertum zu gewinnen. Was dem Mönch (bzw. dem Ordensritter und dem Konversen) die klösterliche Gemeinschaft leistet, das bietet dem Wolframschen Ritter die Gesellschaft der Standesgenossen (Gralrittertum) und vor allem die Blutsverbundenheit mit der Sippe (Gralgeschlecht) — mit dem Unterschied indes, daß, während die kirchlich-klösterliche Gemeinschaft als eine große feststehende Norm die Menschen in sich aufnimmt und nach ihrem Gesetz formt, die Wolfram-Parzivalsche Gemeinschaft aufs feinste die Entwicklungen des Helden spiegelt und im Grunde erst genau so errungen werden muß wie der Gral, erst am Ende des Weges ihre Segensmacht voll auswirkt.

So hat der ritterliche Laie Wolfram von Eschenbach sich bemüht, seinen Standesgenossen ein Ideal zu entwickeln, das ganz und gar ihrem Laienstand entsprach und in keiner Weise klerikale oder mönchische Prägung aufwies. Das christliche Glaubensgut und im besonderen das Erlösungsdrama auf Golgatha wird, ergriffen mit der ganzen Frömmigkeitsglut des damaligen Erlebens, als Grundlage in dieses Ideal eingebaut, aber Kirche und Hierarchie, Liturgie und Sakrament, als Gebiete vor allem priesterlicher und mönchischer Lebensgestaltung (wir sprechen aus der Auffassung des mittelalterlichen Laien), werden nicht weiter beansprucht, als es für den Aufbau eines Laienideals „notwendig" ist. Spannung liegt noch keine vor: es handelt sich für Wolfram rein um positiven Aufbau, um die Ge-

winnung der geistig- religiösen Grundlagen, nicht um Kampf
gegen bestehende Ordnungen. Auch diese Entwicklung wird
das Laientum antreten, es wird sich, einmal erwacht zum Bewußtsein seiner Selbstmächtigkeit, immer mehr darin bestärken
und den Kampf um die politisch-kirchliche Autonomie noch
im 13. Jahrhundert beginnen, an dessen Ende Papst Boni-
faz VIII. eine Bulle beginnen wird mit den Worten: „Clericis
laicos infestos oppido tradit antiquitas"[73]. Die Ansätze zu solcher Entwicklung, die bei Walther schon mit einiger Deutlichkeit hervortreten, fehlen bei Wolfram noch vollständig. Bei
aller Kampfesfreude ist seine d i c h t e r i s c h e Leistung ganz
unpolemisch positiv.

---

[73] Vgl. G. de L a g a r d e, La naissance de l'esprit laïque au déclin du
Moyen-âge, I. Bd., Le bilan du XIII. siècle, 1934.

Zeichen für periodische Schriften und Sammelwerke

AfdA	Anzeiger für deutsches Altertum und deutsche Literatur
AStnSp	Archiv f. d. Studium d. neueren Sprachen u. Literaturen
DkS	Der katholische Seelsorger
DtVt	Deutsches Volkstum
DVS	Deutsche Vierteljahrsschr. f. Literaturwsch. u. Geistesgesch.
DVS BR	Dasselbe, Buchreihe
Germ.	Germania
GRM	Germanisch-Romanische Monatsschrift
GöttgA	Göttinger gelehrte Anzeigen
HJb	Historisches Jahrbuch der Görresgesellschaft
HpBl	Historisch-politische Blätter
JbLgw	Jahrbuch für Liturgiewissenschaft
LCbl	Literarisches Centralblatt
LfThK	Lexikon für Theologie und Kirche
LtwJb	Literaturwissenschaftliches Jahrbuch der Görres-Ges.
NJbb	Neue Jahrbücher f. d. Klass. Altert. usw. bezw. f. Wissensch. u. Jugdb.
PBB	Beiträge z. Gesch. d. dt. Spr. u. Lit.
StZt	Stimmen der Zeit
ThprMs	Theologisch-praktische Monatsschrift
WSB	Sitz.-Berichte d. Wiener Akad. d. Wissschn, Phil.-hist. Kl.
ZfdA	Zeitschrift f. deutsches Altertum u. deutsche Lit.
ZfDk	Zeitschrift für Deutschkunde
ZfdöG	Zeitschrift f. die österreichischen Gymnasien
ZfdPh	Zeitschrift für deutsche Philologie
ZfkTh	Zeitschrift für katholische Theologie (Innsbruck)
ZfThK	Zeitschrift für Theologie und Kirche.

Namen- und Sachverzeichnis

bearbeitet von P. Ambrosius Stock O.S.B.

Die Autoren-Angaben im Literaturverzeichnis S. VII werden hier nicht nochmals berücksichtigt.

P = Parzival. W = Wolfram von Eschenbach.